Reçu de Érie en 1984   Anita Lavoie.
Très Très Beau

Vie de Thérèse de Lisieux

du même auteur

Jean-François Six

Vie de Thérèse de Lisieux

Éditions du Seuil

1. La famille
et les filles Martin

Au matin du 28 août 1877, une petite fille de quatre ans et demi est réveillée par son père qui la prend sans ses bras et l'emporte dans la chambre où se trouve sa mère, morte à minuit : « Viens embrasser une dernière fois ta pauvre petite mère. »

L'enfant est bouleversée, mais ne dit rien à personne de ce qui se passe en elle; elle pleure à peine, mais regarde en silence, écoute les grandes personnes qui parlent de la morte et de la mort. Elle cherche à comprendre.

La petite fille s'appelle Thérèse; et son nom de famille est celui qui est le plus courant en France : Martin. Elle habite en Normandie, à Alençon, une ville calme de province, une ville qui est surtout connue par sa spécialité : la dentelle.

Les parents de Thérèse? Nés l'un et l'autre dans une famille traditionnellement chrétienne, ils grandissent tout naturellement dans la vision de l'homme et du monde que, en général, le christianisme de cette époque transmet à ceux qui le suivent : le monde d'ici-bas est d'assez peu d'importance par rapport à l'autre monde; l'homme doit accomplir avec patience et résignation le passage que Dieu a prévu pour lui sur la terre, sans s'arrêter trop aux plaisirs de la vie. Tous les deux sont à ce point marqués par cette vue des choses qu'ils considèrent que le mariage n'est qu'un pis-aller, et que l'état monastique est bien plus vrai; tous deux désirent entrer en religion, faire leur vie dans un couvent. Des prêtres les en dissuadent l'un et l'autre mais ils garderont durant tout leur mariage, sinon la nostalgie de cet état de vie hors du monde, au moins la certitude que le mariage est un état inférieur. La preuve? On les a fait se rencontrer parce qu'ils ont cette même vision et ils se marient en décidant de n'avoir pas de rapports sexuels, de vivre comme frère et sœur. Au bout d'un an de mariage, Mme Martin s'entend dire, au cours d'une confession où elle a exprimé comment elle vivait son mariage, que l'on peut donner à Dieu des fils et des filles en ayant des enfants. Ils décident alors d'être vraiment mari et femme.

LE CERCLE DE FAMILLE.

Ils auront neuf enfants, de Marie, née en février 1860, jusqu'à Thérèse, née le 2 janvier 1877, donc la petite dernière. Sept filles et deux garçons. Sur ces neuf enfants, quatre meurent en bas âge, dont les deux garçons; resteront donc cinq filles qui connaîtront toutes un âge très avancé — deux d'entre elles vivront quatre-vingt-dix ans — sauf Thérèse qui, elle, meurt à vingt-quatre ans.

En même temps que la tradition chrétienne M. et Mme Martin sont marqués par une autre tradition : leur père à l'un et à l'autre est officier de carrière, ayant d'ailleurs combattu dans les armées napoléoniennes. Wagram, la campagne de Russie, l'Espagne; ils n'ont pas obtenu de hauts grades, ce sont des capitaines à la fois simples et impérieux, épris d'ordre et de gloire. Les deux familles sont bonapartistes par sentiment, mais royalistes par raison et religion.

M. Martin pourtant n'a rien d'un guerrier; c'est un être intériorisé, un rêveur, assez romantique et hors du temps; c'est un « mélancolique » au sens où on employait alors ce mot. Sa fille Céline dira de lui : « Volontiers il répétait ces vers de Lamartine :

Homme! Le temps n'est rien pour un être immortel.
Malheur à qui l'épargne, insensé qui le pleure!
Le temps est ton navire et non pas ta demeure. »

L'épitaphe qui termine la description des *Tombeaux champêtres*, épitaphe qu'il citait souvent, le dépeint assez bien.

Ici dort, à l'abri des orages du monde
Celui qui fut longtemps jouet de leur fureur.

Des forêts il chercha la retraite profonde
Et la mélancolie habite dans son cœur.

Sa « mélancolie » n'est pas seulement littéraire : Louis Martin ressent la fragilité des choses humaines. Il éprouve le besoin de « retraite profonde ». N'aurait-il pas voulu, à vingt ans, se faire moine à la Grande Chartreuse? Et comment vit-il, à vingt-cinq ans, ce Louis Martin? Il a choisi un métier qui correspond bien à son tempérament silencieux et à son goût de la méditation solitaire, il est horloger, et il vit entre son père et sa mère dans une sorte de vie monastique consacrée à un travail minutieux qui exige attention et silence. Le dimanche, il pêche; en 1857, il achète, au sud de la ville, près d'un endroit où la Sarthe se ramifie en plusieurs branches, une petite tour de deux étages. Il appelle cette propriété son lieu de « retraite », son *ritiro* ou encore le Pavillon; il y range son attirail pour la pêche. Mais ce lieu est pour lui un véritable ermitage où il s'adonne à la prière et à la lecture. Marié, il continuera à fréquenter assidûment son *ritiro*.

Louis Martin participe pourtant, mais assez rarement, aux *Cercles catholiques*. Une revue catholique, littéraire et récréative, le *Correspondant des Familles*, qui avait été fondée en 1865 par Mme J. de Gaulle, grand-mère du futur général de Gaulle, parlera, dans un article du 1er février 1865 rédigé par la fondatrice elle-même, des *Cercles catholiques*. « Des conférences de droit, de littérature, de médecine, etc. facilitent aux jeunes gens le développement de leurs études, et leur font contracter tout naturellement des liaisons chrétiennes et agréables.

« On n'admet au *Cercle catholique* que des jeunes chrétiens et qui veulent rester chrétiens. La politique est exclue de ces réunions, et l'on y respecte toutes les opinions honorables. On n'y tolérera certainement pas un membre qui essaierait de soutenir une théorie quelconque opposée aux enseignements du Saint-Siège et de l'Église; et si parfois quelques paroles un peu hasardées sont prononcées dans le sein des conférences ou dans les réunions générales, le *Cercle catholique* n'en saurait être responsable; d'autant plus qu'on ne peut attendre de jeunes hommes qui discutent ensemble pour apprendre et non pour enseigner, une maturité du savoir et une exactitude de langage que peuvent seules donner de longues et sérieuses études.

« Chaque soir, les membres trouvent dans les salons du Cercle, des journaux, des revues et des passe-temps honnêtes ; et pour compléter cette grande œuvre de préservation, plusieurs hôtels meublés et plusieurs pensions bourgeoises se sont établis dans les environs, ayant pour première règle de n'accueillir que des jeunes gens de bonne conduite.

« Il existe à Paris beaucoup d'autres institutions préservatrices en faveur de diverses classes de la société : nous en rendrons compte successivement. »

Mme Martin — Zélie Guérin, de son nom de jeune fille — a un père aussi rude que celui de Louis Martin — mais elle est, en plus, dans une relation difficile avec sa mère ; Zélie est en effet la deuxième enfant, après une fille, Élise, qui a deux ans de plus qu'elle et qui entrera au couvent, et avant un garçon né dix ans après elle, Isidore, le préféré du père, le gâté de la mère, l'adoré de ses sœurs. Zélie dira de son enfance qu'elle a été « triste comme un linceul » et regrettera la sévérité de sa mère à son égard ; par exemple, on lui avait toujours refusé d'avoir une poupée, alors qu'elle en brûlait d'envie ; Zélie, dans ces conditions, souffre constamment de migraines. A vingt ans, on la fait entrer à l'École dentellière d'Alençon ; et à vingt-deux ans, elle s'installe à son compte, fabricante de point d'Alençon.

La dentelle se trouve sur un parchemin doublé de toile, parchemin perforé d'après le dessin à reproduire. Ce qu'on appelle le point, en dentelle comme en broderie, est une figure géométrique dont les contours sont formés par les fils. Le point d'Alençon — ou plutôt le point de Venise, qui fut introduit par une dame Gilbert à qui Colbert fit une avance pour qu'elle établisse à Alençon une manufacture de dentelles — occupa au début du XIXe siècle dans cette ville jusqu'à trois mille ouvrières. C'est un travail qui nécessite beaucoup d'attention et une longue minutie : le point d'Alençon exige plusieurs mois de fabrication ; une seule pièce passe en général par dix-huit mains. C'est ainsi qu'une robe sortie en 1858 d'une fabrique d'Alençon fut estimée 200 000 francs; elle fut acquise par Napoléon III pour l'impératrice, transformée en rochet par celle-ci et offerte au pape.

Fabricante, Zélie Guérin compose le dessin mais elle a des ouvrières pour l'exécuter par bouts de quinze à vingt centimètres; le jeudi, elle reçoit les ouvrières — qui travaillent à leur domicile — leur explique ce qu'elles auront à réaliser. Mais il faut trouver des débouchés et Élise se rend à Paris avec M. Guérin pour présenter leur marchandise dans plusieurs magasins; le voyage d'affaires réussit et la petite entreprise Zélie Guérin est désormais lancée.

Louis et Zélie sont de caractère bien différent : Louis est aussi calme que Zélie est impulsive. Louis est plus rigoureux et assez fermé; Zélie, plus souple, plus adaptable; tous deux d'une très grande sensibilité.

Les voici jeunes mariés rue du Pont-Neuf à Alençon. Zélie a vingt-six ans; Louis, trente-cinq. Deux ans après leur mariage, la maison va donc commencer à se peupler d'enfants. Mais que de misères! Les enfants sont très souvent malades. Et puis, on dirait que Zélie n'est pas faite pour être heureuse. Son tempérament, le non-accueil de sa mère et l'idée qu'elle se faisait de la destinée humaine l'empêchaient d'être heureuse. Elle se confie à son frère : « Que veux-tu, il faut renoncer à tout! je n'ai jamais eu de plaisir dans ma vie, non, jamais ce qui s'appelle plaisir. » « Tu sais bien que la vie n'est pas longue. Toi et moi nous serons bientôt au terme. » Non pas qu'elle soit malheureuse avec Louis Martin : « Il me rend la vie bien douce. C'est un saint homme que mon mari, j'en désire un pareil à toutes les femmes. » Mais il y a tous les soucis et surtout ce fond de tristesse que rien ne vient laver, et une certitude que le bonheur n'est pas possible sur cette terre : « A certaines époques de ma vie où je me suis rendu ce témoignage que j'étais heureuse, je n'y pensais pas sans trembler, car il est certain et prouvé par l'expérience que le bonheur n'est pas sur la terre. Non, le bonheur ne peut se trouver ici-bas, et c'est mauvais signe quand tout prospère. Dieu l'a voulu ainsi dans sa sagesse, pour nous faire souvenir que la terre n'est pas notre vraie patrie. »

Sentiment, en même temps, de punition divine; en mai

1868, un an après la mort du premier Marie-Joseph, elle écrit à sa belle-sœur : « J'ai été bien heureuse lorsque j'ai élevé ma première, elle avait une si bonne santé. J'étais trop fière, le bon Dieu n'a pas voulu que cela dure, tous les autres enfants que j'ai eus après ont été difficiles à élever et m'ont donné bien des soucis.

« Le dernier petit Joseph est encore du nombre, il est toujours malade. Voilà trois mois qu'il est pris d'une bronchite qui l'a mis dans un triste état; la semaine dernière, on croyait qu'il allait mourir. » Et le 28 février 1869 à sa belle-sœur qui lui parle de son premier enfant : « J'étais si heureuse, moi aussi, de ma première; à mes yeux, il n'y avait pas d'enfants comme elle. J'espérais que cela irait aussi facilement pour les autres. Je me suis trompée; ce qui m'apprendra pour une autre fois, à ne plus rêver d'un bonheur durable, chose bien impossible ici-bas! »

Le monde reste toujours mauvais tandis que le Ciel seul est bon et attendu : « Je ne sais plus quoi te dire, écrit-elle à son frère le 5 mars 1865. Si tu voyais cependant la lettre que j'ai écrite à ma sœur du Mans, tu serais jaloux, il y a cinq pages. Mais à elle, je lui dis des choses que je ne te dis pas. Nous nous entretenons ensemble d'un monde mystérieux, angélique; à toi, il faut parler de la boue de la terre. »

Il n'y a pas seulement les enfants et les tempéraments, il y a le travail et Zélie s'y jette, s'y use. Elle l'écrit à son frère : « J'ai bien des soucis que d'autres femmes n'ont pas dans ma situation. C'est ce coquin de point d'Alençon qui me rend la vie dure : quand j'ai trop de commandes, je suis une esclave du pire esclavage; quand il ne va pas et que je m'en vois pour vingt mille francs sur les bras à moi coûtant, et des ouvrières que j'ai eu tant de peine à trouver qu'il faut renvoyer chez d'autres fabricants, il y a un peu sujet de se tourmenter, aussi j'en ai des cauchemars! Enfin, que faire? Il faut bien se résigner et prendre son parti de cela le plus bravement possible. » « J'ai bien du mal encore avec ce maudit point d'Alençon qui met le comble à tous mes maux; je gagne un peu d'argent, c'est vrai, mais mon Dieu, qu'il me coûte cher!... C'est au prix de ma vie, car je crois qu'il abrège mes jours et, si le bon Dieu ne me protège pas d'une manière particulière, il me semble que je ne vivrai pas longtemps. Je m'en consolerais facilement si je n'avais pas d'enfants à élever, je saluerais la mort avec joie, " comme on salue la douce et pure aurore d'un beau jour. "

« Je pense souvent à ma sainte sœur, à sa vie calme et tranquille; elle travaille, elle, non pour gagner des richesses périssables, elle n'amasse que pour le Ciel, vers lequel vont tous ses soupirs. Et moi, je me vois là, courbée vers la terre, me donnant une peine extrême pour amasser de l'or que je n'emporterai pas et que je ne désire pas emporter. Qu'est-ce que j'en ferais là-haut!

« Quelquefois, je me prends à regretter de n'avoir pas fait comme elle... »

Elle travaille au point qu'elle ne réussit pas à nourrir son dernier enfant, Joseph, qu'elle chérit tout particulièrement, un enfant né en 1866; elle doit le mettre en nourrice à six kilomètres d'Alençon, à Semallé, chez une fermière, Rose Taillé, que tout le monde appelle « la petite Rose ». Or, prendre une nourrice n'est pas à cette époque un petit problème. A l'article *Nourrice*, paru en 1874, le Grand Dictionnaire Larousse, donne toute une série d'indications sur le choix d'une nourrice; et non seulement des indications médicales mais morales, estimant en effet qu'il y a de sérieuses raisons à admettre la « transmission par le lait des qualités et vices moraux ». Il faut donc que « les parents soient très attentifs dans le choix de ces femmes dont dépendra la santé, et peut-être le caractère et la moralité de leurs enfants ».

Le même dictionnaire, à l'article *Mortalité*, écrit : « Depuis 1866, la question si grave de la mortalité des enfants nouveaunés a vivement préoccupé l'attention publique. On a été, entre autres, frappé de la mortalité provenant de ce que, en beaucoup de lieux, les nourrices se livraient à une véritable spéculation sur les enfants confiés à leurs soins. » Cette mortalité est très forte : 17,5 pour cent à la première année, dans l'ensemble de la France, mais est particulièrement forte dans le Calvados.

Joseph se porte bien et sa mère est heureuse : « Je reviens de voir mon petit Joseph. Oh! le beau petit garçon, qu'il est grand et fort! C'est impossible de désirer mieux; je n'ai jamais eu d'enfant qui vienne si bien, à part Marie. Ah! si tu savais comme je l'aime mon petit Joseph! Je crois ma fortune faite! » écrit-elle à sa belle-sœur.

Bonheur de courte durée. « J'ai eu le bonheur de voir mon petit Joseph le premier de l'an. Pour ses étrennes, je l'ai habillé comme un prince; si vous saviez comme il était beau, comme il riait de bon cœur! Mon mari me disait que " je le promenais comme un saint de bois ". Je le faisais voir, en effet, comme une curiosité. Mais... ô vanité des joies de ce monde! Le lendemain, dès trois heures du matin, on entend frapper bien fort à la porte; on se lève, on va ouvrir et on nous dit : " Venez vite, votre petit garçon est bien mal, on craint qu'il ne meure. "

« Vous pensez que je n'ai pas été longtemps à m'habiller et me voilà en route pour la campagne, par la nuit la plus froide, malgré la neige et le verglas. Je n'ai pas demandé à mon mari de venir avec moi, je n'avais pas peur, j'aurais traversé seule une forêt, mais il n'a pas voulu me laisser partir sans lui.

« Le pauvre petit avait un fort érysipèle, et la figure dans un état pitoyable. Le médecin me dit qu'il était en très grand danger, enfin, je le voyais déjà mort!... Mais le bon Dieu ne m'avait pas tant fait attendre un garçon pour me l'ôter si tôt, il veut me le laisser, il est maintenant en pleine santé. Mais, croiriez-vous qu'on m'a accusée de ce qui était arrivé, parce que je l'avais fait venir à Alençon par un temps trop froid. Comme vous le voyez, j'ai payé bien cher mon plaisir du Jour de l'An, mais on ne m'y reprendra plus. » Joseph meurt le 14 février 1867, à cinq mois.

Le deuxième petit garçon qu'elle aura, prénommé lui aussi Joseph, mourra en août 1868, à huit mois. En février 1870, elle perdra une petite fille de cinq ans et demi, Hélène. « Vers dix heures moins un quart, elle me dit:" Oui, tout à l'heure, je vais être guérie, oui, tout de suite... " Au même moment, tandis que je la soutenais, sa petite tête est tombée sur mon épaule, ses yeux se sont fermés, puis cinq minutes après elle n'existait plus... Cela m'a fait une impression que je n'oublierai jamais; je ne m'attendais pas à ce brusque dénouement, ni mon mari non plus. Quand il est rentré, et qu'il a vu sa pauvre petite fille morte, il s'est mis à sangloter en s'écriant : " Ma petite Hélène! ma petite Hélène! »

Un mois plus tard, le 27 mars, Zélie écrit à sa belle-sœur : « Je ne souffre pas beaucoup, mais j'ai un mal de tête constant et une faiblesse générale; je n'ai pas d'énergie, je ne puis travailler avec activité, je n'en ai pas le courage. Parfois, je me figure que je m'en vais tout doucement comme ma petite Hélène. Je vous assure que je ne tiens guère à la vie. Depuis que j'ai perdu cette enfant, j'éprouve un ardent désir de la revoir; cependant, ceux qui restent ont besoin de moi et, à cause d'eux, je prie le bon Dieu de me laisser encore quelques années sur la terre. « J'ai bien regretté mes deux petits garçons, mais j'ai plus de chagrin encore de la perte de celle-là; je commençais à en jouir, elle était si mignonne, si caressante, si avancée pour son âge! »

Isidore reprochera à sa sœur de n'avoir pas suffisamment soigné son enfant.

Comment Louis et Zélie vivent-ils ensemble? Louis est pour Zélie un lieu d'affection calme et solide — ce que son père n'était en rien pour elle. Elle est moins pieuse que lui et il faut qu'il insiste pour qu'elle l'accompagne, chaque matin, à la messe de cinq heures et demie. Elle est beaucoup plus active que lui et travaille sans cesse.

Zélie a appris à connaître peu à peu son mari avec ses silences et son caractère secret. Mais elle sait aussi, confusément, que sa réserve et sa timidité, qui le rendent assez désarmé devant le monde et les affaires, font d'elle, sur le plan du dynamisme de l'ensemble du foyer, le véritable élément moteur. Louis thésaurise tandis que Zélie va de l'avant, on le constatera de plus en plus.

Louis abandonne peu à peu son métier où il réussit moyennement, passant trop de temps dans la moindre réparation d'horlogerie et étant médiocre commerçant en bijouterie.

Et le voilà qui, de plus en plus, seconde sa femme dans son affaire de dentelles qui, elle, marche de mieux en mieux, au contraire de l'horlogerie-bijouterie : Zélie gagne huit à dix mille francs par an. La dentelle réussit vraiment bien. « Le bon Dieu a permis que nous ayons maintenant assez de fortune pour vivre en paix. » Cela marche si bien que Louis renonce alors définitivement à son métier : un de ses neveux reprend son fonds en mars 1870.

Même si le papier commercial porte le titre *Fabrique de point d'Alençon Louis Martin*, c'est Zélie qui dirige tout. Que son mari soit bon, cela ne fait pas de doute. Cette femme scrupuleuse et active se trouve mariée avec un homme austère. Et puis, c'est un rêveur et elle s'aperçoit vite que c'est elle qui doit mener leur barque. Ce qui ne fait, au début, qu'augmenter son angoisse à elle : elle voit bien que c'est sur elle que repose l'avenir matériel de leurs enfants et elle s'engage, dès lors, avec toute son ardeur inquiète, à amasser un certain capital qui permette d'envisager l'avenir avec une certaine sérénité.

« CETTE GUERRE EST UN CHATIMENT. »

Là-dessus arrive la guerre de 70 et l'envahissement de la France par les Prussiens.

Le 30 novembre 1870, Zélie écrit à sa belle-sœur : « Le 22 de ce mois, nous avons eu une fameuse alerte à Alençon, on attendait les Prussiens le lendemain; la moitié de la population, à peu près, a déménagé. Je n'ai jamais vu désolation pareille, chacun cachait ses trésors. Un Monsieur, près de chez nous, les a si bien cachés, qu'il ne pouvait plus lui-même remettre la main dessus. Ils ont été trois à bêcher toute une matinée pour arriver à retrouver la cachette! [...]

« Les Prussiens sont allés à Bellême et dans les villages environnants et ils ont fait pas mal de réquisitions, mais l'une d'elles a tourné au comique. Figurez-vous qu'ils ont pris le porc d'un pauvre bonhomme, qui défendait sa bête avec un courage sans exemple; c'eût été son enfant, il n'aurait pu mieux lutter. Quand le porc a été attaché sur un cheval, le bonhomme se mit à tirer de toutes ses forces sur la queue de l'animal, dont il fut obligé de se contenter car, pour lui faire lâcher prise, le soldat donna un coup de sabre, de sorte que la queue resta dans la main du paysan !

« En sortant de Bellême pour venir sur Alençon, ils ont passé par Mamers, puis, ils ont bifurqué et se sont dirigés vers Le Mans. Ils étaient vingt mille.

« Je me suis fort inquiétée pour mes deux petites filles, on disait qu'un grand combat se livrait au Mans, et il n'y avait aucun moyen d'aller les chercher ; le chemin de fer était réservé pour la troupe et on ne pouvait aller par la route, qui était encombrée par l'armée ennemie.

« J'ai reçu, samedi matin, une lettre de ma sœur me disant de ne pas m'alarmer, que les enfants étaient plus en sûreté que chez moi, car les Prussiens ne pénétraient jamais dans les couvents, et beaucoup de dames de la ville étaient venues demander aux religieuses de prendre leurs jeunes filles.

« Mais les Prussiens ne se sont pas arrêtés au Mans, ils veulent aller sur Paris. Ce qui m'avait donné le plus d'appréhension, c'est que les autorités avaient décidé que la ville se mettrait en état de défense, et la garde nationale était convoquée. On a envoyé des éclaireurs dans la forêt. »

La seconde armée de la Loire est écrasée le 11 janvier 1871 devant Le Mans. L'Orne est envahie à son tour ; les trois ponts d'Alençon sont minés ; les Martin qui habitent tout près du Pont-Neuf, se réfugient dans leur cave. La garde nationale est convoquée ; Zélie estime inconsidérée cette mesure : « Tous les habitants sont dans la consternation. Nos pauvres mobiles sont allés se battre contre les Prussiens qui étaient à une lieue de la ville ; on a entendu le canon sur trois routes différentes : route de Mamers, route des Aunay et route du Mans, jusqu'à six heures du soir.

« C'était pitié de voir revenir nos pauvres soldats, les uns sans pieds, les autres sans mains ; j'en ai vu dont le visage était tout ensanglanté ; enfin, il y en a eu beaucoup de blessés, toutes les ambulances sont remplies ; on ne connaît pas le nombre des morts, parmi lesquels il y a quantité de francs-tireurs.

« Est-ce raisonnable, quand on a si peu d'hommes à

opposer à l'ennemi, de les envoyer ainsi à la boucherie, contre une armée comme celle que nous avons eue sous les yeux? Personne ne se faisait une idée de ce que c'était; les Prussiens ont un appareil de guerre formidable. C'est quelque chose de bien sinistre de voir leurs bataillons avec des drapeaux noirs et une tête de mort sur leur casque. »

Alençon est bombardée et les Prussiens entrent dans la ville; Zélie écrit, toujours à sa belle-sœur, le 17 janvier 1871 : « Les Prussiens sont chez nous, depuis lundi matin, à sept heures; ils ont défilé devant la maison jusqu'à une heure de l'après-midi, ils sont au nombre de vingt-cinq mille. Je ne pourrais vous décrire nos anxiétés. » Mais elle ne manque pas de courage : « Lundi, vers trois heures, toutes les portes ont été marquées pour tel nombre de soldats ennemis à loger; un grand sergent est venu nous demander à visiter la maison. Je l'ai conduit au premier en lui disant que nous avions quatre enfants; il n'a pas essayé de monter au second, heureusement pour nous. Enfin, on nous en impose neuf et nous n'avons pas à nous plaindre; dans notre quartier, de petits boutiquiers qui n'ont que deux appartements, en reçoivent quinze, vingt et même vingt-cinq. Ceux que nous avons ne sont pas méchants ni pillards, mais ils sont gourmands comme jamais je n'ai vu, ils mangent tout sans pain! Ce matin, ils m'ont demandé un fromage; je leur en ai fait acheter un grand et ils l'ont mangé à quatre, sans une bouchée de pain! Ils avalent un ragoût de mouton comme de la soupe.

« Je ne me gêne pas avec eux; quand ils me demandent trop, je leur dis que c'est impossible. Ce matin, ils ont apporté assez de viande pour nourrir trente personnes, on est en train de la leur faire cuire.

« Nous avons été obligés de leur laisser le premier étage complètement et de descendre au rez-de-chaussée. Si je vous racontais tout, j'en ferais un livre.

« La ville refusait de payer la somme qu'on exigeait d'elle et nous avons été menacés de représailles. Enfin, le duc de Mecklembourg s'est contenté de trois cent mille francs, moyennant une quantité énorme de matériel. Tous les bestiaux des alentours leur ont été amenés. Maintenant, plus de lait nulle part; comment fera ma petite Céline, elle qui en buvait un litre par jour! Et comment vont faire les pauvres mères qui ont de tout petits enfants? Plus de viande non plus dans aucune boucherie; enfin, la ville est dans la désolation. Tout le monde pleure excepté moi.

« Mon mari est triste, il ne peut ni manger ni dormir; je crois qu'il va tomber malade. »

Pour les Martin, la guerre et la défaite sont une punition divine : « Comment se fait-il, dit Zélie dans la même lettre, que tout le monde ne reconnaisse pas que cette guerre est un châtiment? »

Ce qui touche Zélie, ce n'est pas tellement que la ville manque de viande et de lait; elle supporte tout cela avec calme — n'écrit-elle pas à sa belle-sœur : « Je n'ai pas eu grand-peur; je ne m'effraie plus de rien. » Ce qui l'inquiète, c'est le problème de l'argent. Les misères du temps font que ceux à qui elle avait prêté de l'argent ne peuvent le lui rendre : « Nous ne sommes plus au temps où je gagnais huit à dix mille francs par an et où mon mari faisait aussi des bénéfices à l'horlogerie. Maintenant, on ne peut même pas toucher d'argent pour vivre, personne ne veut payer ses dettes; je ne sais vraiment pas comment nous ferons si cela continue; nous n'avons touché ni la rente du Crédit Foncier, ni celle des Chemins de Fer et tous les particuliers qui nous doivent disent qu'ils ne peuvent payer. Nous devons recevoir sept mille francs, au mois de janvier, de la vente de nos maisons de la rue des Tisons. Je crains encore que la dame qui doit réaliser ses fonds ne puisse nous les donner. » La guerre a donc atteint son capital. Son espoir réside dans la possibilité de poursuivre son métier car il y aura toujours des riches pour acheter de la dentelle : « Il y a — il y aura toujours des riches, écrit-elle à sa belle-sœur le 29 mai 1871, le lendemain de la fin de la Commune; c'est pour cela que, si nous sommes ruinés, j'espère encore pouvoir gagner ma vie à ce commerce de dentelles. » Ainsi les difficultés amenées par la guerre ne font que raffermir, chez Zélie, la volonté de se consacrer à son travail lucratif.

Dès la fin de la guerre, Zélie reprend ses affaires avec vigueur. Les commandes affluent — ce sont souvent des robes de mariée pour la haute société. Et les Martin placent très bien leur argent, par exemple ils avaient fait une très bonne affaire avec des actions de Suez.

En 1894, à la mort de Louis Martin, l'actif total de la succession s'élèvera à 280 000 francs-or, tous frais payés; compte tenu des dots constituées à ses filles, c'est d'un capital de 300 000 francs-or que Louis Martin disposait. Ce qui est une très belle fortune si l'on songe qu'une maison ordinaire se vendait alors à Lisieux 3500 francs, qu'un fonctionnaire moyen recevait 1000 francs par an en 1881, et qu'en cette même année le kilo de pain était fixé à 42 centimes 50; autres points de comparaison : en 1880 à Paris un ménage avec deux enfants ne peut subsister en dessous de 1500 francs par an. Un haut fonctionnaire ayant deux enfants dépense 20 000 francs par an.

A Paris en 1880 le salaire quotidien varie entre 3 et 3,5 francs pour un manœuvre, 5 francs dans la métallurgie et le bâtiment. Les tailleurs de pierre de Rouen gagnent 6 francs dans la journée, ce qui est un très haut salaire, l'ouvrier agricole n'atteignant que deux francs (*Journal de Rouen*, 6 janvier 1881).

Le kilo de bœuf aux Halles de Paris est de 1 franc 66 en 1878. Le prix moyen du quintal de blé varie de 21 francs en 1885, à 25 francs en 1890, et 19 francs en 1895. Paris-Lisieux aller-retour : 10 francs en deuxième classe (1878).

Or Louis Martin s'établira rentier à Lisieux en 1877 à la mort de sa femme : il n'y a donc plus de gains à partir de cette date. Et Louis Martin ayant laissé son fonds d'horlogerie-bijouterie en mars 1870 à son neveu, les gains du commerce de dentelles ont dû être très importants entre 1871 et 1877 pour que Louis Martin ait disposé, à sa mort, de 300 000 francs-or. Ces chiffres signifient un immense travail de la part de Zélie dans les cinq dernières années de sa vie entre 1872 et 1877. Il ne faut pas oublier non plus qu'elle ne travaillait pas seule mais qu'elle employait pour son compte un certain nombre, variable, d'ouvrières à domicile qui, elles, gagnaient bien mal leur vie.

Aux Martin, la guerre de 70 apparaît en même temps comme un châtiment envoyé par Dieu à la France en punition de l'anticléricalisme virulent des années 65-70 et, pour eux, l'échec de la Commune est une victoire de Dieu. Mais Dieu ne se manifeste-t-il pas au cœur même du malheur? A Pontmain, par exemple, à 16 km de Fougères et pas très loin d'Alençon, on dit que la Vierge Marie est apparue à des enfants, le 17 janvier 1871. Nous ne pouvons mieux montrer dans quel contexte religieux vivait la famille Martin qu'en présentant une manifestation extrêmement importante de la vie religieuse d'il y a un siècle : les pèlerinages. La famille Martin, on le verra, va baigner dans cette atmosphère.

Dans l'après-guerre et l'après-défaite, on voit naître, en effet, le goût pour les pèlerinages. C'est alors que commencent en France les pèlerinages dits « nationaux » organisés par les Assomptionnistes; le premier de ceux-ci a lieu en février 1872 à La Salette et c'est à La Salette que fut improvisé le *Conseil général des pèlerinages*. Cette manière de proclamer sa foi en se rassemblant près d'un lieu sacré correspondait à un besoin des catholiques de l'époque ou, plus exactement, à une compensation. Les années 1850-1870 sont en effet des années où s'étendent de plus en plus, non seulement un profond anticléricalisme mais un antithéisme et un athéisme. Après l'enthousiasme et l'espérance politico-religieux de 1848, les catholiques connaissent en France une période de rejet progressif de leur religion, tant du côté des intellectuels que du côté des masses populaires. Les pèlerinages sont un moyen de se compter, de se trouver nombreux, de se rassurer, un moyen de résoudre commodément les problèmes politiques et sociaux. Et les premiers pèlerinages attirent aussitôt beaucoup de catholiques; on en conclut d'emblée à une victoire de la foi et à un nouvel élan de la religion : « Nous assistons, écrit l'évêque d'Angers, à un élan de foi et de piété tel qu'il ne s'en est pas produit depuis des siècles. D'une extrémité de la France à l'autre, nos routes sont sillonnées de pèlerins qui s'en vont demander à Dieu, avec leur propre conversion ou leur persévérance, le triomphe de l'Église et le salut du pays. » Ces pèlerinages entremêlent politique et religion. Et Paray-le-Monial tient une place toute particulière dans cet ensemble ambigu. Les diocèses s'y rendent, en 1873, bannières déployées : « Toutes ces manifestations, disent les religieuses de Paray, peuvent se résumer par ce mot inscrit des milliers de fois sur les ex-voto : la France au Sacré-Cœur de Jésus. Il y eut de grandes journées, le 20 juin, vendredi après l'octave du Saint-Sacrement, et le 29. Le 20 juin, deux évêques, deux mille ecclésiastiques et vingt-cinq mille pèlerins qui se trouvent à Paray font une immense procession; dans celle-ci le général de Sonis et le général de Charette, qui tiennent les cordons de la bannière des zouaves pontificaux. L'impiété est vaincue. Elle avait prédit qu'il n'y aurait à Paray-le-Monial ni hommes ni jeunes gens, pour " prendre part à de pareilles superstitions ". C'est ainsi qu'elle appelait la dévotion au Sacré-Cœur de Jésus, dévotion qui, au dire de la *Revue des Deux-Mondes* n'avait de prise que sur la partie la plus sensible du peuple des fidèles, " n'étant que l'aimant cauchemar de la religieuse bourguignonne Marguerite-Marie Alacoque et le raffinement de la sensibilité de la nature féminine " (1er mars 1873). Et pourtant, moins de quatre mois après, on vit l'image du Sacré-Cœur sur plus de cent mille poitrines; on la vit briller, à côté de la Croix de la Légion d'Honneur, sur la mâle poitrine d'officiers estimés braves entre les braves. On la vit enfin, le 29 juin, triomphalement portée par cinquante députés de l'Assemblée nationale qui vinrent se consacrer au très Sacré-Cœur de Jésus, eux et leurs collègues, et, avec eux, dans la mesure qui leur appartenait, la France et toutes ses provinces. »

Autre manifestation qui entremêle politique et religion : le 24 juillet 1873 est votée la loi déclarant d'utilité publique la construction d'une église sur la colline de Montmartre, église dite du *Vœu national*, qui était élevée en l'honneur du Sacré-Cœur. Dans le même temps se fait la tentative de restauration monarchique : « A côté de Pie IX, le comte de Chambord qui réunit la loyauté d'Henri IV à la vertu de saint Louis, personnifie, pour le clergé, l'ordre chrétien dont il attend impatiemment le triomphe. La plupart des catholiques partagent ces " sentiments monarchistes "; ils suivent avec enthousiasme les tractations qui préparent le retour sur le trône de l'exilé de Frohsdorf, et les grands pèlerinages en 1873 prennent, de ce fait, une allure non équivoque de manifestation royaliste. » Le cardinal Pie, évêque de Poitiers, écrivait à ce sujet, le 30 août : « Le drapeau tricolore, en tant que drapeau simplement politique, est immédiatement révolutionnaire. Il signifie la souveraineté populaire. » La constitution de la République sera votée le 25 février 1875. C'est le même député qui, à Paray-le-Monial, le 9 juin 1873, avait fait acte de consécration au Sacré-Cœur au nom des députés, c'est le même député, M. de Belcastel, qui disait à la tribune, le 25 février, avant le vote : « Aujourd'hui même vous organisez le régime républicain, sans réciter le *Credo* républicain. Vous osez à peine écrire ce nom suspect sur le fronton du temple dont, au grand étonnement de la raison publique, vous êtes devenus les prêtres, dont vous ne serez jamais les croyants. Ah! c'est que vous entendez au fond de vos consciences une voix à laquelle aucun acte parlementaire ne peut imposer silence, voix de l'histoire, voix du patriotisme, voix de la vérité qui vous crie : " La royauté, qui a fait la France, seule peut la refaire, seule elle peut lui rendre sa dignité, son prestige perdu ". » Le 16 juin 1875, 200e anniversaire de l'apparition à sainte Marguerite-Marie Alacoque, religieuse visitandine de Paray-le-Monial, Mgr Guibert, archevêque de Paris, bénit la première pierre de la basilique de Montmartre et consacre la France au Sacré-Cœur.

Ces pèlerinages font l'objet de positions et d'oppositions passionnelles; à l'article *Pèlerinage* du Grand Dictionnaire Larousse, article publié en 1874, on lit : « Les années 1872 et 1873 ont vu renaître sur une grande échelle la fureur des pèlerinages en France. L'aventure mystérieuse de la Vierge bleue à Lourdes et quelques autres miracles encore plus suspects en furent l'occasion ou le prétexte; la vraie raison fut le désir de protester en faveur du pape-roi, retenu prisonnier au Vatican et aussi de manifester contre la République. Le fait, nié d'abord, est devenu évident par des cris séditieux poussés en maints endroits, des couleurs factieuses arborées avec affectation. Il s'ensuivit même quelques rixes où l'on accusa les opposants d'avoir manifesté sur le dos des pèlerins. Ceux-ci n'étalèrent qu'avec plus de courage leur croix rouge sur leur poitrine, leurs gros chapelets autour du cou et chantèrent avec plus d'entrain :

> Mère de l'espérance
> Dont le nom est si doux
> Sauvez Rome et la France.

« Un jour, cent dix députés accomplirent un pèlerinage à la Vierge noire de Chartres et les plus hardis d'entre eux osèrent y porter des bannières; l'un d'eux, même, y prononça une amende honorable, le cierge à la main. [...] Le peuple français comprendra que ces promenades en trains de plaisir, que les gueuletons sur l'herbe, que cette poésie de mirliton, que ce commerce usuraire d'objets bénits que des industriels éhontés étalent sur l'herbe, que ces nuits passées à la belle étoile, non sans quelque danger pour la santé et les bonnes mœurs (les pèlerinages, à ce point de vue, ont une ancienne et détestable réputation) que tout cela, disons-nous, est ridicule et complètement étranger à la véritable dévotion comme à la saine politique. »

Louis Martin participe à cette manifestation collective : « Louis est parti, mardi matin, à cinq heures, avec six messieurs de la ville, pour un pèlerinage à Chartres; ils sont de retour depuis hier. Ils se sont trouvés à peu près vingt mille aux pieds de la Madone, il paraît que c'était magnifique, mais il n'y avait pas assez de lits pour tout le monde, il fallut coucher sur la paille ou dans l'église. Louis a passé la nuit dans la chapelle souterraine, où il y a eu des messes depuis minuit jusqu'au lendemain midi. Il a dîné avec les prêtres d'Alençon et ceux du Pèlerinage. Il m'a dit que tous semblaient croire que les choses s'arrangeraient à l'amiable, sans têtes cassées, ni maisons brûlées. L'un d'eux a prétendu savoir, de source certaine, que l'Église triompherait bientôt. Puisse-t-il dire vrai! » Il ira de nouveau à Chartres en mai de l'année suivante et en octobre de la même année 1873, Louis Martin ira en pèlerinage à Lourdes : « Mon mari est allé à Lourdes avec le pèlerinage diocésain et nous a rapporté deux petites pierres détachées du rocher, à quelques mètres de la Grotte de l'Apparition. Il y avait une bonne femme qui tapait avec un marteau, mais elle avait beau taper, elle n'arrivait à rien. Louis le lui a pris et a réussi avec adresse à obtenir un morceau ; tout le monde l'entourait à qui en aurait un fragment !

« Cependant, un gardien l'a menacé d'aller chercher le commissaire, et quand celui-ci est arrivé, le bonhomme disait en montrant Louis : " C'est ce grand-là, monsieur le commissaire. " Mais on ne lui a rien dit.

« Il n'a pas vu de miracles. Il était présent, lorsqu'une femme paralytique a été plongée dans la piscine. Un bon vieux pèlerin était assis sur un banc, tout près de la fontaine. Voyant que la malade ne guérissait point, il disait naïvement : " Ben dépêchez-vous donc, ma bonne Sainte Vierge, allons, vous n'en finissez à rien ! " Il a eu beau dire, la femme n'a pas été guérie.

« Quand les pèlerins sont revenus à Alençon, il y avait une foule énorme aux abords de la gare, tout le long de la route. Je n'ai pu aller au-devant de Louis, et heureusement ! On aurait dit que je me doutais de ce qui allait arriver ; les voyageurs portaient tous les insignes du pèlerinage.

« Mon mari est sorti le premier, avec une petite croix rouge, attachée sur la poitrine ; plusieurs l'ont apostrophé, d'autres ont ri ; mais ce n'était rien, en comparaison de ce qui s'est passé dans la suite. Quand on a vu la plupart des pèlerins ayant à leur cou des chapelets dont les grains étaient gros comme des marrons, on les a insultés de toutes manières ; plusieurs ont été conduits au poste de police. Ils ne revenaient cependant pas en procession, la Mairie l'avait défendu. »

En même temps, chaque diocèse se découvre des lieux de pèlerinage et invite ses fidèles à les honorer. Le diocèse de Sées, dont fait partie Alençon fait l'histoire, dans l'*Almanach de l'Orne pour 1874*, des pèlerinages locaux : Notre-Dame de Recouvrance, Notre-Dame de Lignerolles, Notre-Dame-du-Repos à Courteilles, etc. L'*Almanach* ajoute : « Nous n'avons point parlé de notre pèlerinage le plus récemment établi et maintenant le plus fréquenté, *Notre-Dame de la Conception*, à Sées. Il doit être mentionné à part et avec détails. Nos lecteurs savent que, durant les derniers mois, le diocèse de Sées a été représenté par de nombreux pèlerins, sous la conduite de leur vénéré Pontife, dans les sanctuaires de France les plus en renom. Au mois de juin, ils allaient visiter, à Paray-le-Monial, les lieux où une sainte religieuse, par d'intimes communications, reçut de Notre-Seigneur Jésus-Christ lui-même la mission de propager dans l'Église le culte de son cœur sacré. Le 16 juillet suivant, cinq cents pèlerins de Sées accompagnaient Monseigneur à Notre-Dame de la Délivrande et, après avoir accompli solennellement les exercices du pèlerinage, ils traversaient à leur retour la ville de Caen, précédés de quatre cents jeunes filles vêtues de blanc, élèves des classes que dirigent dans cette ville les Dames de la Providence de Sées. La population, émue et respectueuse, paraissait ravie de ce spectacle. Enfin, l'infatigable prélat, après avoir visité à Issoudun le sanctuaire de Notre-Dame du Sacré-Cœur, partit pour Lourdes le 15 septembre, accompagné de quinze cents pèlerins, qui passèrent un jour entier dans ce lieu de bénédiction, et purent être témoins des merveilles que l'on y voit éclater si fréquemment.

« Le 22 du même mois Monseigneur, de retour à peine de ce long voyage, publia un mandement, par lequel il annonçait pour le mardi 5 octobre un pèlerinage diocésain à l'église de l'*Immaculée Conception;* et, en même temps, la solennité jubilaire de sa cinquantième année de sacerdoce et trentième de son épiscopat.

« Le vénéré Pontife disait à son peuple : " Au lendemain de la définition dogmatique du glorieux privilège de Marie, fut décidée, pour servir de chapelle à notre Petit Séminaire de Sées, l'érection d'une église dédiée à l'Immaculée Conception. Fondé lui-même sous ce vocable, au commencement du siècle, cet établissement voulut être le premier en France à élever un sanctuaire en l'honneur de son auguste patronne. Marie a agréé ce témoignage de notre amour. Les offrandes sont arrivées, l'église est construite et les processions sont venues. Des conversions frappantes, des guérisons insignes, des grâces nombreuses de toute sorte ont été obtenues; témoin ces vingt mille lettres de reconnaissance insérées aux archives de ce béni sanctuaire. Sans doute la France entière a envoyé ses aumônes; mais au diocèse de Sées revient la plus large part de sa construction et de sa décoration. Ce pèlerinage est donc nôtre et nous sommes heureux de vous y appeler tous, afin de clore par une manifestation diocésaine ces pèlerinages qui ont reçu les bénédictions du Souverain Pontife et attireront sur notre patrie et sur l'Église des jours meilleurs... " Monseigneur ajoutait : " Nous vous appelons à cette solennité d'autant plus volontiers qu'elle nous permettra d'abriter sous l'aile de Marie Immaculée une fête de famille qui nous a été demandée par le clergé de notre diocèse... " »

Puis l'*Almanach* raconte le pèlerinage qui eut lieu à Sées et auquel 700 prêtres et 20 000 fidèles participèrent.

Si Louis Martin suit très volontiers les pèlerinages — mais on sait aussi qu'il aimait beaucoup voyager — sa femme n'y est guère portée; elle conduit bien sa fille Léonie « en pèlerinage à l'église de l'Immaculée Conception à Sées, pour qu'elle fasse une bonne Première Communion » mais c'est pour elle un gros effort et c'est vraiment parce qu'elle a une dévotion particulière à l'Immaculée Conception qu'elle accomplit ce pèlerinage; pourtant elle est prête à y emmener ses filles si cela contribue à les rendre pieuses : « Louise [son employée] est revenue de Lourdes avec toutes les infirmités qu'elle avait emportées, et, en plus, une bronchite. Mais au moral, elle n'est plus la même; son enthousiasme n'a pas de bornes, elle est maintenant pieuse! C'est au point que moi, qui n'aime pas les pèlerinages, je veux absolument aller à Lourdes, l'année prochaine, avec les trois aînées » dit-elle à sa belle-sœur.

Elle ira à Lourdes en pèlerinage, lorsqu'elle sera condamnée par les médecins, l'année même de sa mort; et nous verrons tout ce qu'un pèlerinage pouvait avoir de navrant et de déshumanisant. Il faut enfin souligner la prédominance mariale très marquée de tous ces pèlerinages : cette image de Marie comme image de la mère imprègne Zélie Martin et imprégnera ses filles, dont Thérèse, qui perdront leur mère et se tourneront d'autant plus vers la Vierge Marie.

ALENÇON, LES SORCIERS, LES PRÊTRES ET LES GENDARMES.

Il y a un climat de mort : la guerre, punition de Dieu, demande des réparations religieuses. Il y a un autre climat de mort : celui de la ville. Alençon, chef-lieu du département de l'Orne, 12 625 habitants, indique l'*Almanach de l'Orne pour 1874*, donc en diminution sensible par rapport à 1850. Le même *Almanach* de 1874 nous apprend que la poste distribue chaque jour 2 250 journaux de Paris : 300 abonnés au *Siècle*, 220 au *Figaro*, 180 à *France Nouvelle*, 130 à *l'Univers*, 125 au *Moniteur universel*, etc. L'*Almanach*, qui est clérical, ajoute que « les journaux radicaux, tels que la *République française* et le *Rappel*, n'ont que 37 et 33 abonnés ».

Les Martin n'aiment guère les « républicains » ou « radicaux », ce parti radical qui, dit l'*Almanach* « confondant la liberté de conscience avec la négation de tout culte, se faisait dernièrement le défenseur de cette ridicule palinodie, heureusement inconnue dans nos contrées, qui s'appelle l'enterrement civil ». L'*Almanach* — et les Martin — ont opté pour le parti conservateur : « Il y a des institutions absolument nécessaires, je ne dirai pas à la prospérité, mais à l'existence même des États : *la religion, la famille, la propriété*. De là pour tout citoyen l'obligation rigoureuse de respecter, d'affermir ces institutions et de les défendre contre tous ceux qui cherchent à les ébranler ou à les flétrir. On peut différer d'opinion sur la forme du gouvernement, mais quand les bases essentielles de tout gouvernement, disons mieux, quand les bases de la société elle-même sont discutées et menacées, il ne s'agit plus d'une question politique à résoudre, mais d'une question sociale.

« Puisse le parti conservateur comprendre les nécessités de la situation et faire son devoir! L'amour de la patrie n'est pas et ne peut pas être un amour spéculatif; il doit se montrer, il doit se traduire par des actes. Si donc, vous aimez votre pays, hommes de la conservation; si le nom que vous prenez n'est pas un leurre pour vous tromper et tromper les autres, mettez la main à l'œuvre, concertez vos efforts, combattez la Révolution dans toutes ses manifestations, dans toutes ses tendances, dans toutes ses idées; affirmez ce qu'elle nie et niez ce qu'elle affirme. »

Le travail est aussi un principe constamment rappelé : « Le discours d'usage, à la distribution des prix du collège de Sées, a été prononcé cette année par M. G. Ryder, professeur de l'établissement. L'orateur avait pris pour texte une de ces vérités éternelles qu'on ne saurait trop répéter pour le bonheur des peuples, à savoir que le travail est la loi de notre vie. Il a su, avec un rare bonheur, rajeunir ce sujet tant de fois traité — sa parole éloquente et persuasive, la nouveauté des aperçus et sa rare diction lui ont mérité les applaudissements les plus chaleureux et les plus sympathiques.

« Dieu, la nature et l'histoire, a-t-il dit, s'accordent à proclamer cette souveraineté absolue du travail — " tu travailleras ". Cette parole de l'Écriture contient en germe l'œuvre tout entière de l'humanité; écrite au seuil même du monde, elle ne périra qu'avec lui et malheur aux sociétés qui méconnaissent cette loi de la création; car on l'a dit avec raison, " toute nation s'élève ou s'abaisse selon qu'elle accomplit ou viole la loi vitale du travail. " — " Tu travailleras et tu travailleras dans la souffrance. " Le professeur a développé cette partie de sa thèse avec une vraie éloquence.

« Puis, passant à sa troisième division, il a montré dans l'histoire, le travail constant et invariable des siècles. — Il s'est écrié en terminant : " Travaillez, puisque l'humanité est courbée à tout jamais sous la loi du travail; travaillez, si vous ne voulez pas étouffer dès l'enfance les germes de votre virilité et condamner tant de sacrifices à la stérilité. — Travaillez, c'est la loi de Dieu qui imposa le travail à l'homme comme manifestation de sa force, de son intelligence et de son génie; — travaillez, c'est la France qui vous le demande, la main sur ses blessures récentes; — travaillez, et là je veux évoquer un nom plus fort que toute raison, plus éloquent que toute parole, je veux vous dire en terminant : Jeunes gens, songez à votre mère! " Le développement concis mais sérieux de cette péroraison, a profondément ému l'auditoire. »

L'athéisme est combattu à travers les arguments de Voltaire lui-même « cet ennemi si ardent de la foi catholique »; et Dieu est prouvé à travers des leçons et paraboles d'un petit livre *Ce que disent les Champs*, de Madame la baronne de Mackau.

A côté de l'athéisme, on s'attaque aux cabarets : « Ils ont une influence déplorable sur les classes populaires. Les ouvriers et les paysans s'y réunissent, moins pour y échanger une conversation que pour satisfaire leur intempérance. Ils y boivent, sans soif, souvent jusqu'à ce que l'ivresse s'en-suive. Ni leur santé, ni leur bourse, ni leur travail ne pro-fitent à la fréquentation du cabaret. Leur famille n'en profite pas davantage.

« L'esprit public y perd beaucoup. Le cabaret est habi-tuellement l'école révolutionnaire du village. Il est rare que l'homme de la campagne, qui le fréquente, ne se pervertisse pas le sens par les habitudes de paresse qu'il y contracte et par l'audition des orateurs qui y installent leur tribune. »

Il faut enfin se détourner des sorciers et des charlatans qui « ruinent la santé, brouillent les voisins, troublent le repos des familles et poussent les gens à des actions détes-tables »; en face d'eux, il est bon de se rappeler ceci : « Aux blessures de l'âme, le prêtre; à celles du corps, le médecin. »

Devant ces fléaux que sont l'athéisme, le cabaret et le charlatanisme, l'*Almanach* fait l'éloge du prêtre et des gen-darmes. Le prêtre : « il est au milieu de nous un homme bien peu apprécié, trop souvent peu aimé, et quelquefois même affreusement calomnié, et qui cependant est le consolateur de tous ceux qui souffrent, l'ami de tous ceux qui ne sont point aimés, et, en définitive, l'être le plus digne du respect et de la confiance de tous. Cet homme, c'est le prêtre, dont les esprits impies, ennemis de Dieu et de la société, cherchent incessamment à éloigner les cœurs, quoique celui-ci ne rende aux méchants que le bien pour le mal [...]. On se plaint par-fois que le prêtre vit comme un loup-garou, éloigné de la société. A qui la faute? N'est-ce point à la société, qui écoute les insinuations perfides et menteuses, et qui, la première, élève un mur entre elle et le prêtre? Puis, les gens du monde, si indulgents et si faciles pour eux-mêmes, deviennent, dès qu'il s'agit du prêtre, d'une sévérité, d'un rigorisme incroyables. Quelque chose que fasse leur pauvre curé, toujours on trouve à redire à sa conduite; s'il est expansif, gai et ouvert, on l'accuse de dissipation et de manque de tenue; s'il est grave et réservé, on dit que c'est un ours avec lequel il n'y a pas moyen de vivre. Que doit faire au milieu de tous ces extrêmes le ministre de Dieu?

« Il doit faire ce qu'il fait, c'est-à-dire supporter doucement les ridicules inconséquences dont il a tant à souffrir,
faire le bien en vue de Dieu seul, nous donner de bons
exemples, et nous sauver en se sacrifiant pour nous. » Les
gendarmes : « Songez à ceci, que la nuit, pendant que vous
dormez, des hommes veillent pour vous, désignés à la rage
des voleurs et à la balle des braconniers! qu'il vente, qu'il
neige, ou qu'un soleil aveuglant inonde les routes poudreuses,
toujours ils chevauchent, protecteurs-nés des faibles contre
les forts, défenseurs du petit champ comme de la grande
propriété. Dites-vous que le gendarme est la manifestation
la plus éclatante d'un État civilisé, que plus on remonte vers
la barbarie, moins on trouve d'hommes armés pour sauve-
garder la loi. Dites-vous enfin qu'en ce moment où tout chan-
celle, les rois et les dieux, ces braves gens, dont on s'est tant
moqué, sont en somme le dernier boulevard de la moralité publique. Tel individu qui ne croit point à l'enfer, croit
à la gendarmerie et agit en conséquence. A toutes ces causes,
crions d'un commun accord, en songeant que ses ennemis
sont les nôtres, crions : « VIVE LA GENDARMERIE! »

L'ÉDUCATION DES FILLES.

Voici donc la famille Martin, une famille comme beaucoup
d'autres familles bourgeoises catholiques de cette époque.
Une famille bourgeoise qui se suffit à elle-même, assez insou-
cieuse des problèmes du temps, sauf s'ils touchent à la
propre sécurité; une famille catholique où la manière de
vivre la foi, les commandements de Dieu et de l'Église, est
strictement conforme aux normes édictées en cette époque.
Une famille moyenne qui ne se distingue en rien d'un certain
milieu social et religieux très courant en cette seconde moitié
du XIXe siècle.

On pourrait écrire un traité de l'éducation des filles à
partir de la correspondance échangée entre Zélie et sa sœur
Élise, sœur Dosithée en religion. C'est donc à une religieuse
perdue au fond d'un couvent que Zélie ne cesse de demander
conseil pour l'éducation de ses enfants. A sa sœur, Zélie

demande des avis sur tout; par exemple s'il faut commencer l'apprentissage de la lecture pour Marie, l'aînée, qui a trois ans; sœur Dosithée lui répond qu'il faut « l'engager à lire pour plaire au petit Jésus ». La perspective de la vie religieuse est déjà présente : « Les enfants d'aujourd'hui sont si mal élevés qu'on ne sait comment s'y prendre pour les former à la vertu quand on nous les donne. Les parents ont de la piété mais comme on ne sait rien refuser à ses enfants, ils prennent des manières indépendantes et si pleines d'eux-mêmes et de leurs commodités que, plus tard, quand ils veulent se donner à Dieu ils ont bien de la peine à surmonter les difficultés. Ne fais pas de même pour les tiens, forme-les à l'esprit de sacrifice. »

Et nous trouvons aussitôt une constante chez Zélie : une obsession de la sainteté, sainteté qui est assimilée à la morale. Dosithée doit essayer de la calmer là-dessus : « Je vais essayer de te tranquilliser, ma chère sœur, car tu es ingénieuse à te tourmenter. Il ne faut pas croire que parce que le naturel de tes enfants n'est pas aussi doux que tu le voudrais elles ne seront pas saintes pour cela. » Mais Dosithée a pour visée un même moralisme étroit : « Surtout tâche qu'elles soient bien polies car je remarque que les enfants qui ne le sont pas, sont beaucoup plus difficiles à réduire. »

Début 1864, Zélie Martin a alors trois enfants, Marie, Pauline, Léonie, et l'aînée n'a pas quatre ans — elle est à ce point angoissée par ces questions de morale et de vie religieuse que Dosithée elle-même s'en étonne dans une lettre à Isidore : « J'ai reçu aujourd'hui une lettre de Zélie; les succès de ce monde l'étouffent presque, la pauvre fille, elle n'a pas seulement le temps de m'écrire, son commerce va si bien qu'elle n'a pas le loisir de prendre un peu de repos, c'est une vie d'agitation complète et tout en disant qu'elle sent bien qu'elle ne serait pas heureuse à ma place parce qu'elle n'y est pas appelée, elle se tourmente déjà de ne pas voir de marques de vocation dans ses enfants. » Ou qu'elle doit reprendre sa sœur pour ses excès : « Tu as tort de te tourmenter lorsque tu ne conduis pas Marie à la Messe, elle n'y est pas encore obligée, mais si elle est sage à l'église et qu'elle n'y donne pas de distractions, j'aimerais bien que tu l'y amènes quand cela est possible, afin qu'elle prenne de bonne heure de bonnes impressions. Il ne faut pas exiger d'une enfant de cinq ans qu'elle prie le bon Dieu tout le temps de la Messe; il me semble qu'elle devrait savoir assez lire pour pouvoir s'occuper pendant la Messe. »

Dans la lettre à son frère, Dosithée montre bien le fond de sa spiritualité faite de rejet du monde comme inconsistant et mauvais. « Le bonheur, lui dit-elle, ne consiste que dans l'accomplissement de tous ses devoirs. » Quand il est reçu bachelier ès sciences, elle lui répond : « Qu'est-ce que cela pour l'éternité!... Il ne faut pas coller son âme à la terre. » En avril 1864, Isidore, reçu interne en pharmacie, entre à Bicêtre dans le service de chirurgie : « Tu vas avoir devant les yeux de tristes tableaux de la pauvre humanité; la mort aussi avec ses suprêmes horreurs se dressera bien souvent devant toi, fais attention d'en profiter, je te dirai confidemment que rien au monde ne me détache plus de la terre, de ses vanités et plaisirs que la mort : je l'ai vue deux fois pendant le carême venir nous enlever nos sœurs dans une courte maladie, et je t'assure que personne ne se serait douté qu'elle se serait adressée à celles-là, surtout à une qui était la plus forte de la communauté : mais c'est un avertissement pour nous tenir toujours prêts, nous ne savons ni le jour ni l'heure à laquelle le fils de l'homme viendra, car quoiqu'elles eussent reçu tous les sacrements et qu'on ne leur eût pas caché leur position, elles ne le pouvaient croire. »

Elle recommence dans la lettre suivante sur le même sujet : « Oui, mon cher ami, nous ne sommes pas créés pour la vie présente car notre destinée serait bien malheureuse, plus malheureuse que celle des animaux; nous courons sans cesse après le bonheur et nous ne le pouvons pas trouver; les honneurs, les plaisirs, les richesses même ne sont pas capables de nous les procurer puisque tu vois que les célébrités vont mourir à l'hôpital. C'est bien le cas de dire avec Salomon, le monarque le plus favorisé du monde : vanité des vanités, tout n'est que vanité hors aimer Dieu et le servir; plus tu avanceras en âge et plus tu le comprendras. Le monde n'est qu'un ingrat, il nous fait bonne mine quand il espère de nous quelque chose, et il nous méprise et nous abandonne quand il nous voit dans la disgrâce, quelle folie de s'y attacher et de l'aimer. »

Pour Dosithée, tout, dans l'éducation des enfants, doit être centré sur l'esprit de sacrifice et un extrême perfectionnisme moral. Dosithée raconte à son frère — pour lui faire la leçon — les merveilleux efforts des jeunes enfants de leur sœur : « Zélie m'écrivait quelque chose de ses petites filles dans sa dernière lettre qui m'a fait honte à moi-même en me reprochant ma lâcheté. Elle demandait à Marie si elle n'avait pas commis une petite faute, la petite fille examine sa conscience et après un moment elle dit : " Non Maman, je ne l'ai pas faite ", alors là-dessus on lui dit d'aller se coucher et que le bon Dieu était dans son cœur, sa petite figure était illuminée de joie, mais voilà qu'un instant après, elle descend en sanglotant, la mère effrayée demanda ce qu'il y avait, alors la petite dit : " Maman, je viens de me rappeler que j'ai fait une faute, oh le bon Dieu n'est plus dans mon cœur, mon âme est tachée. " On fut obligé de la consoler en lui disant que le bon Dieu lui avait pardonné. La petite Pauline est encore plus gentille, cette pauvre enfant, quand ses sœurs veulent lui prendre ses affaires, on lui dit : " Donne-les, ma petite fille, c'est une perle à ta couronne ", alors elle n'oppose aucune résistance. »

Résultat : Marie devient sujette au scrupule et Dosithée est obligée d'en mettre Zélie en garde : « J'ai été agréablement surprise d'apprendre les succès de tes enfants, félicite-les de ma part et dis-leur que leur tante les verra avec grand plaisir l'année prochaine si elles continuent d'être sages. Je trouve que tu as bien fait de mettre Marie en pension pour te décharger et en même temps afin qu'elle se forme le jugement, cela me déplaît grandement qu'elle ait cette tendance au scrupule, ne lui parle pas tant de son âme et de la crainte de la souiller car à la fin cette crainte excessive lui nuirait plus qu'une conscience trop large. »

En août 1868, Zélie décide d'envoyer Marie et Pauline au pensionnat des visitandines du Mans — elles étaient jusque-là à la Providence d'Alençon. Marie comme pensionnaire et Pauline comme externe. Voilà donc les deux filles sous la garde de leur tante, dans un monde clos de religieuses;

l'essentiel est de les mettre à l'abri. La méthode d'éducation de sœur Dosithée est brutale; témoin cette douche écossaise qu'elle fait subir à Marie à peine arrivée au Mans (l'enfant est âgée de huit ans à peine) : « Je crois qu'on en fera une bonne fille, je ne lui trouve pas un mauvais caractère, mais une humeur mélancolique que j'espère bien corriger parce que je sais comment m'y prendre avec elle, j'en ai fait l'expérience la semaine dernière, elle pleurait et voulait te voir; après l'avoir beaucoup caressée voyant que cela ne cessait pas je résolus de m'y prendre autrement lorsque je quittai la classe où nous faisions une surveillance elle vint comme d'habitude pour m'embrasser, je m'y refusai. » Méthode qu'elle continue d'employer puisqu'elle écrit un mois plus tard en parlant de Marie et Pauline : « Elles m'aiment beaucoup et craignent de me faire de la peine; c'est une punition terrible pour elles lorsque je refuse de les embrasser. »

Elle donne aux deux enfants des perles pour en faire une sorte de chapelet appelé « chapelet de pratiques » et destiné à comptabiliser les actes de vertu qu'elles s'efforceront d'accomplir.

Dosithée et Zélie veulent une éducation doloriste et réparationniste. La culpabilisation est au cœur de leur méthode. Que donne une telle méthode sur les quatre premières filles Martin?

MARIE, L'IDÉALISTE.

Marie, l'aînée, qui a douze ans en 1873 quand naît Thérèse, est souvent appelée par son père « la bohémienne », à cause de son esprit d'indépendance. En réalité, Marie est très attachée aux siens et on doit la ramener du Mans où elle est tombée malade; en fait, c'est qu'elle ne supportait pas la pension; elle avouera elle-même que la séparation des siens était la vraie cause de sa maladie : « J'entendis un jour le médecin dire à maman : '' Cette enfant a dû prendre du chagrin, car c'est plutôt une fièvre bilieuse qu'une fièvre typhoïde. C'est le chagrin qui est la cause de cette maladie. '' Je me disais tout bas : C'est bien vrai, cela. Et j'étais presque contente qu'on ait des preuves de mes peines si amères. Maman me soigna, pendant cette maladie, comme une mère seule peut le faire. Elle passait des heures près de mon lit à me distraire, à m'écouter, malgré tout le travail dont elle était accablée. C'est alors que j'eus le temps de lui ouvrir mon cœur tout entier et qu'elle comprit tout ce que j'avais souffert loin d'elle. »

Voici donc Marie, que Zélie a installée dans sa propre chambre. Elle ne veut être soignée que par sa mère, veut l'avoir toute à elle, l'apitoie sur elle en lui racontant ses souffrances de pensionnaire. Zélie Martin voit bien que cette adolescente, très sensible, est encore une grande enfant qui a besoin d'être entourée. Dans ses premières années, elle a montré un caractère assez sauvage, « Marie est trop timide, cela lui fait tort, car elle n'est pas du tout méchante » écrit d'elle sa mère quand Marie a cinq ans. Elle se barricade, farouche, refuse de saluer dans la rue les passants et connaissances. « Tu ne te feras jamais aimer, lui dit sa mère. — Peu importe, du moment que toi, tu m'aimes. » Peu de souplesse de caractère et ce côté est plutôt augmenté par la faiblesse que Louis Martin montre envers sa fille aînée qu'il adore; le 14 avril 1868 — Marie a alors huit ans — Zélie Martin écrit à sa belle-sœur : « Marie a un caractère très spécial et volontaire. C'est la plus belle, mais je la voudrais plus docile. Quand vous m'écrirez, ne parlez pas de ce que je vous dis sur cette enfant, d'ailleurs si bien douée, mon mari ne serait pas content, c'est sa bien-aimée! » Fermée sur elle-même, Marie est agressive à cause de ses anxiétés mêmes; et c'est cet aspect d'angoisse que révèle son caractère scrupuleux : le soir, Marie examine longuement sa conscience devant sa mère et si elle a oublié quelque fredaine, elle redescend tout en pleurs : « Mon âme est tachée : le bon Dieu n'est plus dans mon cœur. » Zélie Martin accroît ce scrupule; pour la préparer à sa première confession, elle lui raconte cette histoire dont Marie se souviendra toute sa vie : « Il y avait une enfant qui n'osait pas dire ses péchés, et quand elle venait à confesse, le prêtre voyait sortir de sa bouche la tête d'un gros serpent. Puis, aussitôt, elle disparaissait. Enfin, un jour, elle eut le courage d'avouer ses fautes, et le gros serpent sortit tout entier, et, à sa suite, une multitude de petits serpents, car, lorsqu'on a chassé le plus gros, les autres s'en vont tout seuls, comme par enchantement. »

En octobre 1868, elle connaît une grave crise de scrupules, crise qui va jusqu'à l'obsession de serpents qu'elle essaie en vain d'exterminer; fièvre; aveux torrentiels à un confesseur qui arrête le flot et apaise Marie. Première communion le 2 juillet 1869, fête de la Visitation, juste avant les vacances; les éloges ne tarissent pas autour d'elle : « Si vous saviez, écrit Zélie Martin à sa belle-sœur, le 11 juillet, comme elle était bien disposée; elle avait l'air d'une petite sainte. M. l'Aumônier m'a dit qu'il était fort satisfait d'elle, il lui a décerné le premier prix de catéchisme.

« J'ai passé au Mans les deux plus belles journées de ma vie, j'ai rarement ressenti autant de bonheur. Ma sœur se trouvait mieux, Marie me disait qu'elle avait tant prié pour sa tante qu'elle était sûre que le bon Dieu l'exaucerait... »

Marie continue d'être scrupuleuse : « C'était un besoin pour moi de m'accuser : après, j'avais l'âme en paix » dirat-elle plus tard. Dosithée qui, le 12 février 1872, dit de sa nièce — celle-ci va avoir douze ans : « Que je l'aime donc, Marie! Que c'est une bonne enfant! Quelle candeur! Quelle droiture et sincérité! C'est ravissant. Presque tous les jours, je la vois courir après moi et s'accuser de ses manquements, et sans être priée, bien entendu. » La réserve de cette enfant, sa fuite du monde, son recul devant le mariage, plaisent aux siens; Zélie écrit en juillet 1872 à son frère : « Je suis bien contente de Marie, qui est vraiment ma consolation, elle a des goûts qui ne sont pas du tout mondains, elle est même trop sauvage, trop timide. Si cela ne change point, elle ne se mariera jamais, car elle a des inclinations bien opposées. »

Marie a demandé et obtenu d'être la marraine de l'enfant qui va naître, Thérèse. Or, curieusement, Marie tombe malade trois mois plus tard. Marie, l'aînée, qui était très choyée par son père et qui faisait la consolation de sa mère, n'a-t-elle pas été jalouse des soins attentifs dont on entourait la petite dernière et n'a-t-elle pas souhaité redevenir petite fille pour être à son tour objet de l'attention de tous? En tout cas, c'est ainsi qu'elle se conduit, en avril 1873, pour être ramenée auprès des siens.

Et dans sa maladie elle a vraiment des caprices et des enfantillages; Zélie écrit à sa fille Pauline : « Ma pauvre Marie a grand besoin de patience; elle ne mange rien, ne boit que du bouillon de deux heures en deux heures. Le médecin lui ayant permis de prendre du vermicelle, je lui en ai fait, mais elle n'a pu le manger. Ton père a été lui pêcher du poisson, elle en avait grande envie, mais n'a pu en goûter qu'une bouchée; au fond, j'en étais contente, car je craignais que cela ne lui fît mal. » Elle accapare et son père et sa mère : « Il n'y a que moi qui puisse soigner Marie jour et nuit, et, cependant, j'ai bien d'autres choses à faire. Je ne cesse de monter et de descendre; tu vas me dire : " Fais-toi aider "; mais Marie ne veut pas que d'autres que moi la touchent. Jeudi dernier, j'étais obligée de rester à mon bureau pour recevoir les ouvrières, et il a fallu laisser tout ce monde pour aller à elle; la bonne venait me dire : " Mademoiselle Marie veut que ce soit ' Maman '. » Le 5 mai Louis Martin fait à jeun un long pèlerinage à pied dans un lieu où l'on honore un saint qui fait passer les fièvres, la butte de Chaumont; et Marie guérit de ce qui était, il faut bien le dire, une fausse maladie; il aura fallu qu'elle aperçoive les angoisses maternelles à son sujet et les actes de jeûne et de pèlerinage que pose son père à son sujet pour la sécuriser et par là la désenfiévrer. Quelques fringales montrent bien ce besoin d'être nourrie, comme au berceau, par son père et sa mère : « Elle parle tous les jours de notre partie de campagne pour aller voir la petite Thérèse quand tu seras là. Il est convenu que j'emporterai beaucoup de pain, car elle dit qu'elle aura grand'faim.

« Comme on la prive de toute nourriture en ce moment, elle a des envies de malade incroyables. Elle veut un pain de trois livres pour elle toute seule quand on fera cette promenade, sans compter la galette aux confitures; elle croit sérieusement qu'elle mangera son pain de trois livres et elle dit à la bonne : " Louise, Maman emportera un pain pour moi toute seule. " Louise lui répond : " C'est un pain d'un sou sans doute? " Mais Marie se fâche quand elle entend parler d'un pain d'un sou, elle me dit : " Oui, j'en emporterai un dans ma poche pour manger le long du chemin, mais cela ne m'empêchera pas de manger mon pain de trois livres et encore du pain noir chez la nourrice. » Quelques jours plus tard : « Elle a été levée quatre heures. On l'a installée dans un grand fauteuil au jardin, puis on l'a recouchée; mais elle a voulu se lever de nouveau pour souper, avec nous. J'ai lutté vivement pour qu'elle ne le fasse pas, elle s'est mise à pleurer et le papa a cédé!

« Je ne voulais pas non plus qu'elle prenne autre chose que son vermicelle; oui, mais elle a vu bien des mets sur la table, qui lui faisaient envie; son père lui a donné deux bouchées de fromage, et puis ceci et cela... On vient de la remonter dans sa chambre; on lui aide à marcher en la soutenant sous les bras, comme on le fait à ta petite sœur Thérèse. » Tout y est dans cette lettre de Zélie à Pauline le 14 mai : envie de nourriture, faiblesse du père, recherche d'être soutenue comme la petite Thérèse; vraiment ce fut bien difficile pour Marie d'admettre l'arrivée, dans la famille, de cette dernière enfant.

PAULINE, LA PRÉFÉRÉE DE ZÉLIE MARTIN.

De toutes les filles Martin, c'est Pauline qui, physiquement, ressemble le plus à la mère; elle a aussi le même caractère impulsif. Zélie Martin se retrouve en elle, s'appuie sur elle : « Notre Mère avait pour Pauline une sorte de prédilection » dira plus tard Céline. Quelques extraits de ses lettres disent assez l'affection ardente qui liait Zélie Martin à sa seconde fille. Le 10 octobre 1875 — Pauline vient d'avoir quatorze ans — elle lui écrit : « Je ne puis résister, aujourd'hui, au désir de t'écrire, cela va me faire du bien, car je pense à toi toute la journée, ton souvenir ne diminue pas, au contraire; je n'ai jamais été aussi privée de toi, c'est sans doute parce que tu es rentrée seule. Puis, vois-tu, mon affection pour toi va croissant de jour en jour, tu es ma joie et mon bonheur. Enfin, il faut que je me raisonne et que je ne pousse pas trop loin mon amour, car si le bon Dieu allait te prendre avec lui, qu'est-ce que je deviendrais? »

Le 7 novembre suivant : « Je ne puis te dire combien ta dernière lettre m'a rendue heureuse; j'ai vu tous les efforts que tu fais, malgré ta vivacité naturelle, pour nous faire plaisir à tous. Je t'en sais un gré infini, si tu savais comme je t'aime, en toi tout m'attire. » « Je suis très satisfaite de toi, ma petite Pauline, tu me donnes beaucoup de joie et un grand dédommagement dans les tribulations que je puis avoir. »

Pauline est d'une même affectivité que sa mère; en pension, elle s'attache à telle maîtresse et à telle amie avec un exclusivisme dont elle se reprochera plus tard l'excès : « Quelle misère que ces affections exagérées! O mon Dieu, pourquoi ne vous ai-je pas uniquement aimé! Pourquoi me suis-je " laissé couper et brûler tant de fois les ailes à cette flamme trompeuse de l'affection si vaine des créatures! " »

Au pensionnat, Pauline souffre tout particulièrement de la différence de classe sociale : « Presque toutes mes compagnes de la Visitation étaient nobles et c'est incroyable la vanité qui se loge dans ces petites têtes de pensionnaires. Je le sais par expérience.

« Une certaine petite fille me tourmentait pour savoir si, au moins, j'avais un parent noble dans ma famille. Je réfléchis et trouve heureusement à lui sortir le nom de M. de Lacauve.

« Elle ne s'en tint pas là : " De quelle couleur est le salon de vos parents, leur canapé? " O mon Dieu! que vais-je devenir : je ne connaissais point de salon à mes parents, ni de canapé chez nous! Comment avouer cela? Je n'en ai pas le courage. Mais, j'avais l'esprit vif et je pense aussitôt à une sorte de petite chaise longue en paille, qui était au Pavillon... C'est jaune, me dis-je, et ressemble à un canapé. Alors, je sors ma trouvaille : " Notre canapé est jaune. — C'est très distingué ", me répond la petite élève. »

Goût de plaire à autrui et sympathie naturelle envers autrui, intelligente et tenace dans tout travail, telle est Pauline qui provoquait sur chacun, au pensionnat comme en famille, une grande attirance. « Elle se fait aimer davantage que sa sœur », écrit Mme Martin tandis que Pauline a quatre ans.

Son intense affectivité et surtout son besoin d'affection qui lui font s'attacher les êtres amènent en elle, on l'a vu, un regret de sa situation de fille de famille bourgeoise par rapport aux filles de la noblesse. Il y a, dès lors, chez Pauline, une certaine volonté de passer au-dessus de cette infériorité due au sort comme aussi au-dessus de cette autre infériorité dont elle souffre : celle d'être de petite taille. Pauline veut être *grande*, et elle aime s'identifier à ce qui est grand : « Je reçus une fois, pour mes étrennes, un beau livre relié et doré sur tranche. C'était l'histoire de Fabiola. Je m'enthousiasmai à cette lecture. Tous ces portraits de héros et de vierges martyres me ravissaient. » Et Pauline sera le héros de Thérèse, il ne faudra jamais l'oublier.

Un détail encore, mais d'importance : si Zélie Martin appelle sa fille par son nom Pauline, son mari l'appelle « souvent » le « petit Paulin » soulignant ainsi sa petite taille et son caractère un peu « garçon ». Le prénom masculin est employé aussi par les autres enfants envers Pauline : quand Marie est malade, en 1873, elle veut avoir près d'elle son « petit Paulin »; Thérèse, en mars 1876, a trois ans : « Elle demande sans cesse si c'est demain Pâques, pour voir le " petit Paulin "; avant-hier, elle s'est mise à m'appeler dans le jardin en me disant de toutes ses forces que c'était trop long, qu'elle voulait que ce soit tout de suite. » Cette appellation, qui correspondait, chez Pauline, à un côté un peu masculin de sa personnalité, ne pouvait que renforcer cet aspect à ses yeux comme aux yeux de ses sœurs et de ses parents.

LÉONIE, LE CANARD.

Marie et Pauline sont brunes; Léonie est blonde aux yeux bleus. Fragile à sa naissance, elle se débat seize mois contre la mort : « La petite Léonie ne pousse pas bien, elle paraît ne pas vouloir marcher; elle n'est que très faible et très petite. » Elle n'est pas jolie comme les autres : « Une moins belle que j'aime autant que les autres, mais elle ne me fera pas tant d'honneur. » Bon caractère mais très turbulente, ne tenant pas en place, la petite Léonie n'a pas l'intelligence de ses sœurs aînées : « Ma pauvre Léonie est tombée violemment et s'est fait deux coupures au front, très larges et profondes. Cela fait la troisième fois qu'elle se coupe le front et les deux premières marques sont très visibles, j'en suis désolée. Mais, en revanche, c'est le meilleur caractère qu'on puisse voir, elle et Pauline sont charmantes. »

« Cette pauvre enfant me donne de l'inquiétude, car elle a un caractère indiscipliné et une intelligence peu développée » écrit-elle à son frère le 6 mars 1870. Léonie, à cette date, va sur ses sept ans; depuis deux ans elle souffre de maux d'yeux qui ne se guérissent pas; elle est de plus en plus rebelle à toute injonction, renfermée, avec des hauts et des bas inattendus. Une jeune servante, Louise Marais, engagée par Zélie Martin en 1865 — elle a alors seize ans — s'emploie à faire obéir Léonie; or elle possède le même caractère colérique et emporté que Léonie. Louise Marais terrorise l'enfant et ne contribue pas à la rendre plus stable. En juin 1871, sœur Marie-Dosithée propose à sa sœur de lui confier Léonie pour un essai. « Depuis que je la sais en si bonnes mains et que je me vois, de mon côté, si tranquille, il me semble être en paradis » écrit alors Zélie Martin à sa belle-sœur, le 21 juin 1871. Mais la visitandine, elle, écrit à son frère Isidore : « J'ai maintenant Léonie, cette terrible petite fille, je vous assure qu'elle ne me donne pas peu à faire. C'est un combat continuel, aussi j'aurais bien désiré que sa mère eût trouvé où la mettre, mais je vois qu'il faut que ce soit moi qui porte cette croix-là, je tâcherai donc de prendre tout mon courage... Cette enfant m'aime beaucoup, et c'est surprenant car je la punis tant, je ne l'épargne pas et c'est nécessaire; sans cela on n'en ferait rien, elle ne craint personne que moi ! »

A sa sœur, la religieuse donne comme estimation : « Son grand défaut, c'est de ne pas comprendre plus qu'un enfant de trois ans. » En octobre 1869, Zélie avait écrit à sa belle-sœur : « Mes enfants me parlent souvent de votre petite Jeanne et me demandent si elle reviendra bientôt. Léonie l'appelle le petit Jeanne, on a du mal à lui faire entendre que c'est une petite fille et non un garçon. Elle comprend assez lentement les choses, mais elle a toujours été malade et j'espère qu'elle se développera plus tard. »

Mais, au Mans, on refuse de continuer l'expérience et Léonie est rendue aussitôt à sa mère; celle-ci essaie d'avoir autorité sur cette enfant, mais elle n'arrive pas à comprendre son comportement; en juillet 1872 — Léonie vient d'avoir neuf ans — Zélie écrit à son frère : « Je ne puis analyser son caractère; d'ailleurs, les plus savants y perdraient leur latin. »

En novembre 1873, on prépare Léonie pour un nouvel essai au Mans : « Je fais donner des leçons à Léonie par une demoiselle qui a son brevet supérieur. L'enfant apprend bien difficilement, mais enfin, elle s'instruit un peu. Elle va décidément partir pour la Visitation au premier de l'An; on est en train de faire son trousseau. Je crois que c'est de l'argent perdu, mais c'est surtout le mal qu'elle va donner à sa tante qui me tourmente. Toutefois, mon devoir m'oblige à essayer encore une fois, si elle ne réussit pas, je n'aurai rien à me reprocher.

« La chère sœur du Mans va toujours passablement, elle est beaucoup mieux que l'hiver dernier, on n'y comprend rien. Je me mets dans l'idée que Dieu me la laisse pour transformer ma Léonie, car c'est la seule personne qui ait de l'empire sur elle. Aussi, quand on demande à cette pauvre petite ce qu'elle fera quand elle sera grande, la réponse est toujours la même : " Moi, je serai religieuse à la Visitation, avec ma tante ". Dieu veuille qu'il en soit ainsi, mais c'est trop beau, je n'ose l'espérer. »

Pour le nouvel an 1874, voici ce que Zélie demande à son frère et sa belle-sœur à l'intention de Léonie : « Quant à Léonie, elle entre à la Visitation au mois de janvier; ne lui envoyez ni papeterie, ni nécessaire à ouvrage, elle a tout cela, ce serait de l'argent perdu; seulement un livre de piété, soit une *Imitation* ou un *Manuel du chrétien*. »

Et le 11 janvier, à son frère : « Lundi dernier, j'ai été reconduire les enfants à la Visitation, Léonie était enchantée de partir; si elle se plaît là-bas, et qu'on puisse la former, je la laisserai bien des années pensionnaire. » Le 8 février, sœur Marie-Dosithée écrit à son frère Isidore et à sa femme : « Son intelligence n'est pas développée et est bien au-dessous de son âge; cependant elle ne manque pas de moyens, et je lui trouve un bon jugement. Avec cela, une force de caractère admirable. Quand cette petite aura la raison et qu'elle verra son devoir, rien ne l'arrêtera. Les difficultés, quelque grandes qu'elles soient, ne seront rien pour elle; elle brisera tous les obstacles qui ne lui manqueront pas dans son chemin, car elle est bâtie pour cela. Enfin, c'est une nature forte et généreuse et tout à fait à mon goût. Mais si la grâce de Dieu n'était pas là, que serait-ce!... » « Le premier mois, je grondais lorsqu'elle ne faisait pas bien, et cela arrivait si fréquemment que je ne pouvais guère faire que cela... Je voyais bien que j'allais rendre cette petite malheureuse et c'est ce que je ne voulais pas; je voulais être une Providence de Dieu à son égard [...] Je me mis donc à la traiter avec la plus grande douceur, évitant de gronder, et lui disant que je voyais qu'elle voulait être bonne et me faire plaisir, que j'avais cette confiance [...] cela lui produisait un effet magique, non seulement passager mais durable, car cela se soutient et je la trouve tout à fait mignonne [...] elle vient avec candeur me raconter ses méfaits, je lui ai dit que je le voulais ainsi, elle est très obéissante... J'espère que le bon Dieu bénira nos efforts et qu'elle deviendra bien bonne, car tout n'est pas fait et il faudra encore, plus d'une fois, assaisonner la douceur de fermeté. » Mais le 5 avril, elle leur écrivait : « J'attends Zélie demain! ce ne sera pas une visite joyeuse, je vous assure, car elle doit reprendre sa pauvre Léonie. Qu'en faire? Quelle croix! Que je plains cette pauvre chère sœur! Comme je voudrais pouvoir lui venir en aide, mais je ne puis rien, rien du tout. J'espère pourtant au Seigneur, oui, et de toutes mes forces, j'ai si grande confiance en Lui... »

Le vendredi 10, la pieuse tante poursuivait sa lettre, restée inachevée :

« J'ai vu Zélie, elle était bien résignée; elle pense bien que quand nos enfants ne sont pas comme les autres, c'est aux parents d'en avoir l'embarras. Mais, en attendant, elle ne sait comment faire, elle va la garder; sa peine est grande, car elle avait tant de confiance que la douceur et la charité de la Visitation changeraient sa fille. » Zélie ne sait plus à quel saint se vouer; elle écrit le 1er juin à sa belle-sœur : « Cela m'a vivement contrariée; ce n'est pas assez dire, cela m'a fait une profonde peine qui persiste toujours. Je n'avais d'espérance qu'en ma sœur pour réformer cette enfant et j'étais persuadée qu'on la garderait, mais ce n'était pas possible, malgré la meilleure bonne volonté, ou il aurait fallu qu'elle fût séparée des autres enfants. Dès qu'elle se trouve en compagnie elle ne se possède plus et se montre d'une dissipation sans pareille.

« Enfin, je n'ai plus de foi qu'en un miracle pour changer cette nature. Il est vrai, je ne mérite pas de miracle et, cependant, j'espère contre toute espérance. Plus je la vois difficile, plus je me persuade que le bon Dieu ne permettra pas qu'elle reste ainsi. Je prierai tant qu'il se laissera fléchir. Elle a été guérie, à l'âge de dix-huit mois, d'une maladie dont elle devait mourir; pourquoi le bon Dieu l'aurait-il sauvée de la mort, s'il n'avait pas sur elle des vues de miséricorde?

« J'aurais bien voulu la conduire au pèlerinage de Paray-le-Monial, qui part le 25 juin, parce que c'est par l'intercession de la Bienheureuse Marguerite-Marie qu'elle a été guérie autrefois, mais je ne pourrai m'absenter à ce moment-là. En revanche, je compte la mener, tous les ans, à Notre-Dame de Sées, le jour de l'Immaculée Conception. »

Au contraire de Marie, Léonie aimera aussitôt Thérèse, la petite sœur, avec une affection étourdissante, intempestive, mais constante; car Léonie, si elle est assez peu intelligente, est comme l'appelle son père « la bonne Léonie ». Mais sa mère, qui veut avoir des filles parfaites, ne pardonne pas à Léonie ses limites sur le plan de l'esprit et de la maîtrise de soi. Léonie ne lui fait pas honneur. Et Léonie sent bien qu'elle n'est pas aimée comme les autres parce qu'elle n'est pas comme les autres et qu'elle est, aux yeux de sa mère, une sorte d'obscure punition du ciel.

CÉLINE, L'INTRÉPIDE.

Et puis il y a Céline qui a quatre ans à la naissance de Thérèse. Fragile, elle aussi, à sa naissance, Céline est pourtant d'une extraordinaire vitalité. Vive, enjouée, décidée, curieuse de tout dès son plus jeune âge. A dix mois : « La petite Céline pousse comme un champignon; elle n'est jamais malade, a très bon appétit et mange ce qu'on veut lui donner. » Elle est en nourrice à Semallé, chez la « Petite Rose » jusqu'à l'âge de un an. « La petite Céline paraît bien intelligente, mais je suis obligée de m'occuper d'elle les trois quarts de mes journées. Elle se porte à merveille et marche très bien seule. C'est si drôle de voir marcher si aisément cette toute petite fille, que, dans la rue, les passants s'arrêtent pour la regarder. Elle n'est pas plus grande qu'un enfant de six mois et ne parle presque pas. Son père l'aime beaucoup parce qu'elle veut toujours aller à lui, aussi il la promène souvent. » « La petite Céline a été très souffrante depuis quinze jours à cause de ses dents; elle en a deux de percées et d'autres sont prêtes à venir. Sauf cela, elle va bien et court comme un petit lapin; c'est curieux de la voir prendre toutes ses petites précautions pour ne pas tomber; elle est bien mignonne et bien intelligente. »

En octobre 1870, quand meurt la première petite Thérèse, Céline cherche partout sa sœur : « La petite Céline est bien caressante, elle commence à parler gentiment. Tous les jours, je me lamentais de la perte de ma petite Thérèse et je disais : " Ma pauvre petite fille! " Tout de suite, Céline arrivait se pendre après moi, croyant que c'était à elle que je parlais. Elle cherche sa petite sœur partout et demande " la sesœur ". » Autre portrait de Céline tandis qu'elle a deux ans, dans une lettre à sa belle-sœur, le 5 mai 1871, à un moment où Zélie a formé le projet de faire une visite à Lisieux : « La petite est si gentille que j'ai du mal à m'en séparer. Je n'aurai que cela à faire de la promener et de la soigner avec votre petite Jeanne. Nous irons au Jardin de l'Étoile, enfin je m'en fais une fête, comme si j'étais une enfant.

« Louis me dit que c'est une folie d'emmener la petite; je pense qu'il a raison, je pourrais m'en repentir. Elle n'est pas difficile à soigner, mais ordinairement, une enfant de vingt-cinq mois n'est guère raisonnable. Pourtant, qu'elle est mignonne, si vous saviez! Je n'en ai jamais eu une pareille pour être attachée à moi; si vif que soit son désir de faire une chose, si je lui dis qu'elle me fait de la peine, à l'instant même elle cesse.

« Quand on la met en toilette pour sortir, elle est bien contente. C'est surtout son beau chapeau blanc qui l'occupe mais au moment de partir, si je lui dis d'un air triste : " Tu vas donc me quitter ? " tout de suite, elle laisse la bonne, vient à côté de moi, m'embrasse de toutes ses forces : — " Non, non, pas quitter Maman ; va-t-en... ", dit-elle à la servante. Puis, quand je lui dis d'un air joyeux de partir, elle me regarde dans les yeux pour voir si c'est vrai que je n'ai plus de peine, et se met à sauter de bonheur.

« Elle a eu la rougeole, voici trois semaines, et en a été très malade pendant cinq jours. J'avais grand-peur de la perdre ; plusieurs enfants ici en sont morts. Maintenant, elle est guérie, mais elle tousse toujours un peu ; puis elle a moins bonne mine. »

Louise Marais qui a de l'aversion pour Léonie, est au contraire toute faiblesse pour Céline. Et Zélie à sa belle-sœur, le 30 juillet 1871 : « C'est surtout la petite Céline qui me donne du mal ; elle devient capricieuse, on l'a trop gâtée. »

Céline n'a pas encore quatre ans quand naît Thérèse. Comme elle est très bruyante on la met au moment de la maladie de Marie en avril-juin 1873, chez une amie de la famille, Mlle Philomène Tessier ; en mai, Zélie écrit à Pauline : « Céline se fait une grande fête de te voir ; elle en parle tous les jours et dit qu'elle veut être à table à côté de toi ; elle chante de jolies petites chansons que Mlle Philomène lui apprend ; elle est bien intelligente, elle a appris toutes ses lettres en quinze jours et elle saurait lire à présent si Marie n'avait pas été malade. Mais, depuis cinq semaines, je ne l'ai pas fait épeler une seule fois ; elle aime cependant bien cela et va souvent chercher son livre », et encore « On se réjouit bien chez nous de ton arrivée ; on fait faire tout ce que l'on veut à la petite Céline quand on lui dit : " Si tu fais cela, Pauline viendra. " » Le 9 juillet, toujours à Pauline : « Céline apprend bien à lire, mais elle devient maligne comme un petit diable ! Il faut dire qu'elle n'a que quatre ans et, Dieu merci, j'en viens facilement à bout. A son sujet, voici une histoire amusante; hier soir, elle me disait : " Moi, je n'aime pas les pauvres! " Je lui ai répondu que le bon Jésus n'était pas content et qu'il ne l'aimerait point non plus.

« Elle a repris : " J'aime bien le bon Jésus, mais je n'aimerai pas les pauvres, jamais de ma vie; puis je ne veux pas les aimer, moi! Qu'est-ce que ça lui fait ça, au bon Jésus? Il est bien le Maître, mais moi aussi, je suis la maîtresse. "

« Tu ne peux te figurer comme elle était animée, personne n'a pu lui faire entendre raison. Mais il y a une explication à sa haine pour les pauvres.

« Voilà quelques jours, elle se trouvait sur le seuil de la porte avec une petite amie, lorsqu'une enfant pauvre qui passait les regarda d'un air effronté et moqueur. Cela n'a pas plu à Céline, qui a dit à la fillette : " Va-t'en, toi! " Furieuse, celle-ci, avant de s'en aller, lui a lancé un soufflet bien appliqué, elle en avait encore la figure rouge une heure après!

« Je l'avais encouragée à pardonner à la petite pauvre, mais elle n'a pas oublié l'incident et m'a déclaré hier. " Tu veux, Maman, que j'aime les pauvres qui viennent me donner des claques, que j'en ai la joue tout enflammée? Non, non, je ne les aimerai pas! "

« Mais la nuit porte conseil; la première parole qu'elle m'a adressée ce matin a été pour m'annoncer " qu'elle avait un beau bouquet, que c'était pour la sainte Vierge et le bon Jésus "; puis elle a ajouté : " J'aime bien les pauvres à présent! " »

Voilà la vivacité de Céline, malgré sa fragilité qui fait craindre pour elle : « Céline est grande pour son âge, mais elle n'est pas forte, j'ai toujours peur qu'elle ne fasse comme la petite Hélène. » Elle est si fragile qu'on la garde à la maison en octobre : « Céline ne va pas en classe; je la fais lire moi-même. C'est une enfant si délicate que je suis obligée de la garder près de moi. J'ai grand-peur que, malgré tous mes soins, je ne puisse l'élever. Elle est presque toujours brûlante de fièvre; c'est une petite fille qui tourne absolument comme sa petite sœur Hélène. » Le 1er juin 1874, à sa belle-sœur, alors que Céline a cinq ans : « Il n'y a qu'une chose qui me tourmente pour Céline, c'est qu'elle est d'une maigreur effrayante; elle grandit très vite. Je crains toujours qu'elle ne fasse comme ma petite Hélène. »

Bientôt, Thérèse sera la compagne inséparable de Céline, Céline que son père appelle « l'intrépide », Céline, à qui elle ressemble et dont elle ne peut se passer.

2. *Thérèse et sa mère*

Thérèse a reçu ce nom après une autre Thérèse, née entre Céline et elle et morte à six semaines, en octobre 1870. Elle est, comme le second Joseph, mais lui mourra aussi, une revanche sur la mort de la première Thérèse. Très vite elle donne beaucoup de soucis à sa mère; celle-ci écrit à son frère, deux semaines jour pour jour après sa naissance : « Je me tourmente extrêmement au sujet de ma petite Thérèse. J'ai peur qu'elle ait une maladie d'intestins, je remarque les mêmes symptômes alarmants que chez mes autres enfants qui sont morts. Faudra-t-il encore perdre celle-là? » Après quelques semaines de mieux, nouvelle crise d'entérite début mars. La sœur du Mans, qui appartient à une congrégation fondée par saint François de Sales exerce à cette occasion une sorte de chantage navrant; on lui a écrit que Thérèse était mourante : elle « se met à prier saint François de Sales avec une ferveur extraordinaire et fait vœu, si l'enfant guérit, qu'on l'appellera de son second nom, Françoise. Le vœu fait, elle va trouver Marie et Pauline qui étaient bien désolées et leur dit : " Ne pleurez plus, votre petite sœur ne mourra pas. " Et elle leur annonça ce qu'elle venait de faire. » La supérieure du Mans invite sœur Dosithée à écrire aussitôt à Zélie pour l'inciter à appeler l'enfant Françoise. Zélie en parle à Isidore : « Quand j'ai reçu la fameuse lettre, j'en suis restée bouleversée. Ma sœur me disait qu'elle avait fait ce vœu pensant bien que je le ratifierais, qu'elle avait dit à saint François que si je ne consentais pas à appeler l'enfant de son nom, il était libre de la reprendre et, en ce cas, ajoutait-elle, je n'avais qu'à faire faire un cercueil. »

Le médecin conseille l'allaitement naturel. Zélie Martin

pense à « Petite Rose », la nourrice des deux Joseph : « Je cherchais le moyen de me procurer une nourrice à tout prix lorsque je me souvins d'une femme que je connais particulièrement et qui me convenait sous tous rapports. Mais son enfant a juste un an de plus que la mienne, je trouvais le lait trop vieux.

« Il était sept heures, je pars chez le médecin; je lui parle de ma nourrice d'un an. Il réfléchit un peu et me dit : " Il faut la prendre tout de suite, c'est la seule ressource maintenant, pour sauver votre enfant, et si cela ne la sauve pas, du moins, vous n'aurez rien à vous reprocher. "

« S'il n'avait pas été si tard, je serais partie à l'instant chercher la nourrice. La nuit m'a paru longue. Thérèse ne voulait presque pas boire; tous les indices les plus graves, qui ont précédé la mort de mes autres petits anges, se manifestaient et j'étais bien triste, persuadée que la pauvre chérie ne pouvait plus recevoir de moi aucun secours, dans l'état d'épuisement où elle se trouvait.

« Je suis donc partie dès le point du jour, vers la nourrice qui demeure à Semallé, situé à près de deux lieues d'Alençon. Mon mari était absent et je ne voulais confier à personne le succès de ma démarche. J'ai rencontré dans un chemin désert deux hommes qui m'inspiraient une certaine frayeur, mais je me disais même : " Lors même qu'ils me tueraient cela ne me ferait rien. " J'avais la mort dans l'âme.

« Enfin, je suis arrivée chez la nourrice et je lui ai demandé si elle voulait venir avec moi pour habiter chez nous tout à fait. Elle m'a dit qu'elle ne pouvait laisser ses enfants à sa maison, qu'elle resterait huit jours, puis emmènerait la petite. J'ai consenti, sachant que mon enfant serait très bien chez elle.

« Au bout d'une demi-heure, nous partions ensemble toutes les deux; nous sommes arrivées à dix heures et demie. La bonne nous dit : " Je n'ai pu la faire boire, elle ne veut rien prendre. " La nourrice regarda l'enfant en secouant la tête, d'un air qui semblait dire : " J'ai fait une course inutile! "

« Moi, je suis vite montée dans ma chambre, je me suis agenouillée aux pieds de saint Joseph et lui ai demandé en grâce que la petite guérisse, tout en me résignant à la volonté du bon Dieu, s'il voulait la prendre avec lui. Je ne pleure pas souvent, mais mes larmes coulaient tandis que je faisais cette prière.

« Je ne savais pas si je devais descendre... enfin, je m'y suis décidée. Et, qu'est-ce que je vois ? L'enfant qui tétait de tout son cœur. Elle n'a lâché prise que vers une heure de l'après-midi ; elle a rejeté quelques gorgées et est tombée comme morte sur sa nourrice.

« Nous étions cinq autour d'elle. Tous étaient saisis ; il y avait une ouvrière qui pleurait, moi, je sentais mon sang qui se glaçait. La petite n'avait aucun souffle apparent. On avait beau se pencher pour essayer de découvrir un signe de vie, on ne voyait rien, mais elle était si calme, si paisible, que je remerciais le bon Dieu de l'avoir fait mourir si doucement.

« Enfin, un quart d'heure se passe, ma petite Thérèse ouvre les yeux et se met à sourire. A partir de ce moment, elle fut complètement guérie, la bonne mine est revenue ainsi que la gaieté ; depuis, tout va au mieux.

« Mais ma pauvre petite est partie. C'est bien triste d'avoir élevé une enfant pendant deux mois et d'être obligée de la confier ensuite à des mains étrangères. Ce qui me console, c'est de savoir que le bon Dieu le veut ainsi, puisque j'ai fait tout ce que j'ai pu pour l'élever moi-même ; je n'ai donc rien à me reprocher sous ce rapport.

« J'aurais bien préféré garder la nourrice à la maison et mon mari aussi ; il ne voulait pas des autres, mais il acceptait bien celle-ci, qu'il connaît pour une excellente femme. »

Les angoisses commencent pour Thérèse comme pour les enfants précédents. Nouvelle crise d'entérite fin mars. Zélie court à Semallé ; et elle est reprise par ses idées pessimistes : « Tout n'est pas rose dans la vie, le bon Dieu veut cela pour nous détacher de la terre et attirer nos pensées vers le Ciel.

« Hier, j'étais remplie de ces sentiments en allant, accompagnée du médecin, voir ma petite Thérèse qui est encore très malade. J'apercevais un beau château et des propriétés magnifiques, je me disais : " Tout cela n'est rien ; nous ne serons heureux que lorsque tous, nous et nos enfants, nous serons réunis là-haut " et je faisais à Dieu le sacrifice de mon enfant.

« Depuis que Thérèse est en nourrice, elle s'était toujours bien portée, elle avait même beaucoup grossi, mais l'irritation d'intestins, qui n'était qu'assoupie, a remonté à la gorge et à la poitrine, depuis vendredi. Quand le docteur l'a vue, l'enfant avait la fièvre très fort, cependant, il m'a dit qu'il ne la croyait pas en danger.

« Aujourd'hui, elle va mieux, mais j'ai des craintes sérieuses, je crois que nous ne pourrons pas l'élever. Mon premier petit garçon était comme cela, il venait très bien, mais il avait une entérite tenace dont il n'a pu prendre le dessus.

« Enfin, j'ai fait tout ce qui était en mon pouvoir pour sauver la vie de ma Thérèse; maintenant, si le bon Dieu veut en disposer autrement, je tâcherai de supporter l'épreuve le plus patiemment possible. J'ai vraiment besoin de ranimer mon courage, j'ai déjà beaucoup souffert dans ma vie. »

UNE NOURRICE.

Rose Taillé amène parfois Thérèse le dimanche. Ainsi le 20 avril. Ou le 5 mai : ce jour-là, la « petite Rose » arrive avec Thérèse, la met dans les bras de sa mère et se rend à la messe. Mais Thérèse refuse les bras maternels : « La petite n'a pas voulu de cela, elle a crié à s'en pâmer! Toute la maison était en déroute; il a fallu que j'envoie Louise dire à la nourrice de venir tout de suite après la messe, car elle devait aller acheter des souliers pour ses enfants. La nourrice a laissé la messe à moitié et est accourue, j'en ai été fâchée, la petite ne serait pas morte pour crier. Enfin, elle a été instantanément consolée; elle est bien forte, tout le monde en est surpris. » Quelques jours plus tard, le 22 mai, Zélie écrit à Pauline : « Elle est bien forte à présent. Je l'ai vue jeudi dernier, sa nourrice l'a amenée, mais elle ne veut pas rester avec nous et jette des cris perçants quand elle n'aperçoit plus sa nourrice. Aussi, Louise a-t-elle été obligée de la porter au marché, où la " petite Rose " était à vendre son beurre, il n'y avait plus moyen d'y tenir.

« Dès qu'elle a vu sa nourrice, elle l'a regardée en riant, puis n'a plus soufflé mot; elle est restée comme cela, à vendre du beurre avec toutes les bonnes femmes, jusqu'à midi! Pour moi, je ne puis la porter longtemps sans être bien fatiguée; elle pèse quatorze livres. Elle sera très gentille et même très jolie plus tard. » Un mois plus tard, le 1er juillet, toujours à Pauline : « La nourrice a amené la petite Thérèse jeudi. Elle n'a fait que rire; c'était surtout la petite Céline qui lui plaisait. Elle riait aux éclats avec elle. On dirait qu'elle a déjà envie de jouer. Cela viendra bientôt; elle se tient sur ses petites jambes, raide comme un petit piquet et je crois qu'elle marchera de bonne heure et qu'elle aura bon caractère, elle paraît très intelligente et a une bonne figure de prédestinée...

« A présent, elle mange bien, je t'assure qu'elle trouve ma bouillie bonne! J'en avais fait beaucoup pour que Céline en ait aussi, mais Thérèse n'a pas trouvé qu'elle en avait trop. »

Le premier éveil à la vie se fait, pour Thérèse, dans une ferme : « Thérèse est un gros bébé, écrit Zélie à sa belle-sœur, le 20 juillet; elle est brunie par le soleil; sa nourrice la brouette dans les champs, montée sur des faix d'herbe; elle ne crie presque jamais. La " petite Rose " dit qu'on ne peut voir une enfant plus mignonne. »

Marie, qui avait eu la fièvre typhoïde, est sauvée; Thérèse va très bien : Zélie, elle, retrouve une certaine joie de vivre : « Ainsi, comme vous le voyez, ma chère sœur, tout va au mieux. J'ai eu un triste commencement d'année; selon toute apparence, la fin sera meilleure. »

Le samedi 30 août, Zélie se rend à Lisieux avec Marie et Pauline; elles prennent le train de 11 heures et arrivent à 16 h 30. Isidore les attend à la gare. Dimanche après-midi, Zélie écrit à son mari : « Je suis absolument comme les poissons que tu tires hors de l'eau; ils ne sont plus dans leur élément, il faut qu'ils périssent!

« Cela me ferait le même effet si mon séjour devait se prolonger beaucoup. Je me sens mal à l'aise, je ne suis point dans mon assiette, ce qui influe sur le physique et j'en suis presque malade. Cependant, je me raisonne et tâche de prendre le dessus; je te suis en esprit toute la journée; je me dis : " Il fait telle chose en ce moment. "

« Il me tarde bien d'être auprès de toi, mon cher Louis; je t'aime de tout mon cœur, et je sens encore redoubler mon affection par la privation que j'éprouve de ta présence; il me serait impossible de vivre éloignée de toi. »

Lundi, tout le monde se rendra à Trouville. Elles rentreront le mercredi soir : « Que cela me paraît long! Je t'embrasse comme je t'aime. »

Mais toujours un sort de malheur à conjurer : « J'ai plus de patience que jamais, et j'agis maintenant comme s'il ne devait rien arriver d'ici longtemps. Je mets de grands travaux en main et je livre mes marchandises à long délai. Je suis lasse, bien lasse d'avoir eu des craintes qui m'ont paralysée et qui m'ont fait un tort considérable. » Et, joie, « Thérèse pousse toujours à merveille ». Sa mère est bien privée d'elle, car sa nourrice ne la ramène que de temps en temps à Alençon; mais Zélie Martin s'est promis de la laisser en nourrice et elle veut donc la laisser à la « petite Rose » jusqu'en mars suivant.

Thérèse, elle, est plus habituée à la campagne qu'à la ville, plus à l'aise avec les gens de la campagne qu'avec ceux de la ville. On lui amène Thérèse à Alençon : « J'ai vu Thérèse, jeudi, malgré le mauvais temps, et elle a été plus sage que la dernière fois. Cependant, Louise n'était pas contente, la petite ne voulait ni la regarder, ni aller avec elle, j'étais bien ennuyée; il me venait des ouvrières, à chaque instant, je la donnais à l'une et à l'autre. Elle voulait bien les voir, même plus volontiers que moi, et les embrassait à plusieurs reprises. Des femmes de la campagne, habillées comme sa nourrice, voilà le monde qu'il lui faut!

« Mme T. est arrivée pendant qu'une ouvrière la tenait. Dès que je l'ai vue, je lui ai dit : " Voyons si le bébé va vouloir aller à vous. " Elle, toute surprise, me répond : " Pourquoi pas? — Eh bien, essayez!... " Elle a tendu ses bras à la petite, mais celle-ci s'est cachée en poussant des cris, comme si on l'avait brûlée. Elle ne voulait même pas que Mme T. la regarde. On a beaucoup ri de cela : enfin, elle a peur des gens habillés à la mode! »

En décembre : « Thérèse marche presque seule; elle n'a encore que deux dents, elle est bien gaie et bien mignonne. »

En janvier 1874 : « Ma petite Thérèse marche seule depuis jeudi; elle est douce et mignonne comme un petit ange. Elle a un caractère charmant, on voit cela déjà; elle a un sourire si doux. Il me tarde de l'avoir à la maison. » En mars : « J'ai vu le mari de la nourrice aujourd'hui; il m'a dit que Thérèse viendrait jeudi; je voudrais maintenant l'avoir tout à fait. J'ai déjà une toilette bleu ciel en vue pour elle, avec des petits souliers bleus, une ceinture bleue et une jolie capote blanche, ce sera charmant. Je me réjouis d'avance d'habiller cette poupée-là. » « La petite Thérèse arrive définitivement jeudi; c'est une charmante enfant; elle est très douce et très avancée pour son âge. »

Thérèse rentre donc à Alençon le 2 avril 1874. Elle a quinze mois. Elle a vécu, pendant plus d'un an, dans une atmosphère très différente de celle qu'elle va connaître désormais; une petite ferme basse avec une seule vache; les quatre garçons de Rose — le dernier a un an seulement de plus que Thérèse; et maintenant une maison de ville, propre, bien tenue; elle qui commençait à marcher avait, à Semallé, des champs pour courir en liberté; ici, à Alençon, des pièces strictes. Et, non plus quatre garçons, mais quatre filles.

UNE PETITE FILLE OPINIATRE.

Quand Thérèse arrive à la maison, après plus d'un an d'absence, elle est plus qu'attendue : sa mère désire de toutes ses forces la retrouver, l'avoir enfin à elle, la cajoler; combien de fois, dans ses lettres, fait-elle allusion à ce retour et se promet-elle de gâter Thérèse, de l'entourer.

Pour son nouvel an, Mᵐᵉ Guérin lui envoie une arche de Noé. Zélie, le 24 décembre, remercie sa belle-sœur : « J'aurais voulu que vous voyiez Thérèse! On lui avait dit : " Il y a de beaux jouets là-dedans, que la tante de Lisieux envoie. " Elle battait des mains! J'appuyais sur la caisse pour aider mon mari à l'ouvrir, elle jetait des petits cris angoissés en me disant : " Maman, tu vas casser mes beaux jouets! " Elle me tirait par ma robe pour me faire cesser. Mais quand elle a vu sa jolie petite maison, elle est restée muette de plaisir. »

Elle n'a pas deux ans qu'on lui apprend à prier; on l'emmène aussi à l'église : « La petite Thérèse va toujours bien, elle a une mine de prospérité; elle est très intelligente et nous fait des conversations très amusantes. Elle sait déjà prier le bon Dieu. Tous les dimanches, elle va à une partie de vêpres et si, par malheur, on omettait de l'y conduire, elle pleurerait sans se consoler.

« Voilà quelques semaines, on l'avait promenée le dimanche après-midi. Elle n'avait pas été à " la *Mette* ", comme elle dit. En rentrant, elle s'est mise à pleurer bruyamment, en disant qu'elle voulait aller à la Messe; elle a ouvert la porte et s'est sauvée sous l'eau qui tombait à torrents, dans la direction de l'église. On a couru après elle, pour la faire rentrer et ses sanglots ont duré une bonne heure.

« Elle me dit tout haut dans l'église : " Moi, j'ai été à la *Mette* là! j'ai bien *pridé* le bon Dieu. " Quand son père rentre, le soir, et qu'elle ne le voit pas faire sa prière, elle lui demande : " Pourquoi donc, Papa, que tu ne fais pas ta prière? Tu as donc été à l'église avec les dames? " Depuis le commencement du Carême, je vais à la Messe de six heures et je la laisse souvent réveillée. Quand je pars, elle me dit : " Maman, je vais être bien mignonne. " Effectivement, elle ne bouge pas et se rendort. »

Début août 1875, Marie quitte le pensionnat du Mans; elle demeurera désormais à la maison; elle a quinze ans, sa mère l'initie à la dentelle. Mais Marie s'occupe aussi de ses sœurs; avant de quitter le couvent, elle avait mis au point par écrit un règlement pour l'éducation de ses sœurs : exercices et horaire, méthode, éducation, préoccupations spirituelles. A la maison, elle applique le règlement avec le caractère entier qui est le sien : sévère et même parfois brutale avec Léonie; tenacement appliquée avec Céline à qui elle apprend à lire et à écrire; plus indulgente, mais rigoriste pourtant, avec Thérèse.

Un trait important du caractère de Thérèse se dessine alors : elle qui est la « petite dernière » veut dépasser les autres. Et d'abord Céline qui est en train d'apprendre à lire. Le 28 décembre 1875 — Thérèse aura trois ans une semaine plus tard — Marie écrit à sa tante de Lisieux : « Je crois que Thérèse veut devenir savante, car depuis trois jours, elle me poursuit sans cesse pour que je lui apprenne à lire. Avant-hier, j'ai donc pris un alphabet et je me suis amusée à lui montrer les lettres, tout en croyant bien que c'était inutile. Mais quelle n'a pas été ma surprise lorsque, le lendemain, je l'ai vue arriver avec son petit livre, me lisant, sans faire une seule faute, toutes les lettres que je lui désignais au hasard. Elle a vraiment une facilité incroyable cette petite; je crois que dans six mois, elle saura lire couramment, car elle est d'une intelligence extrêmement précoce. » Le même jour, Zélie Martin écrit à sa belle-sœur : « La petite Thérèse commence déjà à lire. Elle veut absolument que Marie lui fasse la classe comme à Céline et, depuis lundi, elle sait presque toutes ses lettres. Je crois qu'elle apprendra facilement. » En fait le « comme à Céline » est très important : Thérèse ne veut pas être de reste; elle est extrêmement stimulée par le désir de rattraper Céline. Pour arriver à ses fins, Thérèse peut d'ailleurs se faire la plus douce du monde et Marie s'y laisse prendre; elle écrira plus tard : « Quand Thérèse qui n'avait que trois ans voulut suivre Céline, je fis bien quelques difficultés, craignant que ce bébé ne trouble nos études. Mais elle était si sage, si mignonne que je ne pus lui refuser. Elle venait donc s'installer dans ma chambre auprès de Céline et ne bougeait pas tout le temps que durait la leçon. Je lui donnais des perles à enfiler ou quelque chiffon à coudre. Pourvu qu'elle soit avec Céline, elle était à son bonheur. Quelquefois son aiguille se désenfilait et elle essayait en vain de la renfiler, elle était bien trop petite pour une opération aussi difficile! mais elle n'osait rien demander de peur qu'une autre fois on ne lui ouvre pas la porte. Alors de grosses larmes tombaient sur ses joues, mais elle ne levait pas les yeux, craignant que je m'en aperçoive. Je m'en apercevais cependant et je renfilais l'aiguille, alors un sourire d'ange venait illuminer son doux visage. Quel chérubin! Non, je ne puis dire combien j'aimais ma petite Thérèse. » Marie prendra pour une grande souffrance ce qui est l'expression d'une volonté tenace; or Thérèse sait employer les grands moyens pour persuader. « Un jour, dit Marie, je la trouvai à la porte de ma chambre, elle avait devancé l'heure de la leçon, je fis semblant de ne pouvoir ouvrir la porte, alors pour témoigner son chagrin profond, elle se coucha par terre à mon grand étonnement, sans dire un seul mot, sans jeter un cri. Deux ou trois fois en pareille circonstance, elle eut recours à ce grand moyen pour exprimer sa douleur. »

Un autre trait du caractère de Thérèse — et sans doute le premier en importance — est cette opiniâtreté avec laquelle elle veut être la première. « Je ne crois pas qu'elle sera comme Léonie à vouloir céder sa place ni pour or ni pour argent » écrit d'elle Mme Martin à sa belle-sœur le 4 juillet 1875 — Thérèse a deux ans et demi — quand elle veut obtenir, rien ne la ferait lâcher : « Marie l'avait couchée sans lui faire faire sa prière, et l'avait installée dans le grand lit. Quand je suis remontée dans ma chambre, je l'ai recouchée dans le sien, sans le chauffer, je n'avais pas de feu. Tout endormie qu'elle était et quoique bien enveloppée dans sa chemise de nuit, elle s'en est aperçue, alors, elle s'est mise à réclamer avec instance un lit chaud. J'ai entendu cette musique-là tout le temps que j'ai fait ma prière. Lasse de cela, je l'ai grondée et elle s'est tue.

« Lorsque j'ai été couchée, elle m'a dit qu'elle n'avait pas fait sa prière. Je lui ai répondu : " Dors, tu la feras demain. " Oui, mais elle n'a pas abandonné son idée! Pour en finir, son père la lui a fait faire. Mais il ne savait point dire tout ce qu'elle a l'habitude de réciter, et puis, il fallait " demander la grâce de... " Il ne comprenait pas trop ce qu'elle entendait par là. Enfin, il a dit à peu près pour la contenter, et elle s'est endormie jusqu'au lendemain matin. » Autre anecdote : « J'entends Thérèse qui m'appelle : " Maman! " Elle ne monterait pas l'escalier toute seule à moins de m'appeler à chaque marche : " Maman, Maman! " Autant de marches, autant de " Maman! " Et si, par malheur, j'oublie de répondre une seule fois : " Oui, ma petite fille! " elle reste là sans avancer, ni reculer. » Une autre, en mars 1876 : « Cette nuit, elle nous a réveillés en appelant son père, pour lui dire qu'elle était " toquée ". Son père lui répondait : " Dors, ma Thérèse ", puis toujours elle répétait : " Papa, je suis toquée. " Enfin, il s'est levé pour voir quelle était cette toquerie. En effet, sa petite tête touchait au bois du lit et, à chaque fois qu'elle remuait, elle se donnait un coup; ce soir, j'ai arrangé son petit lit de manière qu'elle ne se toque plus! »

Et quand on ne lui cède pas suffisamment, quelles colères!
« Voilà Céline qui s'amuse avec la petite au jeu de cubes, elles
se disputent de temps en temps. Céline cède pour avoir une
perle à sa couronne. Je suis obligée de corriger ce pauvre bébé
qui se met dans des furies épouvantables; quand les choses
ne vont pas à son idée, elle se roule par terre comme une
désespérée croyant que tout est perdu; il y a des moments où
c'est plus fort qu'elle, elle en est suffoquée. C'est une enfant
bien nerveuse, elle est cependant bien mignonne et très intelligente, elle se rappelle tout. » Sa mère reconnaît cette opiniâtreté : « Pour le petit furet, on ne sait pas trop comment
ça fera, c'est si petit, si étourdi, elle est d'une intelligence
supérieure à Céline, mais bien moins douce et surtout d'un
entêtement presque invincible; quand elle dit " non " rien
ne peut la faire céder, on la mettrait une journée dans la cave
qu'elle y coucherait plutôt que de dire " oui ". »

Cette opiniâtreté accompagne une extrême sensibilité :
Thérèse a manifestement peur de ne plus avoir l'affection des
siens. Elle se perd, par exemple, en pardons multipliés;
Mme Martin écrit à Pauline le 14 mai 1876 : « Elle a cependant un cœur d'or, elle est bien caressante et bien franche;
c'est curieux de la voir courir après moi, pour me faire sa
confession : " Maman, j'ai poussé Céline qu'une fois, je l'ai
battue une fois, mais je ne recommencerai plus. " (C'est
comme cela pour tout ce qu'elle fait.) Jeudi soir nous avons
été nous promener du côté de la gare, elle a absolument voulu
entrer dans la salle d'attente pour aller chercher Pauline, elle
courait devant avec une joie qui faisait plaisir, mais quand
elle a vu qu'il fallait s'en retourner sans monter en chemin
de fer pour aller chercher Pauline, elle a pleuré tout le long
du chemin. [...] Cette pauvre Thérèse est dans une grande
peine. Elle a cassé un petit vase, gros comme le pouce, que je
lui avais donné ce matin. Comme d'habitude, lorsqu'il lui
arrive un malheur, elle est venue bien vite me le montrer; j'ai
paru un peu mécontente, son petit cœur a grossi... » Marie
écrira à Pauline le 10 mai 1877 : « Lorsqu'elle a dit une parole
de trop ou qu'elle a fait une bêtise, elle s'en aperçoit tout de
suite et pour la réparer, elle a recours à ses larmes; puis elle
demande des pardons à n'en plus finir. On a beau lui dire

qu'on lui pardonne, elle pleure quand même. » Mme Martin décrit admirablement comment Thérèse se situe psychologiquement : « Marie aime beaucoup sa petite sœur, elle la trouve bien mignonne, elle serait bien difficile, car cette pauvre petite a grand-peur de lui faire de la peine. Hier j'ai voulu lui donner une rose sachant que cela la rend heureuse, mais elle s'est mise à me supplier de ne pas la couper, Marie l'avait défendu, elle était rouge d'émotion, malgré cela je lui en ai donné deux, elle n'osait plus paraître à la maison. J'avais beau lui dire que les roses étaient à moi, " mais non, disait-elle, c'est à Marie... " C'est une enfant qui s'émotionne bien facilement. Dès qu'elle a fait un petit malheur, il faut que tout le monde le sache. Hier, ayant fait tomber sans le vouloir un petit coin de la tapisserie, elle était dans un état à faire pitié, puis il fallait bien vite le dire à son père; il est arrivé quatre heures après, on n'y pensait plus, mais elle est bien vite venue dire à Marie : " Dis vite à Papa que j'ai déchiré le papier. " Elle est là comme un criminel qui attend sa condamnation, mais elle a dans sa petite idée qu'on va lui pardonner plus facilement si elle s'accuse. »

Très entourée, Thérèse veut garder l'affection de tous. Mais en même temps elle sent bien à quel point elle est admirée par tous et elle prend des airs de princesse indifférente : « Si tu savais, écrira Marie à Pauline le 10 mai 1877, comme elle est espiègle et fine! Je suis dans l'admiration devant ce petit " bouquet-là ". Tout le monde, à la maison, la dévore de baisers. C'est une pauvre petite martyre! Mais elle est tant habituée aux caresses qu'elle n'y fait plus guère attention. Aussi, lorsque Céline voit ses airs d'indifférence, elle lui dit d'un ton de reproche :" On dirait que ça lui est dû à Mademoiselle! " Et il faut voir la figure de Thérèse! »

On apprend à cette enfant de quatre ans la fameuse méthode des « pratiques », les actes de vertu dont on fait le compte sur un petit chapelet; elle s'y passionne : « L'autre jour elle était chez l'épicier avec Céline et Louise, elle parlait de ses pratiques et discutait fort avec Céline, la dame a dit à Louise : " Qu'est-ce qu'elle veut donc dire, quand elle joue dans le jardin on n'entend parler que de pratiques. Mme Gaucherin avance la tête par sa fenêtre pour tâcher de comprendre ce que veut dire ce débat de pratiques... " » Mais elle s'y embrouille; et comme elle ne veut pas démordre, elle en ment : « Elle est toujours très mignonne et intelligente au possible. Elle tient à savoir quel jour elle vit; ainsi, le matin, à peine a-t-elle les yeux ouverts, elle me demande quel jour c'est. Ce matin, encore, elle me disait : " C'est aujourd'hui dimanche, c'est demain lundi, puis après mardi. " Et ainsi de suite, elle connaît tous les jours et ne s'y trompe plus. Mais le plus curieux est son chapelet de *pratiques* qui ne la quitte pas une minute; elle en marque même un peu trop car, l'autre jour, trouvant dans sa petite tête que Céline avait mérité un reproche, elle a dit : " J'ai dit une sottise à Céline, il faut que je marque une *pratique* ". Mais elle a vu tout de suite qu'elle se trompait; on lui a fait remarquer qu'au contraire, il fallait vite en ôter une. Elle a repris : " Oh! bien, je ne puis pas trouver mon chapelet! " »

Pleine d'esprit, oui : « J'avais plusieurs petites choses à te dire d'elle, qui t'auraient beaucoup amusée, mais je ne me les rappelle plus. Si, en voilà une : hier matin, Céline tourmentait ton père pour qu'il l'emmène avec Thérèse au Pavillon, comme il l'avait fait la veille. Il lui a dit : " Plaisantes-tu? Crois-tu que je t'emmènerai tous les jours? " Thérèse était dans un coin, s'amusant avec une baguette et tout occupée de son jouet. Tout d'un coup, d'un air indifférent, elle dit à sa sœur : " Faut pas nous mettre dans le *toupet* que Papa nous emmènera tous les jours. " Céline baissa la tête, et " Papa " se prit à rire de tout son cœur. » Pleine de vitalité : Thérèse « est un petit lutin qui est la joie de toute la famille; elle est extrêmement intelligente ». Thérèse est assez semblable à Pauline; la voici qui reçoit une boîte de bonbons : « Il fallait la voir sauter et battre des mains. » Thérèse « fine comme l'ambre, très vive ».

Mais aussi pleine de forces agressives elle qui, à la veille de ses trois ans, entremêle l'intérêt passionné pour une poupée mais la détruit aussitôt avec impatience et fait enfin son enterrement : « Une belle poupée... c'est ce qui a fait le plus plaisir à Thérèse et lorsqu'elle a aperçu la fameuse poupée, elle a tout jeté de côté pour voler vers elle. Malheureusement, ses transports de joie durent peu, et maintenant qu'elle connaît sa charmante fille, elle commence à la délaisser. Aujourd'hui, ennuyée de voir qu'elle ne marchait pas assez vite, elle lui a cassé le bout des deux pieds, un bras est déjà démis, et bientôt, je crois, ce sera fini de cette pauvre poupée. Mais je me trompe, lorsqu'elle sera tout à fait morte, elle fera son enterrement, et vraiment l'enterrement d'une poupée c'est bien amusant. Thérèse en a déjà fait plus d'une fois l'expérience. »

A travers ces récits d'enfance, on peut voir que Thérèse, la petite dernière, manifeste dans ce milieu morbide qu'est la famille Martin, une volonté de survie assez extraordinaire. Le rigorisme de Marie et l'angoisse de sa mère ne réussissent pas à l'empêcher de faire sa trouée dans l'existence avec une opiniâtreté et une agressivité peu banales. On aura remarqué l'anecdote significative : elle aime qu'on lui donne des roses mais elle refuse que celles-ci viennent de sa mère et elle fait une scène si on veut en couper une.

En même temps, elle éprouve une réelle culpabilité qui se montre bien dans sa promptitude à s'accuser de peccadilles (« elle est là comme un criminel qui attend sa condamnation »). Culpabilité qui vient de l'ambivalence où elle se trouve : elle veut vivre et pour cela doit écarter d'elle les instruments de mort — sa mère entre autres. Elle est partagée entre le désir de garder sa mère et le désir, pour vivre, de la perdre. Elle est cette « poupée », cette « poupée » qu'elle veut voir vivre et marcher et qu'elle veut aussi voir morte et enterrée.

MALADIE ET MORT D'UNE MÈRE.

Dès le début de 1865, Mme Martin s'aperçoit des premiers symptômes du cancer dont elle mourra douze ans plus tard : « J'ai une glande au sein qui me cause de l'inquiétude, surtout depuis qu'elle me fait un peu souffrir. Cependant, quand j'y touche, elle ne me fait aucun mal, bien que je sente tous les jours et plusieurs fois par jour, des engourdissements, enfin, je ne saurais pas trop dire quoi, mais ce qu'il y a de certain, c'est qu'elle me fait souffrir.

« Qu'y a-t-il à faire à cela ? Je suis assez embarrassée. Ce n'est pas devant une opération que je reculerais, non, j'y suis toute disposée, mais je n'ai qu'une demi-confiance dans les médecins d'ici. Je voudrais bien profiter de ton séjour à Paris, parce que tu m'aiderais beaucoup dans cette circonstance. Il n'y a qu'une chose qui me retienne, comment fera mon mari pendant ce temps ? Je n'en sais rien, aie donc l'obligeance de me dire le plus tôt possible ce que tu penses à ce sujet », écrit-elle à son frère.

1865, c'est-à-dire bien avant la naissance de Thérèse ; et celle-ci, dès l'éveil de sa conscience, est enveloppée dans une atmosphère de mort, car sa mère sait qu'elle est très atteinte.

Quel est le climat familial en 1876 alors que Thérèse a trois ans ? Zélie Martin est souvent reprise par ses anciennes idées monastiques : « Je ne fais que rêver cloître et solitude, écrit-elle à sa fille Pauline le 16 janvier 1876. Je ne sais pas vraiment, avec les idées que j'ai, comment ce n'était pas ma vocation, ou de rester vieille fille, ou de m'enfermer dans un couvent. Je voudrais maintenant vivre très vieille, pour me retirer dans la solitude, quand tous mes enfants seront élevés. » Elle est obsédée par ses affaires, rivée à son travail, résignée à souffrir.

Dans les lettres qu'elle écrit à cette époque à sa fille Pauline, qui est pensionnaire au Mans, Mme Martin fait sans cesse des récits de mort subite.

Le 26 février 1870, à Pauline, récit de deux morts : « Deux personnes qui sont parties cette semaine et dont la mort m'a sensiblement affectée.

« La première est cette pauvre dame V., mon assembleuse du point d'Alençon, depuis une quinzaine d'années. Tu la connaissais bien, elle venait assez souvent chez nous avec son petit chien. Eh bien ! lundi soir, après avoir servi sa table pour le souper, ses voisins entendirent une lourde chute ; ils ne s'en occupèrent point, mais le petit chien poussait des hurlements si plaintifs qu'ils se décidèrent à aller voir ce qu'il y avait. On trouva cette pauvre femme étendue à terre, sans vie, le chien lui léchant les mains et la figure.

« Son souvenir me poursuit partout, je la vois constamment, mais le plus pénible pour moi, est de penser qu'elle ne pratiquait pas; elle n'allait à la Messe que deux ou trois fois par an; c'était une républicaine enragée.

« L'autre défunte est Mme R. qui demeure en face de Mlle Fanny; tout le quartier en est consterné; elle laisse deux petits enfants et un mari bien malheureux.

« Tout cela ne t'intéresse guère, ma Pauline, je voudrais bien te dire autre chose pour te faire plaisir, mais je ne sais rien que des tristesses. »

De même, le 3 décembre : « Lundi dernier, après la Messe de six heures, ton père, Marie et moi, nous sortions de l'église et traversions le marché, lorsque nous entendons des cris affreux. Nous nous dirigeons, remplis d'effroi, de ce côté, et par une fenêtre ouverte, nous voyons une dame qui avait l'air affolé. Son mari venait de tomber à terre, raide mort.

« On a été chercher prêtre et médecin, mais il n'était plus temps. La veille, il s'était couché bien portant, et je lui avais parlé samedi matin.

« C'est M. X., négociant en mercerie, il avait l'âge de ton père; c'était un fort et beau monsieur, qui s'estimait plus que le bon Dieu; il avait toutes sortes d'honneurs civils tels que : conseiller municipal, président du Tribunal de Commerce, etc. Tout cela est fini. C'est bien triste de mourir ainsi, surtout quand on ne pratique point sa religion. Il y a toutes les semaines des morts subites ici. »

Goût un peu morbide, chez elle, pour les remontrances : « Je vais te parler de notre prédicateur de Carême. En général il ne plaît pas; il dit les choses si crûment qu'il en choque beaucoup et il a l'air sévère. Il a fait un sermon aux Mères chrétiennes, dans la chapelle des clarisses, lundi dernier. Je me faisais presque un plaisir d'y aller pour entendre les mauvais compliments qu'il nous servirait. »

Thérèse a trois ans, elle a l'esprit vif, elle écoute les adultes, enregistre tout. Ce qu'elle entend? Ces histoires indéfinies d'agonies, de morts, de punitions.

Cette atmosphère porte à désirer et le ciel et la mort qui permet d'y atteindre. Thérèse reçoit cette influence, divers traits le prouvent abondamment. Elle n'a pas encore trois ans : « Le bébé est un lutin sans pareil; elle vient me caresser en me souhaitant la mort :" Oh! que je voudrais bien que tu mourrais, ma pauvre petite Mère! " On la gronde, elle dit : " C'est pourtant pour que tu ailles au Ciel, puisque tu dis qu'il faut mourir pour y aller. " Elle souhaite de même la mort à son père, quand elle est dans ses excès d'amour. » Être un ange pour aller au ciel, voilà ce qui préoccupe l'enfant. « La petite Thérèse, elle, va tout à fait bien. Elle est toujours très mignonne, et me disait ce matin, qu'elle voulait aller au Ciel, et que, pour cela, elle allait être mignonne comme un petit ange. » Même état d'esprit décrit dans une lettre à Pauline le 29 octobre suivant : « La petite Thérèse me demandait l'autre jour si elle irait au Ciel? Je lui ai dit que oui, si elle était bien sage, elle me répond :" Oui, mais si je n'étais pas mignonne j'irais dans l'enfer... mais moi je sais bien ce que je ferais, je m'envolerais avec toi qui serais au Ciel, comment que le bon Dieu ferait pour me prendre?... Tu me tiendrais bien fort dans tes bras. " J'ai vu dans ses yeux qu'elle croyait positivement que le bon Dieu ne lui pouvait rien si elle était dans les bras de sa mère... » De là les attitudes angéliques qu'on lui indique : « Elle ne parle que du bon Dieu; elle ne manquerait pas pour tout à faire ses prières. Je voudrais que tu la voies réciter de petites fables, jamais je n'ai rien vu de si gentil, elle trouve toute seule l'expression qu'il faut donner et le ton, mais c'est surtout quand elle dit : " Petit enfant à tête blonde, où crois-tu donc qu'est le bon Dieu? " Quand elle en est à : " Il est là-haut dans le Ciel bleu ", elle tourne son regard en haut avec une expression angélique, on ne se lasse pas de le lui faire dire tant c'est beau, il y a quelque chose de si céleste dans son regard qu'on en est ravi!... »

Pour aller au ciel, il faut être « sage », « mignonne ». Un des principaux moyens préconisés par Zélie Martin consiste, on l'a vu, en une comptabilité des petits actes de vertu et des menus sacrifices. Céline en fait pour la guérison de sa tante religieuse : « Elle en marque tous les jours plusieurs. Aujourd'hui, pourtant elle n'en a fait qu'une; ce n'est pas étonnant, ayant joué toute la journée parce que Marie lui avait donné

congé, et elle n'y a plus pensé. » « La petite Céline est bien
mignonne; elle fait beaucoup de " pratiques " pour obtenir
la guérison de sa tante. » Mais Thérèse suit le mouvement :
« Jusqu'à Thérèse qui veut parfois se mêler à faire des
pratiques. » Léonie aussi fait des pratiques : « La pauvre
enfant est couverte de défauts comme d'un manteau. On ne
sait pas par où la prendre. Mais le bon Dieu est si miséricordieux que j'ai toujours espéré et j'espère encore.

« Hier, elle a eu une journée détestable; à midi, je lui ai
dit de faire des sacrifices pour vaincre sa mauvaise humeur
et qu'à chaque victoire, elle irait mettre une noisette dans un
tiroir que je lui indiquerais et que nous les compterions le
soir. Elle était très heureuse de cela, mais il n'y avait plus de
noisettes; je lui fais apporter un bouchon que je taille en sept
petites rondelles.

« Le soir, je lui demande combien il y avait de " pratiques "
Rien! Elle avait fait tout au pire. Je n'étais pas contente et je
lui ai fait d'amers reproches, en lui disant qu'il lui convenait
bien de demander à être religieuse, dans ces conditions-
là.

« Alors, les larmes d'un sincère repentir sont venues, elle
m'inondait le visage de ses pleurs et, aujourd'hui, il y a déjà
de petites rondelles de bouchon dans le tiroir. »

Mais Thérèse elle, en prend et en laisse : elle se montre
fort désinvolte envers les pratiques, ou manipule son chapelet
à son avantage.

C'est en août 1876 que Mme Martin ressent des douleurs
plus violentes au sein; le médecin diagnostique une « tumeur
fibreuse », c'est-à-dire un cancer et dit crûment à sa cliente
qu'elle a peu de chances de s'en sortir. A peine rentrée, elle
en parle à la maison. « Je n'ai pu m'empêcher de dire tout
chez nous. Je m'en repens à présent, car c'était une scène
de désolation, tous pleuraient. »

A sa belle-sœur, la femme d'Isidore, qui est pharmacien à
Lisieux, elle fait un tableau de la famille et ses premières
recommandations :

« Maintenant Marie est grande, elle a un caractère très, très sérieux et n'a aucune des illusions de la jeunesse. Je suis sûre que lorsque je ne serai plus là, elle fera une bonne maîtresse de maison et tout son possible pour bien élever ses petites sœurs et leur donner le bon exemple.

« Pauline aussi est charmante, mais Marie a plus d'expérience : elle a d'ailleurs beaucoup d'ascendant sur ses petites sœurs. Céline montre les meilleures dispositions, ce sera une enfant très pieuse, il est bien rare de montrer à son âge de telles inclinations à la piété. Thérèse est un vrai petit ange. Quant à Léonie, le bon Dieu seul peut la changer, et j'ai la conviction qu'il le fera.

« J'espère aller vous voir encore une fois; si je m'aperçois que le mal fait trop de progrès, j'irai avant les vacances. Si Pauline était là, je vous l'aurais conduite avec Marie et je vous les aurais laissées quelques semaines, dans la crainte que cela ne se puisse cet été.

« Elles seront bienheureuses de vous avoir quand je ne serai plus là, vous les aiderez par vos bons conseils et, si elles avaient le malheur de perdre leur père, vous les prendriez chez vous, n'est-ce pas? »

Triste anniversaire de Thérèse en ce 2 janvier 1877 : toute la famille est profondément atterrée par cette menace si grave qui pèse sur Mme Martin. Et sœur Marie-Dosithée qui est en train de mourir! Comment une enfant aussi sensible que Thérèse n'aurait-elle pas éprouvé tout cela comme un véritable cauchemar écrasant?

Il est assez frappant de voir que Thérèse, juste à ce moment-là, commence à avoir des rhumes et « de l'oppression » : n'est-ce pas qu'elle est comme étouffée par cette menace sur sa mère? « Ma petite Thérèse est malade, j'en suis inquiète, elle a des rhumes fréquents qui lui donnent de l'oppression; cela dure habituellement deux jours. Il faut que je consulte le docteur, mais il va me dire de lui mettre des vésicatoires et cela m'épouvante. Je l'ai trouvée presque guérie, ce soir, en rentrant du Mans. » Mais cette oppression avait commencé au moment des premières angoisses de sa mère au sujet de sa glande au sein; Zélie Martin écrivait le 12 novembre 1876 à sa belle-sœur : « Je suis inquiète au sujet de ma petite Thérèse; elle a une oppression depuis quelques mois qui n'est pas naturelle; aussitôt qu'elle marche un peu vite, on entend comme un sifflement étrange dans sa poitrine. J'ai consulté; on m'a dit de lui donner un vomitif, je l'ai fait et elle est plutôt pire. Je crois qu'un vésicatoire lui ferait du bien, mais c'est effrayant d'y penser.

« Mon Dieu, si je perdais cette enfant, que j'aurais de chagrin! Et mon mari l'adore!... C'est incroyable tous les sacrifices qu'il fait pour elle, et de jour et de nuit. Je vais revoir le médecin, mais Louis ne veut pas qu'on mette de vésicatoire, c'est pourtant le mieux ce me semble, car elle est bien malade en ce moment. » Ces états d'oppression ont ceci de caractéristique il faut le noter, qu'ils disparaissent comme par enchantement; en janvier, Mme Martin peut écrire à Pauline : « Je veux t'enlever toute inquiétude au sujet de ta petite sœur, que tu as laissée malade. Quand je suis arrivée, lundi soir, elle est venue au-devant de nous avec la bonne, mais pas jusqu'à la gare; elle a mangé avec nous et elle était très gaie, enfin, le mal avait disparu. Je ne m'explique pas ces indispositions qui la prennent assez souvent et qui ne durent jamais plus d'un ou deux jours. Tout de suite après il n'y paraît plus. » Or on sait que l'asthme a souvent une origine psychique. F. Alexander écrit au sujet de l'asthme, dans son livre sur *la Médecine psychosomatique* (1963) : « Jusqu'au moment où les phénomènes d'allergie ont été découverts, l'asthme était considéré comme une maladie surtout nerveuse [...] Le facteur psychodynamique essentiel est un conflit dont le nœud est un attachement excessif et non résolu à la mère [...] Désir d'être protégé, choyé par la mère ou son image substitutive... Phantasmes intra-utérins, sous forme symbolique d'eau, d'entrée dans les cavernes, des lieux clos, etc. Tout ce qui menace le sujet de séparation d'avec la mère protectrice ou d'avec son substitut peut déclencher une crise d'asthme. C'est avec une fréquence remarquable qu'on note chez l'enfant, le début des crises d'asthme lorsque la naissance d'un frère ou d'une sœur accapare l'attention de la mère .[...] Conformément à ces découvertes, le thème du rejet maternel se retrouve constamment dans l'anamnèse des asthmatiques. L'enfant éprouve encore le besoin de soins maternels [...] La crise d'asthme représente un appel refoulé vers la mère. »

On comprend que dans cette terreur de perdre sa mère, terreur qui lui donne de l'oppression, Thérèse connaisse des états de régression où, à la fois, elle refuse les embrassements de sa mère et en même temps souhaite ardemment être dorlotée par elle comme un petit bébé; l'anecdote que Mme Martin raconte le 13 février à Pauline est significative : « Un matin, je voulus l'embrasser avant de descendre; elle paraissait profondément endormie, je n'osais donc la réveiller, quand Marie me dit : " Maman, elle fait semblant de dormir, j'en suis sûre. " Alors, je me penchai sur son front pour l'embrasser; mais elle se cacha aussitôt sous sa couverture en me disant d'un air d'enfant gâtée : " Je ne veux pas qu'on me voie. " Je n'étais rien moins que contente, et le lui fis sentir.

« Deux minutes après, je l'entendais pleurer, et voilà que bientôt, à ma grande surprise, je l'aperçois à mes côtés. Elle était sortie toute seule de son petit lit, avait descendu l'escalier pieds nus, embarrassée dans sa chemise de nuit plus longue qu'elle. Son petit visage était couvert de larmes; " Maman, me dit-elle, en se jetant à genoux, Maman, j'ai été méchante, pardonne-moi! " Le pardon fut vite accordé. Je pris mon chérubin dans mes bras, le pressant sur mon cœur et le couvrant de baisers.

« Quand elle s'est vue si bien reçue, elle m'a dit : " Oh! Maman, si tu voulais m'emmailloter comme quand j'étais petite! Je mangerai mon chocolat ici à table. " Je me suis donné la peine d'aller chercher sa couverture, puis je l'ai emmaillottée comme quand elle était petite. J'avais l'air de jouer à la poupée. »

A mesure qu'elle devient plus malade, Mme Martin est obsédée par le " cas " Léonie. Pourquoi désespère-t-elle à ce point de Léonie? Comment ne voit-elle pas que, par le fait même, elle l'écrase d'autant plus et la rend difficilement capable de progrès? Les derniers mois de Mme Martin ont dû, en tout cas, être une croix de tous les instants pour Léonie.

Léonie veut être comme les autres et pense, comme on l'a inculqué à ses aînées, qu'elle pourrait être religieuse. Il

faut voir le mépris sous-jacent de sa mère — et de Marie —
pour cette idée de Léonie! Celle-ci a en effet écrit, le 17 janvier
à sa tante du Mans, qui est mourante, afin de lui donner ses
« commissions pour le Ciel »; or elle lui demande d'intercéder
auprès de Dieu pour qu'elle se convertisse et devienne
une « vraie religieuse »; le 18, Mme Martin écrit à sa belle-
sœur : « Que dites-vous de cela? Moi, j'en suis très surprise.
Mais où va-t-elle chercher ces idées-là? Ce n'est certes pas
moi qui les lui mets dans la tête, je suis même bien persuadée
qu'à moins d'un miracle, jamais ma Léonie, n'entrera en
Communauté. C'est son avenir qui m'inquiète le plus. Je me
dis : " Que deviendra-t-elle si je viens à lui manquer? "
Je n'ose y penser. »

Pressée par son mari qui l'y pousse beaucoup, Mme Martin
va à Lourdes, mais elle prend Léonie avec elle. « Cette enfant,
écrit-elle à Pauline, me donne bien des soucis. Quand mes
yeux se portent sur elle, j'éprouve une peine extrême, elle
fait toujours ce que je ne voudrais pas, plus elle grandit,
plus cela me fait souffrir. » « Il n'y a que Léonie qui est
toujours une croix bien lourde à porter; puisse ta chère tante
m'obtenir le changement de cette pauvre enfant, je l'espère
toujours. »

Les voici donc à Lourdes, en juin 1877; Léonie vient
d'avoir quatorze ans; une affaire vient d'éclater : la relation
trop forte que Léonie a nouée avec « la servante » de la
maison, Louise. Le besoin, chez Léonie, d'être dépendante
de Louise et de lui obéir de manière radicale en même temps
que son appétit de contradiction envers sa mère ne montrent-
ils pas qu'elle adresse justement à sa mère une demande
profonde : elle se sent mal aimée, abandonnée, rejetée par
elle; et ses emportements envers ses sœurs aînées manifestent
bien le traumatisme qu'elle vit : sa jalousie intense envers
elles, qui l'ont précédée. Elle sait qu'on la trouve moins
belle et moins intelligente que les autres. Quelles souffrances
derrière ce front têtu!

Louis Martin, s'est montré très affecté quand il a appris le
résultat de l'examen médical : « Il est comme anéanti »
écrit de lui sa femme. Il renonce à la pêche, au Cercle Vital.
Devant le mal qui s'étend, il n'a d'autres préoccupations que

de pousser sa femme à faire des pèlerinages et tout particulièrement celui de Lourdes, alors qu'elle, visiblement, n'y tient guère. Et quand elle revient de Lourdes sans être guérie, c'est elle qui doit le consoler : « Nous ne sommes arrivées à Alençon qu'à six heures et demie; le train avait près d'une demi-heure de retard. Ton père nous attendait depuis une heure, avec les deux petites; il était heureux de nous revoir, bien que très triste. Il avait passé de pénibles moments, depuis jeudi, espérant à toute minute la fameuse dépêche et chaque coup de sonnette lui donnait une émotion.

« Il a été bien surpris de me voir revenir aussi gaiement que si j'avais obtenu la grâce désirée; cela lui a redonné du courage et a remis la bonne humeur à la maison. »

Le contraste est frappant entre mari et femme dans les derniers mois de la vie de celle-ci. Louis s'enferme en lui-même, taciturne; perdu dans sa sensibilité et ses silences, cet homme de cinquante-quatre ans n'extériorise pas son chagrin; il continue de régner en patriarche sur sa volière pépiante, un patriarche débonnaire que sa femme mène où elle veut — et elle sait apprendre à ses filles comment obtenir des hommes ce qu'on désire. Le 10 mai, Zélie écrit à Pauline, lui parlant de son mari : « Pour la retraite de Marie à la Visitation, tu sais comme il aime peu à se séparer de vous, et il avait d'abord formellement dit qu'elle n'irait pas. Je le voyais si bien décidé que je n'avais pas essayé de plaider la cause, j'ai au contraire approuvé, bien résolue, dans le fond, à revenir à la charge.

« Hier soir, Marie se lamentait à ce propos; je lui ai dit : " Laisse-moi faire, j'arrive toujours à ce que je veux et sans combat, il y a encore un mois d'ici là, c'est assez pour décider ton père dix fois. " »

Femme de tête, elle veut, dès janvier, mettre ordre à ses affaires et entreprend des démarches pour vendre son fonds : « Je quitte donc tout de bon mon point d'Alençon et je commence à vivre de mes rentes; je crois que de toutes manières, il en est temps. La plus grande crainte que j'ai est de ne pas jouir longtemps de cette retraite; ce serait dommage, je l'ai bien gagnée et je puis dire qu'elle m'a coûté cher. »

Quel est le testament de Mme Martin à ses filles durant les derniers mois de sa vie? « N'espère pas beaucoup de joies sur la terre, écrit-elle, deux mois avant sa mort à sa fille Pauline, tu aurais trop de déceptions; pour moi, je sais par expérience à quoi m'en tenir sur les joies de la terre, et si je n'espérais pas celles du ciel, je me trouverais bien malheureuse. »

Zélie écrit à son frère le 16 août; c'est sa dernière lettre : « Décidément, la Sainte Vierge ne veut pas me guérir. Je ne puis en écrire plus long, mes forces sont à bout. Vous avez bien fait de venir à Alençon, pendant que je pouvais encore rester avec vous. Que voulez-vous? Si la Sainte Vierge ne me guérit pas, c'est que mon temps est fait et que le bon Dieu veut que je me repose ailleurs que sur la terre... »

Le 25 août, jour de la fête de Louis Martin, lettre de Marie à son oncle et sa tante : « J'ai de tristes nouvelles à vous apprendre, Maman est beaucoup plus mal, sa maladie fait des progrès effrayants, de jour en jour on s'en aperçoit. Elle passe des nuits affreuses, il faut qu'elle se lève à chaque quart d'heure, ne pouvant rester dans son lit, tant elle souffre.

« Le moindre petit bruit lui donne des crises terribles, on a beau parler tout bas, marcher pieds nus pour qu'elle n'entende rien, son sommeil est si faible que le plus léger bruit la réveille [...].

« A ces douleurs si vives succède maintenant une faiblesse extrême. On ne l'entend plus gémir, elle n'en a pas la force, à peine si on l'entend parler. Ce n'est qu'au mouvement de ses lèvres qu'on peut comprendre ce qu'elle nous dit. Elle était faible hier, mais aujourd'hui, c'est encore pis.

« Cette nuit, elle a eu une hémorragie, ce qui a encore augmenté sa faiblesse. Papa a été toute la nuit sur pied; il était bien tourmenté. — Heureusement que l'hémorragie n'a pas duré longtemps, il paraît que c'est si dangereux! »

Le lendemain : « Elle vient encore d'avoir une hémorragie; notre pauvre Maman est bien changée et amaigrie! Papa est tellement inquiet qu'il vient de me dire de vous prier de venir le plus tôt possible, afin que vous la trouviez du moins en pleine connaissance. » Le soir de ce même jour, on lui donne l'extrême-onction, cérémonie qui frappera fortement Thérèse. Le 27, M. et Mme Guérin arrivent à Alençon; Zélie Martin ne peut plus parler; elle meurt à minuit.

Sur son lit de mort, Zélie Martin avait instamment demandé à sa belle-sœur de s'occuper des enfants, d'être une mère pour elles. Zélie voulait aussi que son mari soit aidé, pour assurer l'avenir des enfants par celui en qui Zélie avait plus confiance qu'en personne : son frère, Isidore Guérin. Celui-ci est nommé, le 16 septembre, moins d'un mois après le décès de sa sœur, subrogé tuteur des cinq enfants, c'est-à-dire qu'il acquiert envers elles le pouvoir de protéger leurs droits, soit à défaut de leur père, soit contre leur père lui-même. Isidore prend aussitôt en main les affaires de la famille Martin; alors que le confesseur, les amis et les relations de Louis Martin le dissuadaient de quitter Alençon, alors que Louis Martin lui-même eût préféré rester à Alençon où il avait toujours vécu, où il avait ses habitudes, son pavillon, où sa mère vivait encore, M. Guérin force la main à son beau-frère. Le pharmacien de Lisieux se met aussitôt en quête d'une habitation avec, comme sa sœur l'avait demandé, un vaste jardin pour la santé des enfants. Méthodiquement, il visite vingt-cinq immeubles vacants et choisit parmi eux, au lieu-dit « village du Nouveau Monde », dans « le quartier des Bissonnets » (nom que les enfants transformeront bientôt en appelant la maison les « Buissonnets »), sur la paroisse Saint-Jacques, un petit domaine dont il fait la description, avec une précision de notaire, à son beau-frère, dans une lettre du 10 septembre — douze jours après la mort de Zélie! Et M. Guérin demande à son beau-frère de venir signer le bail.

Le 15 novembre, après une visite tous ensemble au cimetière, M. Martin met ses filles dans le train pour Lisieux — il restera quelques jours encore à Alençon pour régler ses dernières affaires. M. Guérin, qui est venu chercher ses cinq nièces à Alençon, les accompagne; elles passent chez lui leur première nuit.

Ainsi finit pour Thérèse la première période de sa vie. Une enfant de moins de cinq ans vient de perdre sa mère et d'être transplantée hors de la maison et de la ville où elle avait ses habitudes d'enfant.

3. L'exode à Lisieux

Lisieux, où arrive Thérèse Martin en 1877, Lisieux est au confluent de trois petites rivières : l'Orbiquet, le Cirieux, la Touques. Petites collines et herbages et puis, au printemps, la splendeur brève des pommiers en fleur.

Lisieux, ville de textiles, ville de marché; et aussi ville de garnison : « J'écoutais les bruits lointains, écrira, de son enfance, Thérèse carmélite. Le murmure du vent et même la musique indécise des soldats dont le son arrivait jusqu'à moi mélancolisaient doucement mon cœur. » Cette ville, cette garnison et cette musique, Marcel Proust en parle dans le premier livre du *Côté de Guermantes;* Doncières, c'est surtout Lisieux, Lisieux de la fin du XIXe siècle : « Une de ces petites cités aristocratiques et militaires, entourées d'une campagne étendue où, par les beaux jours, flotte si souvent dans le lointain une sorte de buée sonore intermittente qui — comme un rideau de peupliers par ses sinuosités dessine le cours d'une rivière qu'on ne voit pas — révèle les changements de place d'un régiment à la manœuvre, que l'atmosphère même des rues, des avenues et des places a fini par contracter une sorte de perpétuelle vibratilité musicale et guerrière, et que le bruit le plus grossier de chariot ou de tramway s'y prolonge en vagues appels de clairon ressassés indéfiniment, aux oreilles hallucinées, par le silence. »

Proust décrit Lisieux comme une ville poétique et pleine de mystère : « La vie que menaient les habitants de ce monde inconnu me semblait devoir être merveilleuse, et souvent les vitres éclairées de quelque demeure me retenaient longtemps immobile dans la nuit en mettant sous mes yeux les scènes véridiques et mystérieuses d'existences où je ne pénétrais pas. Ici le génie du feu me montrait en un tableau empourpré la taverne d'un marchand de marrons où deux sous-officiers, leurs ceinturons posés sur des chaises, jouaient aux cartes sans se douter qu'un magicien les faisait surgir de la nuit, comme dans une apparition de théâtre, et les évoquait tels qu'ils étaient effectivement à cette minute même, aux yeux d'un passant arrêté qu'ils ne pouvaient voir. Dans un petit magasin de bric-à-brac, une bougie à demi consumée, en projetant sa lueur rouge sur une gravure, la transformait en sanguine, pendant que, luttant contre l'ombre, la clarté de la grosse lampe basanait un morceau de cuir, niellait un poignard de paillettes étincelantes, sur des tableaux qui n'étaient que de mauvaises copies déposait une dorure précieuse comme la patine du passé ou le vernis d'un maître, et faisait enfin de ce taudis où il n'y avait que du toc et des croûtes, un inestimable Rembrandt. »

Lisieux à cette époque où Thérèse y arrive est un prodigieux musée à ciel ouvert. Quatre-vingts maisons en bois, qui sont fréquemment la proie des flammes, offraient au cœur de la ville, les spécimens les plus originaux et les plus variés de l'habitation normande du XIVe au XVIe siècle. Maisons à pans et pignons pointus qui se rejoignent presque, à peine séparées par des rues étroites — parmi elles l'extra-ordinaire rue aux Fèvres avec ses maisons aux lucarnes et encorbellements, aux sablières et poteaux, avec son hôtel de la Salamandre décoré de mascarons et de grotesques, de singes et de sirènes. L'église Saint-Jacques, la cathédrale Saint-Pierre avec sa nef allongée et son exquise chapelle de la Vierge reconstruite jadis par l'évêque Pierre Cauchon. Derrière la cathédrale un jardin public appelé le Jardin de l'Étoile, admirablement ordonné.

Mais derrière ces merveilles, une grande misère. Lisieux est une ville qui meurt. En 1872, 12 520 Lexoviens vivent sur 88 hectares soit une densité de 140 habitants par ha (Le Havre : 102; Rouen : 56; Caen : 19). La superficie de la ville triplera en 1874 par l'annexion de Saint-Jacques (129 ha) et Saint-Désir (38 ha) et la population passe alors à 18 341 habitants en 1875, et à 18 396 habitants en 1876. Or Lisieux ne compte plus que 16 039 habitants en 1881 et 16 260 au recensement de 1896. Ce recul vient du départ de nombreux ouvriers à cause des crises, et de la fermeture de plusieurs usines : cinq usines de tissages ferment entre 1879 et 1895. Lisieux qui est en 1875, la première ville du Calvados au point de vue manufactures (drap, toiles, flanelles), qui possède aussi de nombreuses teintureries, tanneries, blanchisseries de toiles, sera, dans les vingt années suivantes, fortement en recul ; en 1893, par exemple, l'industrie du coton a totalement disparu de la ville. On peut dire qu'en cinq ans, entre 1875 et 1880, Lisieux a connu une baisse énorme de vitalité.

Cela s'exprime aussi par une augmentation très nette de la mortalité : près de 15 % :

En 1875 : 525 décès sur 18 341 habitants.
En 1880 : 544 décès sur 16 039 habitants.
En 1882 : 536 décès sur 16 039 habitants.

Par ailleurs on constate qu'en ces années il y a plus de décès que de naissances, avec un écart croissant :

	Naissances	Décès
1876	442	497
1877	415	515
1878	396	509
1879	364	486
1880	346	544
1881	350	492
1882	357	536

Thérèse Martin arrive donc à Lisieux au moment même où flotte sur la ville une atmosphère de crise, de faillite et de mort, au moment où le textile connaît un net déclin. « Réunion dramatique », le 27 mars 1879, des contremaîtres et ouvriers de Lisieux « pour conjurer ou amoindir la crise industrielle et commerciale ». Mais le problème les dépasse et on ne fait quasiment rien pour le résoudre. Dans le Calvados où il y a trop de main-d'œuvre — une main-d'œuvre semi-rurale — le mouvement ouvrier a du mal à s'affirmer tant que le textile reste l'activité industrielle prépondérante; il faudra attendre les dernières années du XIXe siècle pour voir naître un début d'organisation ouvrière. Et pour comble de malheur des inondations catastrophiques ravageront Lisieux en novembre 1878 et en octobre 1880.

Partout, à Lisieux, c'est le chômage. Un signe, parmi d'autres : « La louerie du lendemain de Noël qui s'est tenue hier matin à Lisieux sur les dépendances de la place Saint-Pierre, s'est ressentie de l'inclémence de la saison, de la suspension des travaux des champs et de la crise agricole et industrielle qui règne un peu partout : grands valets et petits domestiques, bergers et servantes, ne trouvaient pas d'engagements et ont dû, pour la plupart, retourner chez eux. Nous avons été témoin d'un des rares engagements qui ont eu lieu : un jeune domestique avec de bons certificats et qui, en temps ordinaire, eût dû trouver facilement 300 francs de gages, s'est estimé très heureux de rencontrer un maître qui lui offrait 150 francs! » écrit *Le Normand* le 27 décembre 1879. Avec le chômage se développent la délinquance et le crime sous toutes sortes de formes. Voici plusieurs extraits du *Normand* — journal de Lisieux — en six mois seulement :

13 *janvier* 1880 : condamnation d'une nourrice qui martyrisait une petite fille de quatre ans.

21 *janvier* 1880 : attentat à la pudeur d'un homme de vingt-sept ans sur sa sœur de treize ans.

24 *février* 1880 : infanticide; un enfant jeté dans une mare avec une pierre au cou.

6 *avril* 1880 : parricide. Le meurtrier — dix-sept ans — est condamné à mort le 17 mai.

27 *mai* 1880 : « A la sortie des offices, dans les églises de la ville, des robes et des vêtements de dames ont été coupés et lacérés à l'aide de ciseaux et à tel point que leur usage est devenu impossible. »

19 *juin* 1880 : viol d'une jeune fille de quinze ans par un journalier de vingt et un ans.

Le Normand se plaint le 30 novembre 1880 de nombreux délits : « Il est tel quartier de notre bonne ville de Lisieux où chaque soir on peut assister à des luttes où l'immoralité, l'ignominie et l'ivresse se disputent le pavé de la rue. »

11 octobre 1881 : « En fait d'excitation à la débauche, de débit clandestin et de maison mal famée, on dit que des poursuites vont être dirigées contre un individu qui tient un de ces établissements *borgnes* à Lisieux dans le quartier de la Poissonnerie. »

Le 18 décembre 1881 est arrêtée Marie Ricaud, vingt-cinq ans, demeurant rue Petite Couture à Lisieux « pour excitation de mineurs à la débauche ».

Jeudi 29 décembre 1881 le tribunal correctionnel de Lisieux condamne Louis Simon qui tenait un « bouge » impasse des Mathurins pour excitation de mineurs à la débauche.

Délits commis par des jeunes. Ainsi, le commissaire de police de Lisieux arrête, le 9 janvier 1879, une bande d'une dizaine de garçons de dix ans spécialisés dans le vol à l'étalage; le chef de bande qui a onze ans est condamné (*Le Normand*, 14 janvier) à être « enfermé dans une maison de correction jusqu'à sa vingtième année ». Peine fort lourde; mais un jeune garçon n'avait-il pas, l'année précédente, été condamné à six mois de prison ferme pour vol d'une motte de beurre (*Le Lexovien*, 2 février 1878).

Par ailleurs il faut noter que le nombre des suicides double à Lisieux entre 1875 et 1880. Enfin, fléau de Lisieux : l'alcoolisme.

LES CONSERVATEURS ET LES NIHILISTES.

Quelle est la cause de tous ces désordres? La politique antireligieuse. Quand le sous-préfet de Lisieux célèbre les mérites de la société moderne, *le Normand* réplique, le 2 septembre 1882 : « Il n'est pas, maintenant, de semaine, où nous n'ayons à enregistrer pour notre contrée un ou plusieurs suicides. L'alcool, l'inconduite, l'irréligion ont amené le développement rapide de cette maladie morale qui exerce en

France ses ravages [...]. C'est principalement depuis cinq ans qu'il s'est développé avec une rapidîté effrayante, c'est-à-dire depuis le jour où la guerre aux croyances religieuses a été officiellement déclarée. »

Or, à Lisieux, il y a depuis longtemps dans le monde ouvrier un ressentiment contre le clergé exclusivement consacré au service du monde bourgeois. En janvier 1870, des manifestations anticléricales éclatent. Leur caractère massif fait penser à des racines profondes. Les ouvriers avaient fondé en 1862 une *Société philanthropique* destinée à procurer à ses membres, des tisserands pour la plupart, ce qui était nécessaire pour assurer des enterrements décents, les prix pratiqués par la paroisse étant jugés trop élevés. En janvier 1870, à l'inhumation d'une ouvrière, le clergé refuse le drap. Huit cents ouvriers se rassemblent et menacent les prêtres. Il faut l'intervention du commissaire de police et du maire.

C'est pour répondre au « problème ouvrier », que sont fondés les *Cercles catholiques*. Une réunion de notables a lieu à Caen, sous la présidence d'A. de Mun, le 14 mai 1873. Décision est prise d'établir des *Cercles catholiques* dans le Calvados. Les *Cercles* sont hiérarchisés : ils se composent des sociétaires ouvriers et des membres associés, non-ouvriers, qui encadrent. En 1875, à Lisieux, c'est le manufacturier Eugène Lambert qui est secrétaire; le président est M. de Pardieu, riche propriétaire; ce sont eux qui décident de l'admission des ouvriers : il faut être catholique et donner le bon exemple : « Le Comité est décidé à se montrer sévère » dit E. Lambert dans son rapport de 1875. Dans les réunions retentissait un cantique assez significatif de l'époque :

> Quand Jésus vint sur la terre,
> Ce fut pour y travailler;
> Il voulut, touchant mystère,
> Comme nous être ouvrier.
>
> Espérance
> De la France
> Ouvriers, soyez chrétiens!
> Que votre âme

Soit de flamme
Pour l'auteur de tous les biens!

2

Le travail, ô divin Maître,
Est par vous transfiguré;
L'atelier, tel qu'il doit être,
Vaut mieux qu'un palais doré.

Espérance, etc.

3

Vous avez mis votre empreinte,
O Jésus, sur nos outils;
Et vous écoutez la plainte
Du dernier des apprentis.

Espérance, etc.

4

Nous savons que le dimanche
Le travail doit s'arrêter;
Et lorsque notre âme est blanche
Jésus vient la visiter.

Espérance, etc.

5

Nous prions pour la patrie,
Pour l'Église et pour son Chef.
Notre cœur est à Marie,
Notre cœur est à Joseph!

Espérance, etc.

Isidore Guérin contribue de près à sa fondation. On fait venir en février 1877 M. Chesnelong — Isidore Guérin enverra à sa sœur le journal qui relate son discours. Voici comment en parle le *Journal de Lisieux* du 26 février 1877 :

« La conférence de M. Chesnelong sur l'œuvre des Cercles catholiques d'ouvriers a eu lieu dimanche sous la présidence de Mgr l'évêque de Bayeux et de Lisieux. L'assistance était des plus nombreuses et la vaste et nouvelle salle du cercle pouvait à peine la contenir : plus de quatre cents personnes [...]. L'historique des cercles catholiques — Le Travail et la Foi — Les devoirs des heureux de ce monde envers les ouvriers et les déshérités —, tel a été avec tous les développements qu'il comporte, le magnifique thème traité de la façon la plus heureuse et la plus éloquente par l'éminent orateur. M. Chesnelong est un vigoureux lutteur et un vaillant soldat du Christ : dans la voie qu'il nous a tracée dimanche, les conservateurs, quelle que soit la nuance de leur drapeau, doivent le suivre et répéter avec lui : « de l'Union! encore de l'Union! toujours de l'Union! »

Bien que des tentatives d'élargissement soient faites, à Caen par exemple, sous l'impulsion d'un abbé Garnier, qui essaie de « créer de véritables institutions sociales qui répondent aux besoins les plus urgents de la classe ouvrière », les *Cercles* gardent un horizon restreint et se lancent bientôt uniquement dans des actions de sauvegarde de la religion et d'attaques contre les « irréligieux ». C'est une petite guerre constamment poursuivie : au *Cercle catholique* d'ouvriers, le 28 avril 1882, conférence de M. de Marolles sur les associations de bienfaisance « opposées, dit *le Normand*, aux associations destructives qui mènent fatalement aux désastres, à la ruine, en employant, comme moyens d'action la jalousie et la haine et en cherchant à élever de plus en plus la barrière qui sépare le patron de l'ouvrier ».

Par ailleurs, le *Cercle* intensifie ses conférences contre la franc-maçonnerie. Une loge, *l'Humanité*, avait été inaugurée le 8 août à Lisieux. Les attaques du *Cercle* se déchaînent. En février 1881, conférence de Tardif de Moidrey au *Cercle* : « Non seulement la franc-maçonnerie est l'ennemie déclarée du catholicisme et de toute religion mais elle l'est encore de toute autorité et de tout gouvernement. C'est le Nihilisme, ce hideux spectre : négation de toute autorité, égalité sociale, nivellement des sexes. »

Le 20 avril 1884, le pape, dans son encyclique *Humanum Genus* condamne la maçonnerie et bon nombre de catholiques français, conduits par l'évêque de Grenoble, Mgr Fava, repartent de plus belle en guerre. *La Croix* est particulièrement ardente; le 18 mai 1884, elle dénonce les loges qui veulent « arracher la foi de l'âme du peuple » pour y semer « la révolte et la jouissance »; elle met l'accent sur la connivence entre juifs et maçons : « L'entente de nos gouvernements francs-maçons avec la juiverie [...] n'est plus un mystère pour personne. »

Tardif de Moidrey, qui était venu au *Cercle* de Lisieux écrit dans *la Croix* du 16 juin 1886 : « Attaquer la francmaçonnerie dans le juif qui la gouverne et l'exploite et par elle le pays tout entier, tel sera le programme du futur gouvernement national et réparateur. »

Ceci au moment où *la Croix* a de plus en plus de succès à Lisieux ainsi que l'écrit *le Normand* le 13 avril 1886 : « Depuis quinze jours, on crie chaque matin dans nos rues un petit journal parisien qui se vend cinq centimes et qui, portant hautement en vignette l'image du Christ, a pour titre : *la Croix*. On le crie depuis quinze jours à peine et déjà sa vente journalière dépasse 150 numéros. »

FOI, PATRIOTISME, MAÇONNERIE...

On est encore tout proche de la défaite de 1870; et c'est dans ce contexte que se place un véritable culte patriotique pour Jeanne d'Arc. L'Alsace-Lorraine a été perdue : Jeanne, la Lorraine, devient l'antiprussienne par excellence (on oublie les Anglais). On lui élève d'innombrables statues. On y mêle la politique. On y mêle aussi la foi, partant de ce principe que les seuls vrais patriotes sont les croyants; tel cet extrait d'un appel d'un « Comité de dames » en mai 1878 : « Il appartient aux femmes de France de prendre l'initiative d'un solennel hommage à la mémoire de Jeanne d'Arc et de repousser ainsi tout ce qui pourrait faire croire que le patriotisme n'est plus la vertu de notre époque. Honorer l'héroïque fille du peuple qui a sauvé la fortune de la France, n'est-ce pas témoigner que la foi traditionnelle entretient dans les âmes le culte de la patrie? »

Ou encore l'archevêque de Rouen qui écrit le 3 juin 1878 aux fidèles de son diocèse : « Il faut un monument nouveau à

Jeanne pour réparer les outrages dont on a ravivé le honteux souvenir en glorifiant leur auteur [célébration du centenaire de Voltaire], et pour ranimer au sein des jeunes générations les sentiments de foi et de patriotisme mis en péril par les doctrines du matérialisme et du cosmopolitisme contemporains qui relèvent la tête. » Bientôt Jeanne d'Arc sera l'otage de l'extrême droite et le cri de guerre des antidreyfusards.

Le Normand parle fréquemment de Jeanne d'Arc. Et un fait particulier lie Jeanne à Lisieux : lorsque l'évêque de Beauvais, Cauchon, principal accusateur de Jeanne à son procès, eut été chassé par ses ouailles, il avait été nommé évêque de Lisieux, en 1432. Pour s'attirer les bonnes grâces des Lexoviens, et aussi en signe de réparation, il établit avec magnificence dans la cathédrale Saint-Pierre, une chapelle de la Sainte Vierge. En 1878, le curé de la cathédrale, l'abbé Hébert, fait restaurer cette chapelle qui était quasiment tombée en ruine ; et il le fait pour rendre honneur à Jeanne d'Arc.

En décembre 1879 le bruit court à Lisieux que le curé de Saint-Pierre était nommé évêque. Fausse nouvelle. Mais *le Normand*, conservateur, n'aime guère l'abbé Hébert, qui a des sympathies républicaines ; le 14 août 1880, *le Normand* parlera de son « opportunisme » à la suite d'un incident survenu la veille. Le 13 août passe en effet à Lisieux le train du président Grévy qui se rendait vers Cherbourg. Gambetta est là et dit au sous-préfet : « Demandez au Président la décoration pour le curé de Saint-Pierre. » Celui-ci est présenté à Grévy qui lui dit : « Je tiens à vous féliciter de votre haute prudence et de votre dévouement : tout ce que j'ai entendu dire de vous me prouve que vous êtes le modèle des curés : vous ne mêlez pas la religion et la politique. »

Beaucoup d'autres incidents en ces années. C'est un gros scandale à Lisieux quand Naquet vient, le 27 juillet 1879, faire une conférence sur le divorce. Autre petite guerre, autour d'une fondation faite à Lisieux en 1873 par un prêtre, l'abbé Rolland : *les sœurs de Notre-Dame de la Miséricorde du Refuge;* ces sœurs tenaient une institution où étaient recueillies deux cents jeunes filles délinquantes; on ne savait pas très bien ce qui se passait dans l'institution et on accuse souvent les sœurs d'être trop intéressées. Le 4 janvier 1879, *le Normand* avait inséré ces quelques lignes : « Une fausse nouvelle qui a tous les caractères d'une bonne petite calomnie — comme on en voit souvent éclore à l'époque actuelle — est en train de faire le tour de la presse normande. Une communauté de Lisieux — celle des sœurs du Refuge — aurait fait annoncer jeudi et vendredi derniers, en ville, à son de tambour, " qu'elle se chargeait du blanchissage, repassage et raccommodage du linge, à prix réduits, et qu'elle tenait à la disposition du public des couturières, brodeuses, etc. ».

On exalte souvent les grandes cérémonies. *Le Normand* du 19 avril 1881 parle des fêtes pascales : « Non, le grand anniversaire chrétien n'est pas près de disparaître et le souvenir de la mort et de la résurrection du Rédempteur restera comme la plus sublime expression du dévouement, du sacrifice et de l'espérance : cette résurrection coïncidera longtemps encore avec la grande loi du réveil de la nature et de la manifestation de la vie à tous ses degrés, sous toutes ses formes! »

Et le 21 juin suivant, dans le même journal : « Malgré l'incertitude du temps, la procession générale de la Fête-Dieu est sortie dimanche à Lisieux et a parcouru son itinéraire habituel en traversant des rues pavoisées de tentures et de fleurs et en marchant sur des tapis de verdure et de glaïeuls malheureusement trop vite endommagés par la pluie; plusieurs beaux reposoirs, œuvres d'art décoratif ou de perspective, avaient été dressés sur le parcours du cortège auquel un fort piquet du 129ᵉ de ligne faisait escorte. Nous sommes de ceux qui voudraient la liberté égale pour tous mais nous avouons avoir de la peine à comprendre comment un homme bien élevé — libre penseur si l'on veut — ne peut pas respecter la religion du plus grand nombre de ses concitoyens, celle des membres mêmes de sa famille, en se découvrant lors du passage du prêtre portant l'ostensoir au moins devrait-il, ce nous semble, avoir le bon goût de se retirer et de ne pas rester stationnaire le chapeau sur la tête. »

Et le 29 octobre 1881, toujours dans *le Normand* : « Malgré le mauvais temps, malgré la pluie, les processions du Jubilé, faites simultanément par les trois paroisses de notre ville, ont eu lieu dimanche dernier [...]. Sur le parcours suivi par chacune des paroisses, **parcours qui embrassait les rues** les plus populeuses de la ville, pas un cri, un mot, un geste irrévérencieux, partout, au contraire, des témoignages de sympathie et de respect. Non, la foi n'est pas morte. Si les pratiques religieuses sont abandonnées de quelques-uns, si le zèle d'un grand nombre s'est attiédi, cependant la foi n'est pas éteinte, elle sommeille dans la plupart des cœurs et il suffirait d'une étincelle pour la raviver et l'allumer de nouveau. »

Le climat de lutte est constant entre les chrétiens et ceux qui ne le sont pas.

L'instruction pastorale de Carême 1883 de l'évêque de Bayeux et Lisieux, Mgr Hugonin, porte sur l'*athéisme moderne :* contre le positivisme. Elle commence ainsi : « Ce n'est pas sans une vive répugnance que nous venons, à l'approche du Carême, vous entretenir des humiliantes doctrines de l'athéisme. Nous le faisons pour accomplir un devoir de notre ministère. Ces humiliantes doctrines, nous devons les dénoncer parce que, sous des formes diverses, elles sont devenues un péril social. Elles ont en effet franchi l'enceinte pacifique des écoles et leurs partisans prétendent les imposer à tous comme l'unique fondement de l'ordre social nouveau. »

Le mardi 3 avril 1883, *le Normand* écrit : « La haine du clergé et des institutions catholiques est la passion dominante du *Lexovien*, passion qu'il cultive avec un amour sans égal. Samedi, dans un article des plus calomnieux, il dénaturait l'association si utile et si pieuse de *la Sainte Enfance*. Puis, sans le dire ouvertement, il insinuait que l'argent destiné à cette œuvre serait beaucoup mieux placé dans la caisse maçonnique du *Sou des écoles laïques*. »

Le 10 juin 1883, lecture, dans toutes les églises, d'une lettre de l'évêque de Bayeux-Lisieux ordonnant des prières publiques en réparation des profanations et sacrilèges commis en de nombreuses églises du diocèse. Le 15 juin 1883, le curé de Saint-Pierre, l'abbé Hébert meurt. Les obsèques ont lieu devant l'évêque, devant M. Révérony, vicaire général et le père Picot, supérieur des missionnaires de la Délivrande; 150 prêtres sont présents. Les cordons du poêle sont tenus par M. Simon, président du conseil de fabrique et par

MM. Guérin, trésorier du conseil de fabrique, et Colombe, membre du même conseil.

Or, en août 1883, le préfet du Calvados nomme comme membre du bureau de bienfaisance de Lisieux, en remplacement de M. le curé de Saint-Pierre décédé, un civil, M. Reautey, rompant ainsi la tradition selon laquelle un membre du clergé était toujours représenté. La petite guerre continue.

Et il y a la question de l'École.

Depuis 1879, c'est en effet la guerre au sujet de l'École. Le 15 mars 1879, Jules Ferry avait déposé un projet de réforme de l'enseignement qui comporte le fameux article 7 : « Nul n'est admis à diriger un établissement d'enseignement laïc ou privé, de quelque ordre qu'il soit ni à y donner l'enseignement, s'il appartient à une congrégation non autorisée. » Or cinq congrégations d'hommes seulement sont autorisées. L'article est voté le 9 juillet à la Chambre. La lutte se déchaîne de part et d'autre, surtout à partir de la promulgation des décrets, le 29 mars 1880. L'application des décrets se fait à partir d'août : les couvents et maisons de religieux sont investis — près de Tarascon, par exemple, le monastère des Prémontrés est assiégé par un général à la tête d'un régiment d'infanterie et de cinq escadrons de dragons et d'artilleurs.

A Lisieux, comme partout, l'article 7 est soutenu par les uns, honni par les autres. *Le Normand* lance une pétition, le 24 janvier 1880, pour le maintien des Frères. *Le Lexovien* du 7 avril reprend les accusations lancées un an plus tôt, contre les sœurs de la Providence de Lisieux : on dit d'elles qu'elles n'aiment que l'argent et qu'elles manquent de patriotisme. *Le Normand* répond, avec violence, le 20 avril et la controverse va continuer toute l'année.

L'ex-père Hyacinthe Loyson prend parti pour l'article 7. *Le Normand* le prend à partie de manière indirecte, le 1er mai, à propos du culte qu'il a ouvert rue de Rochechouart : « M. Hyacinthe Loyson, recteur de l'Église gallicane de Paris, a donné dimanche la comédie à un millier de personnes dans " l'église " de la rue Rochechouart. » Un député républicain y assiste : « Intérêt bien naturel puisque l'apôtre est un renégat de la religion catholique. Vous pensez bien que s'il fallait choisir entre Jésus et Judas, la République ne serait pas pour Jésus. » *Le Lexovien* du 30 mai ripostera en disant de cette approbation des lois supprimant l'enseignement religieux : « La moitié du clergé de France pense comme M. Loyson et comme *le Lexovien*. »

Le frère Blanquart, instituteur adjoint à l'école municipale de garçons, est bientôt mis en disponibilité. Le 29 mai 1884, les frères de la Doctrine chrétienne reçoivent l'ordre de partir : par 13 voix contre 10, le conseil municipal de Lisieux a émis un vote favorable à la laïcisation de l'école congrégationniste de Lisieux.

Le Normand, samedi 7 juin 1884 : « Après cent huit ans de séjour dans notre ville, les frères de la Doctrine chrétienne en ont été chassés par la haine implacable de la franc-maçonnerie. Ils ont quitté Lisieux jeudi matin. » Et *le Normand* ouvre aussitôt une souscription pour la fondation d'une *École libre des frères de la Doctrine chrétienne. Le Normand* du 30 août 1884 invite les parents qui se proposent d'y envoyer leurs enfants à s'inscrire soit au presbytère, soit chez M. Guérin, pharmacien. Les Frères ouvrent leur école le 24 septembre, dans les bâtiments du doyenné. M. Guérin a été très actif et efficace dans cette mobilisation des catholiques, pour l'école libre.

« Oui, nous crions à la persécution quand nous voyons notre gouvernement de sectaires et de francs-maçons ne tenir aucun compte de la volonté si clairement manifestée des pères de famille qui envoient leurs enfants dans les écoles libres », écrit *le Normand* du 18 mai 1886.

Et le même journal, le 29 mai : « Nous recommandons tout particulièrement à nos lecteurs la pétition qui se signe en ce moment contre les dispositions tyranniques et odieuses que comporte la loi sur l'enseignement primaire. » « Toutes les personnes qui déplorent les tendances matérialistes et athées de notre époque et qui voient dans ces tendances un danger immense pour la patrie et pour la société [...] voudront protester. »

Le dimanche 30 janvier 1881 a lieu une séance de bienfaisance, par des jeunes gens, à l'Alcazar de Lisieux : soirée maçonnique — la religion tournée en dérision. Dans la conférence qui est donnée : « Ne se préoccuper ni de Dieu ni de la vie future mais s'instruire et faire le bien sans attendre la récompense dont la seule pensée amoindrit le bienfait. »

Les élections sont l'occasion de manifester davantage encore les oppositions. Une nouvelle municipalité et un nouveau maire — M. Peulevey — ont été installés à Lisieux le 6 février 1881 : c'est un recul des monarchistes.

UN NOTABLE, UN CROISÉ.

A Lisieux, la jeune Thérèse découvre un homme qui va la fasciner : l'oncle Guérin : « Mon plus grand plaisir était d'écouter tout ce que mon oncle disait » se souviendra Thérèse; elle a envers son oncle, en même temps que de la crainte, une véritable vénération pour ce combat qu'il mène; elle écrira à sa tante, le 10 août 1893, du Carmel où elle est entrée : « N'est-ce pas la gloire de Notre-Seigneur que le bras de mon oncle ne cesse de se fatiguer à écrire des pages admirables qui doivent sauver les âmes et faire trembler les démons? » Céline, elle, a gardé dans sa mémoire que la personnalité forte de M. Guérin faisait impression sur M. Martin : « Mon oncle Guérin, avec son franc-parler, l'intimidait. » Vif, impétueux, Isidore Guérin fait son chemin dans la vie et la société de Lisieux. Marié à une fille de la famille Fournet — la plus riche famille de Lisieux, avec le nom duquel on fait le mot « Fortune » — il a pris volontiers le rythme de la famille Fournet : relations, réceptions.

Isidore Guérin est devenu peu à peu un notable dans la ville et dans la paroisse. En 1874, il participe à la fondation de la conférence Saint-Vincent-de-Paul et du Cercle catholique (il fait entrer M. Martin dans l'une et l'autre association dès son arrivée à Lisieux); il entre en 1877 dans le Conseil de fabrique de la cathédrale dont il devient le trésorier. En 1888, Isidore Guérin héritera d'un cousin de sa femme, Auguste David, ancien notaire à Évreux, qui était mort sans descendance, une très grosse fortune : un hôtel **princier** à Évreux, une résidence d'été, le château de la

Musse, qui surplombait, avec ses 41 hectares de bois et de parcs, la vallée de l'Iton. Ce qui permettra à Isidore Guérin de céder sa pharmacie et de se retirer dans une maison de maître, 19, rue Paul-Banaston à Lisieux.

Tout à l'opposé de son beau-frère Louis Martin, Isidore Guérin ne devient pas un rentier épris de solitude et de silence; il se jette à corps perdu dans la politique. Monarchiste convaincu, membre du Cercle littéraire de Lisieux où se retrouvent les partisans d'un roi, il milite aux côtés de son ami Paul-Louis Target. Celui-ci, né à Lisieux en 1821, avocat, s'était opposé au second Empire; il avait été élu, le 8 février 1871, député du Calvados; il fait partie du centre droit orléaniste et devient vice-président du groupe Saint-Marc Girardin. En juin 1873 il est nommé par le gouvernement de Broglie ministre plénipotentiaire à La Haye. En septembre 1874, dans un discours prononcé à Lisieux au cours d'un banquet, il propose la formation d'un grand parti national; beau-frère de M. Buffet — que connaissait très bien l'abbé Huvelin — il soutient sa politique quand Buffet devient ministre de l'Intérieur. En 1875 il pose de nouveau sa candidature à la Chambre des députés pour l'arrondissement de Lisieux; les républicains lui opposent M. Lavaley et les bonapartistes, M. Colbert-Chabannais : celui-ci étant élu, Paul Target retourne à La Haye d'où il revient en février 1878 pour poursuivre à Lisieux son travail politique.

C'est dans l'orbite de Paul Target que se meut Isidore Guérin. Mais il est, en outre, fervent partisan de Drumont, enthousiaste de la *Libre parole*. Il faut rappeler quelques faits pour voir ce que cette adhésion peut signifier.

La France juive, de Drumont, paraît en 1886; il s'en vend aussitôt 200 000 exemplaires; on sait que la thèse de Drumont consiste à montrer l'influence secrète et dissolvante des Juifs dans les événements historiques et plus précisément leur part prépondérante dans l'anticléricalisme contemporain; tout cela à partir non de preuves mais de calomnies. Drumont, qui lance en 1889 la *Ligue nationale antisémitique*, poursuit ensuite son travail à travers le journal *la Libre Parole*, fondé en avril 1892, qui répand les mêmes calomnies. De son « style particulier, violent, grossier [...] le journal de Drumont, écrit P. Sorlin, fait de la diffamation son pain quotidien ». Qu'Isidore Guérin se soit laissé entraîner dans une perspective antisémite on ne peut en douter. Mais c'était, hélas, une perspective commune à beaucoup de catholiques en France à cette époque. Quand on apprend que Louis Martin s'est abonné à *la Croix*, *la Croix* qui s'est fondée en 1880 et qu'il en permet la lecture à ses deux aînées, Marie et Pauline, on se dit qu'on est là devant un fait banal et inoffensif. Mais quel est le contenu réel de *la Croix ?* : « Le lecteur de ce journal, écrit P. Sorlin dans son livre *la Croix et les Juifs*, vit dans un monde à demi céleste, à demi terrestre, où Dieu est sans cesse présent. En apparence, les secours d'en haut semblent faire défaut aux catholiques : c'est que le peuple a oublié sa foi et déserte les autels; toutes les difficultés, depuis les mauvaises élections jusqu'aux épidémies sont des marques de la colère divine [...]. La communication entre Ciel et Terre constitue aux yeux (des rédacteurs) une réalité évidente; vivant dans une atmosphère de mysticisme permanent, ils voient un signe dans chaque événement, interprètent le moindre incident comme une manifestation des puissances divines ou infernales » (p. 34-36).

La Croix répète sans cesse que le seul remède à l'immoralité, c'est de revenir à la foi; en politique, le journal insiste sur le lien entre ennemis de la patrie et ennemis de la religion; et si le régime subit des revers c'est parce que des athées le dirigent. Quant aux idées sociales de *la Croix*, « elles dérivent d'un solide conservatisme, d'une profonde crainte du monde moderne » (*ibid.* p. 60).

En 1880, *la Croix* publie un texte qui est un véritable réquisitoire contre Israël. *L'Almanach du pèlerin* consacre, en 1880, une quinzaine de pages au retour d'Israël au Christ : celles-ci expriment une réelle méfiance envers les Juifs. La Bonne Presse dira très nettement en 1882 que le krach de l'*Union générale*, banque catholique, est dû aux manœuvres de la finance israélite. « Le Juif, c'est l'ennemi, tel est le cri chrétien depuis le Golgotha jusqu'à nos jours » dit *la Croix* en août 1882. En septembre 1890, *la Croix* se proclamera « le journal le plus antijuif de France ».

Thérèse qui, on l'a vu, écoute beaucoup tout ce que dit

son oncle, Thérèse est plongée dans le combat d'Isidore Guérin. Cet homme bouillant consacre toute sa vie de rentier, ses ressources et son énergie — l'une et les autres sont grandes — à propager ses idées et à pourfendre les ennemis de la religion : « Plus on l'outrage, plus elle brille » avait-il fait inscrire en grand sur le reposoir qu'il avait installé devant sa maison pour la procession de la Fête-Dieu. Homme d'œuvres qui agit, sollicite, parle; il ouvre sa bourse aux détresses et donne largement pour les missions — cela lui vaudra de devenir parrain d'un petit roi africain, ce dont il est très fier. Sa sœur Zélie avait peur qu'il ne soit pas un bon chrétien : le voilà devenu un chrétien super-actif, confondant souvent politique et religion, quasi maurrassien avant la lettre.

Il entend lutter surtout sur deux fronts : l'école et la presse. Il soutient les écoles chrétiennes, défend les Frères, fait partie du comité scolaire lexovien, va jusqu'à acheter lui-même un immeuble pour loger l'école des filles.

Mais c'est tout particulièrement par le journal qu'il agit. Grand lecteur de Louis Veuillot, la presse lui paraît une arène de choix. A Lisieux il y a deux journaux : *le Lexovien* qui est républicain et l'ancien *Journal de Lisieux et de Pont-l'Évêque* devenu, le 22 juin 1878 *le Normand*, qui est conservateur (ce dernier a 300 abonnés en 1861). *Le Normand* paraît deux fois par semaine, le mardi et le samedi.

Entre les deux journaux, c'est constamment la lutte et souvent sur des sujets « cléricaux » : ainsi, en février-mars 1878, une longue controverse au sujet du testament de Pie IX qui vient de mourir : le pape aurait gardé personnellement une partie des aumônes dues au denier de Saint-Pierre.

LA POLITIQUE ET L'ONCLE GUÉRIN.

En août 1881 ont lieu les élections législatives. La victoire de M. de Colbert, bonapartiste, est saluée ainsi par *le Normand* du 27 août 1881 : « Les électeurs de M. de Colbert ont voté contre la République, parce qu'ils repoussent la Révolution, parce qu'ils veulent le progrès, l'ordre, la véritable liberté, parce qu'ils détestent les persécuteurs, les agioteurs, les ennemis de la Religion. »

Il y a l'autre député, P. Duchesne-Fournet, un parent de Mme Isidore Guérin; il a repris l'œuvre de son grand-père, Jean Lambert-Fournet qui, en 1860, avait fondé la plus importante usine textile de Lisieux, une usine de toiles de lin — on disait alors « cretonnes » —; il est républicain; mais *le Normand* est convaincu que M. Paul Duchesne-Fournet, quoique républicain, défendra les intérêts de la religion : « Que pouvons-nous craindre, en effet, d'un député qui fait des reposoirs! O pieuses congrégations! charitables associations! que rien ne vienne donc troubler votre douce quiétude! fermez l'oreille aux bruits sinistres, aux éclats de la poudre. Dormez en paix : pour vous, un ami veille et fait bonne garde. Comptez sur lui » (8 octobre 1881).

Mais P. Duchesne-Fournet est passé au parti républicain. Et *le Normand* doit déchanter. Le 8 mai 1882, P. Duchesne-Fournet vote la loi Naquet sur le divorce et *le Normand* se doit de combattre ses « opinions et agissements politiques ». Au sujet d'un de ses discours où il a exalté la République, *le Normand* écrit : « Lui qui appartient à une famille où l'on a toujours pratiqué le respect de la Religion, il appelle " sage et progressif " le régime qui persécute les membres du clergé, qui les prive arbitrairement de leurs traitements, qui laïcise les écoles et les hôpitaux, qui supprime les aumôniers et qui apporte toutes les entraves possibles à la liberté du culte. »

Août 1883, grande tristesse pour tous les monarchistes : la mort de Mgr le comte de Chambord. Voici comment *le Normand* annonce cette mort : « Dieu n'a pas exaucé les prières qui s'élevaient de nos cœurs; Dieu, parce que nous ne méritions pas cette faveur, n'a pas permis que cet homme de bien par excellence qui semblait prédestiné au bonheur de notre nation, Dieu n'a pas permis qu'il régnât sur la France. Nous devons nous incliner devant ses terribles décrets. »

Devant tous ces événements, Isidore Guérin qui est impétueux et aime se battre, se jette dans l'action politique. Il avait commencé avec la question de l'École. Sous l'influence de son ami Paul Target, il devient de plus en plus passionné de politique et de politique de droite; pour donner le ton,

voici un extrait d'une brochure intitulée « 1787-1887 » où
P. Target veut démontrer que les sectaires de 1887 ne sont
pas les successeurs de 1789 mais « les imitateurs des tyrans
odieux de 1793 ». « La République des républicains, pétrie
d'incapacité, de faiblesse et d'égoïsme conduira infaillible-
ment la France à l'anarchie. » Quant au gouvernement
« il n'a plus de républicain que le nom, n'ayant souci ni de
la justice, ni de la liberté, ni de la paix sociale, ni d'ordre
public, ni d'honneur, faisant litière de nos droits et de nos
croyances ».

Isidore Guérin collabore de plus en plus volontiers au
Normand; il y prendra bientôt la première place. A partir
surtout des embarras financiers du *Normand*, qu'il renfloue
de ses deniers. Et aussi d'une polémique fort vive qui éclate
en 1891. Le 28 octobre de cette année, un jeune avocat de
Lisieux, Henry Chéron, à l'occasion d'une lettre de Léon XIII
à Mgr Gouthe-Soulard, s'en prend aux « vaticanards » et
au pape lui-même qu'il trouve en train de « dérailler ».
Isidore Guérin riposte, le 3 novembre, avec violence; d'autant plus qu'il connaît bien Henry Chéron : celui-ci avait
d'abord voulu devenir pharmacien et, en 1884, avait passé
quelques mois en stage à la pharmacie Guérin; il avait même
donné à Marie Guérin quelques leçons d'accordéon. Isidore
Guérin se sent comme trahi par son ancien élève; et, de haut,
dans *le Normand,* il le toise, il demande ses titres, il ironise
sur ses prétentions; il termine par cette apostrophe pour
défendre Léon XIII : « Il déraille, celui qui seul a pu trouver
la solution de cet infrangible nœud gordien qu'on appelle
la question sociale, que, ni les économistes les plus habiles,
ni les philosophes les plus profonds, ni les politiciens les plus
perspicaces, n'ont pu encore dénouer.

« Il déraille, celui qui donne à la France les marques
d'une sollicitude et d'une affection toute paternelle, qui
gémit de ses malheurs, qui se réjouit de ses gloires, et qui la
déclare sa fille privilégiée.

« Il déraille, celui qui, JAMAIS, entendez-vous bien, n'a
prononcé que des paroles de paix, de miséricorde et de pardon,
celui qui jamais n'a mendié les vains applaudissements de la
foule.

« Il déraille, celui qui, seul, sans armée, sans allié, se rit, au milieu de son Vatican, de la rage impuissante de la meute révolutionnaire... »

Henry Chéron deviendra maire de Lisieux en 1894, à la grande tristesse de M. Guérin qui n'a pourtant pas ménagé sa peine : n'a-t-il pas écrit 81 articles dans *le Normand* pour la seule année 1893?

Le contenu de ces articles dénote un conservatisme constant : dénonciation de la gauche comme démagogue, méfiance à l'égard du syndicalisme.

Dans *le Normand* du 8 octobre 1892, Isidore Guérin fait un article sur Renan, qui vient de mourir : « Tout homme qui entre dans la vie cherche une veine à exploiter. En tâtant le pouls de ses contemporains, Renan comprit qu'ils avaient avant tout une soif insatiable de jouissances, de fortune et d'honneurs. Le meilleur moyen de s'attirer leurs suffrages et de mériter leurs faveurs, c'était d'inventer une morale facile, séduisante, ennemie des préjugés. » Or, Isidore Guérin avait rencontré Renan à Paris tandis qu'il était étudiant; et justement en 1863 l'année même où parut la *Vie de Jésus;* il parle de lui avec beaucoup de mépris : « De type rabelaisien, d'une taille moyenne, un peu bedonnant, les joues flasques et pendantes, les lèvres lippues, le nez charnu. » Il ajoute : « Le plus grand mérite de M. Renan aux yeux des radicaux, c'est d'avoir appartenu à l' " église " de la Révolution française [...]. Aux yeux de la franc-maçonnerie athée qui gouverne la France, Renan est l'auteur de la *Vie de Jésus* qui a le plus contribué à semer le scepticisme dans les âmes [...]. Renan n'a rien fondé, n'a rien créé, n'a rien inventé n'a rien fait pour le bonheur du peuple ou de sa patrie [...]. Mgr d'Aix a dit que nous n'étions pas en République mais en franc-maçonnerie et les funérailles nationales de M. Renan en sont la preuve et la confirmation éclatantes. Si l'opinion publique ne réagit pas contre les sectaires qui ont pris sa direction, on peut prévoir le jour prochain où les Chambres décréteront l'exhumation des restes de Ravachol pour les transporter au Panthéon qui deviendrait un dépotoir national. »

Il faut aussi souligner qu'il trempe profondément —

comme *la Croix* — dans la campagne antisémite. Par exemple, ce genre de prose, dans *le Normand* du 28 juin 1887 : « Sur une population de 37 millions, il n'y a en France, officiellement que 60 000 Juifs [...]. Pour administrer ces 37 millions de Français, il y a 86 préfets. Or, sur ces 86, combien compte-t-on de Juifs ? quarante-deux !!! Un de plus ce serait la moitié. Il y a lieu de porter ce fait à la connaissance du public et de dénoncer à la tribune cette scandaleuse invasion juive, plus calamiteuse encore que l'invasion prussienne. »

« La franc-maçonnerie cosmopolite qui nous gouverne a desséché le cœur de l'ouvrier » écrit encore Isidore Guérin dans un article intitulé *Ni Dieu, ni Maître, ni Patrie* (*le Normand*, 28 mai 1892). Il écrira dans le même journal, le 6 septembre, que « La juiverie et la maçonnerie, ces sœurs alliées » ont pour « but, la conquête universelle ».

« Du fond de sa prison, Drumont doit tressaillir de joie en voyant poindre l'aurore de la vengeance et l'espoir d'une victoire pour l'œuvre d'assainissement qu'il poursuit depuis sept ans » écrit I. Guérin dans *le Normand* du 26 novembre 1892 ; suit tout un article contre les Juifs et les francs-maçons. Tout un article encore le 13 décembre suivant : *l'Antisémitisme* où il exalte Drumont et l'antisémitisme, et où il n'hésite pas à écrire : « Le Talmud, c'est la théorie et l'apprentissage de la haine contre l'étranger [...]. Nous retrouvons la main du Juif dans toutes les banqueroutes scandaleuses qui ont ruiné le pays, dans toutes les persécutions qui ont eu pour objet l'enfance ou la religion, dans ces injures et ces calomnies immondes que la presse déverse sur les catholiques, et dans les tripotages, les concussions, les dénis de justice et les grèves qui ont troublé la conscience et la sécurité de la nation. Partout et toujours, c'est l'application des maximes du Talmud. » Le 7 février 1893 : « On discute beaucoup sur les défectuosités de notre état social, on redoute la question ouvrière, on gémit sur les scandales qui éclatent à jet continu et on ne voit pas que le chancre qui nous ronge et finira par nous dévorer, c'est la franc-maçonnerie. » Et les diatribes se poursuivent au fil des mois et des années avec une extraordinaire agressivité.

Les catholiques continuent de manifester leur foi par des processions. *Le Normand* du 1er juin 1880 se réjouit de ce que la procession de la Fête-Dieu « se développait sur une longueur de plus d'un kilomètre ». *Le Normand*, 20 février 1886, écrit : « Jeudi 18, fête de la Propagation de la Foi, à l'église Saint-Pierre, œuvre vraiment chrétienne et nationale.» « La décoration lumineuse de l'abside du monument arrêtait et charmait le regard dès l'entrée, elle caractérisait de la façon la plus heureuse l'objet de la fête, en montrant la croix plantée sur le globe terrestre et l'illuminant de ses rayons. »

Le style des sermons est jansénisant : *le Normand* parle des sermons de carême où on a traité longuement des « châtiments » pour les péchés (20 mars 1883). Beaucoup de mièvrerie dans les réunions organisées par les catholiques : le lundi de Pâques 1882 par exemple a lieu la cavalcade enfantine de une heure à six heures de l'après-midi suivant un itinéraire : rois, reines, bergers, bergères, marquis. Une quête est faite au profit des pauvres : 1 224,70 francs. *Le Lexovien* se moque et trouve tout cela ridicule.

Ou encore le *Normand*, 29 avril 1884 : « Une charmante soirée musicale a été donnée dimanche au Cercle catholique. Ce concert a surtout mis en relief le beau et double talent de Mlles Gabrielle et Régina Beretta, la première comme pianiste d'ordre supérieur, la seconde comme chanteuse à la jeune voix, mélodieuse, étendue et d'une irréprochable pureté. »

Quand le 30 juin 1881, sous la présidence de Mgr Hugonin, le séminaire de Lisieux organise une réunion littéraire, on joue les *Enfants d'Édouard*, de Casimir Delavigne, une œuvre conventionnelle et fort médiocre. En février 1882, les mêmes séminaristes jouent une pièce insignifiante de Labiche *la Cagnotte* et *le Lexovien* (23 février) ne manque pas de se moquer d'eux.

Catholiques et anticléricaux se réunissent cependant pour célébrer une poétesse de Lisieux : Rose Harel, qui meurt le 4 juillet 1885. Née à Bellou, dans l'Orne, en 1826, Rose Harel avait été « tisserande » à Vimoutiers, puis servante à Lisieux;

pendant les trente ans où elle passe de maison en maison
Rose Harel écrit sous le nom de « Rose Harel, *servante* à
Lisieux », elle publie chez Renault à Lisieux, en 1864,
l'Alouette aux blés qui connaît aussitôt un **vrai** succès local.

Le poème XX, *l'Exilée*, est dédié à Mme Isabelle Martin :

Fleur du Midi, fleur parfumée
Fleur étrangère à nos climats
Où ta corolle refermée
Se fanera sous les frimas.

Les poèmes parlent sans cesse de myosotis, de pâquerettes,
d'églantines, de roses, résédas, lilas, violettes...

Voici quelques extraits de ces poèmes :

Poème LX. Le bonheur au village

Qu'il est doux d'être jeune fille
Lorsqu'on est fraîche et gentille
Et qu'à la fête du hameau
Tandis qu'on danse sous l'ormeau,
Une rose dans son corsage,
Une rose dans ses cheveux,
On entend dire : « Du village
Oui, vraiment, Jeannette est la mieux! »

Poème LXIV. Fille de la terre, sœur des anges

Que ta voix, jeune fille, était harmonieuse,
Quand, pareils à l'encens, s'élevaient jusqu'aux cieux
Les sublimes accords de ton âme pieuse
Dont le chaste reflet rayonne dans tes yeux.

Poème LXXXXV. A mon âme

Tu voudrais, ô mon âme,
T'envoler au ciel bleu
Sur deux ailes de flamme
T'élancer vers ton Dieu
Quitter enfin la terre,
Lugubre et froid séjour
De pleurs et de misère

Où l'on maudit le jour!
Mais, jeune âme punie,
Tu dois subir ton sort
Tu dois vivre ta vie
Sans appeler la mort.

Accepter son épreuve,
Jésus vint l'enseigner;
Ici-bas, triste et veuve,
Sache te résigner.
Dans ta vive souffrance
Sans jamais blasphémer
Conserve l'espérance
Qui nous la fait aimer;
Et Dieu te tiendra compte
De ton effort béni
En te laissant plus prompte
Monter vers l'infini.

Poème X. Tu n'es plus seule enfin!

De la femme ici-bas que le sort est étrange!
La femme est le pois de senteur
Seul, il rampe sur l'herbe et parfois dans la fange
Debout, c'est une chaste fleur.

Dans *l'Alouette aux blés*, Rose Harel chante souvent des
amours déçues, ou met en scène une jeune fille qui pleure de
n'avoir pu se marier. Vingt ans plus tard, en 1885, juste
avant sa mort paraît un second recueil qui a plus de succès
encore que le précédent : *Fleurs d'automne*. Voici encore
quelques extraits de ces poèmes que Thérèse Martin et ses
sœurs ont dû lire et qui ont certainement influencé les vers
que Thérèse écrira au Carmel.

Le poème *le Séminariste* commence ainsi :

Pardon, mon Dieu, pardon! Un amour de la terre
S'est placé dans mon cœur tout à côté du tien.

Celle qu'il aime lui dit :

Dieu te veut tout entier, il n'est pas de milieu,
Dieu voit au fond des cœurs; on ne peut tromper Dieu.

Il quitte le séminaire, on le fuit.

> Quand je passe il en est qui m'appellent parjure,
> Infâme, ou bien encore renégat du Seigneur.

Et il s'aperçoit que celle qu'il aime ne l'aime pas!

> Ah! maudite sois-tu, toi dont les yeux de flamme
> Ont rejeté mon être au fond du chaos noir!
> Puisses-tu donc aimer, pour me venger, ô femme,
> Ainsi que je t'aimais, sans trêve et sans espoir.

D'autres vers :

> Vous êtes charmante, madame,
> Et charmante sans le savoir,
> Comme la fleur, sans le vouloir,
> Dans son parfum versant son âme.

Un autre poème *Sœur-Marie :* une jeune fille, délaissée parce que pauvre, rentre au couvent, se conduit comme une héroïne en Algérie, sauve des soldats français, est faite chevalier de la Légion d'Honneur. C'est ce qu'apprend le jeune marié qui l'avait délaissée jadis, le soir de son mariage!...

Une autre poétesse de Lisieux, Marie Parfait, publie en 1882, *Épis et Bluets;* pièces de vers consacrées à l'Enfant et à la Fleur :

« L'enfant, écrit la préfacière, Mme de Besneray, c'est la fleur du foyer, la gaieté du logis. C'est le maître inconscient dont le doigt de rose nous fait épeler les premières tendresses, dont les yeux d'azur nous inspirent nos meilleures œuvres. »

Rose Harel et Marie Parfait ont pour mécène Mme de Besneray qui écrit des préfaces pour leurs recueils — elle est elle-même romancière — : « A lire, si vous avez la bonne fortune de mettre la main sur un exemplaire, la nouvelle de Mme Marie de Besneray intitulée *Carnet de Bal.* Ce sont les impressions intimes et vécues d'une jeune fille qui entre dans le monde, c'est vrai et délicieux au possible, c'est du réalisme virginal parlant au cœur et à l'âme », écrit *le Normand* le 24 décembre 1886.

Thérèse va vivre son enfance — entre l'âge de cinq ans et l'âge de quatorze ans — dans ce petit monde lexovien qui connaît d'un côté des combats politiques mesquins où son oncle tient une place primordiale et de l'autre des fêtes — processions et poésie — médiocres et mièvres. C'est là, dans ce climat étriqué d'une petite ville provinciale, qu'elle grandit; même si elle y est peu mêlée, ce lieu sans grandeur n'a pas pu ne pas l'atteindre. Ne serait-ce que dans le domaine de la poésie...

UN HOMME TRANQUILLE DANS UNE MAISON TRANQUILLE.

Le 16 novembre 1877, le lendemain du jour où les cinq filles sont arrivées à Lisieux, accueillies par leur oncle Guérin, Marie va voir la maison que l'oncle a trouvée pour eux; elle écrit ses premières impressions à M. Martin : « C'est une charmante habitation, riante et gaie avec ce grand jardin où Céline et Thérèse pourront prendre leurs ébats. Il n'y a que l'escalier qui laisse à désirer et aussi le chemin d'accès, " chemin du Paradis ", comme tu l'appelles, car, en effet, il est étroit, ce n'est pas " la voie large et spacieuse ". Qu'importe, tout cela est peu de chose, car nous ne faisons que camper sur la terre : aujourd'hui nous avons ici nos tentes, mais notre vraie demeure c'est le Ciel, où nous irons un jour rejoindre notre Mère chérie. »

La maison est une demeure banale située à cinq cents mètres de la place, au nord de la ville, près de la route de Pont-l'Évêque; bâtie à flanc de colline, on y accède par un petit raidillon rocailleux; une porte dans le mur de clôture et on arrive dans un parc en pente au milieu duquel se trouve la bâtisse en briques rouges, avec un seul étage. Derrière la maison, un jardin surélevé et, tout au fond, un hangar, une buanderie et une serre. La maison, qui a plus de cinquante ans, est composée de pièces aux plafonds bas; l'ensemble est assez mal distribué; au rez-de-chaussée : une salle à manger (lambrissée de chêne), une cuisine (à cheminée de briques rouges), un bureau exigu et une salle de débarras. Au premier étage, outre deux cabinets de toilette, quatre chambres, deux devant et deux derrière, les deux chambres de derrière de plain-pied avec le jardin. Sous le toit, trois mansardes;

et au-dessus de la mansarde du centre, une sorte d'observatoire d'où l'on domine la ville de Lisieux, le belvédère. Une maison bourgeoise sans caractère.

Mme Guérin et Marie installent la maison. D'abord, au premier étage, donnant sur la façade, la chambre du père; table et secrétaire en acajou, fauteuil, grand lit à baldaquin avec tentures; deux lampes à huile. L'autre chambre de devant sera occupée par Marie et Pauline; on y met la grande statue de la Vierge qui se trouvait au Pavillon; on donne à Léonie une des deux chambres de derrière et l'autre à Céline et Thérèse. En bas, on aménage la salle à manger, en meubles de chêne; buffet (torsades et figures de chasse), table ronde à pivot massif, sièges et deux hauts fauteuils; la pièce près de la cuisine est aménagée en petit boudoir où les deux aînées se tiendront dans la journée.

Aux Buissonnets, Louis Martin va mener une vie de moine, la vie dont il avait toujours rêvé. Il a définitivement abandonné sa profession; il s'en remet totalement, pour la conduite de la maison, à sa fille aînée qui est d'ailleurs aidée par une servante, Victoire qui a son franc-parler et mène la maison; il ne fait que distribuer, de temps en temps, des louanges ou de petits blâmes quand il y a un peu moins d'ordre. Les horaires et les rites de la vie des Buissonnets sont scrupuleusement observés.

Dans la journée, Louis Martin s'occupe un peu du jardin et soigne sa volière. Il pêche beaucoup : à Saint-Martin-de-la-Lieue où le châtelain lui permet de taquiner le brochet; à Saint-Ouen-le-Pin où il happe la truite en deux viviers; à Touques, près de Deauville — où il pêche carrelets et poissons de mer; ses prises sont considérées, aux Buissonnets, comme des hauts faits : Pauline dessine les principales d'entre elles et le Belvédère est orné de poissons; les cinq filles tremblent au récit de leur père qui, au cours d'une pêche, a vu quelque taureau le menacer; parfois elles l'accompagnent, s'installent sur l'herbe, font une gouache ou brodent.

L'essentiel de ses journées et de ses semaines, Louis Martin ne le passe pourtant pas au-dehors, mais dans la solitude de sa chambre et du Belvédère. Il y rêve; il s'y adonne à la lecture; quelques livres de chevet : outre l'Évangile, l'*Imi-*

tation de Jésus-Christ et, de saint Alphonse de Liguori, l'*Horloge de la Passion;* beaucoup de vies de saints, la biographie de l'abbé de Rancé, une *Histoire de la Trappe;* il y a aussi les *Études philosophiques sur le christianisme*, d'Auguste Nicolas : peut-être parce que celui-ci, magistrat de Bordeaux, était connu par la famille Martin. Personne n'a le droit d'accéder à son ermitage; Louis Martin y passe des heures paisibles : « Je ne vis guère que de souvenirs, écrit-il à un ami d'enfance. Ces souvenirs de toute ma vie sont si doux que, malgré les épreuves traversées, il est des moments où mon cœur surabonde de joie... Dernièrement, je t'ai parlé de mes cinq filles, mais j'ai oublié de te dire que j'ai encore quatre enfants qui sont avec leur sainte mère, là-haut, où nous espérons aller les rejoindre un jour!... » Son existence n'est plus guère sur la terre : s'il y a ses cinq filles, il y a, peut-être surtout, cinq autres êtres : sa femme et les quatre enfants morts vers lesquels tendent toutes ses aspirations.

Il se lève tôt et se rend à la messe paroissiale chaque matin. Marie fait du ménage et rêve.

Le soir, quand la table est desservie et la vaisselle terminée a lieu la veillée : « Papa, la lampe est allumée » crie l'une des filles dans l'escalier; Louis Martin descend au boudoir; une partie de *dames* entre le père et l'une des filles, surtout Marie; la lecture d'un passage de l'*Année liturgique* de Dom Guéranger, puis d'un livre instructif ou d'un roman de la bibliothèque paroissiale. C'est enfin pour Thérèse, que Louis Martin appelle sa « petite Reine », le moment où elle peut venir se blottir dans les bras de son père; celui-ci déclame une fable de La Fontaine, du Victor Hugo (*l'Antéchrist* par exemple) ou plus souvent du Lamartine (entre autres *Réflexion*); et il chante, de sa voix qu'il avait douce et grave, des mélodies de toutes sortes : Thérèse, qui a une excellente mémoire, retiendra ces airs; c'est sur eux, plus tard, qu'elle composera la plupart de ses poésies pieuses. En veut-on quelques exemples?

Mignon d'Ambroise Thomas est souvent employé : *Cantique à la Sainte Face*, se chante sur l'air *Les regrets de Mignon. Vous avez rompu mes liens, Seigneur,* sur l'air,

Mignon, connais-tu le pays? Le Cantique éternel sur l'air : *Mignon regrettant sa patrie. Jésus seul!* sur l'air : *Près d'un berceau. La volière de l'Enfant Jésus* se chante sur *Au Rossignol* de Gounod; *Ma Paix et ma joie : Petit oiseau, dis, où vas-tu?; La rose effeuillée* sur l'air célèbre *Le fil de la Vierge; La Rosée divine ou le lait virginal de Marie* se chante sur l'air du *Noël* d'Adam; *Pourquoi je t'aime, ô Marie* sur *La plainte du Mousse;* le *Cantique de Sainte Agnès* sur *Le Lac* de Niedermeyer; *Ce que j'aimais* sur *Combien j'ai douce souvenance,* ce dernier air, on le sait, étant souvent fredonné par M. Martin.

Louis Martin qui est très adroit de ses mains, confectionne de petits jouets, telles ces figurines légères de Tombi-Carabi, lestées de plomb à leur base et qui se relèvent toujours. « Dans les adversités et les chocs de la vie, dit Louis Martin à ses filles, il faut imiter les bonshommes Tombi-Carabi, se relever après chaque chute. »

Chaque soirée se termine par la prière en commun récitée devant la statue de la Vierge qui se trouve dans la chambre des deux aînées et qui est comme le cœur de la maison.

2 janvier 1878 : Thérèse Martin a cinq ans. C'est la première fois que son anniversaire lui est souhaité depuis la mort de sa mère. Depuis, aussi, l'installation aux Buissonnets, cette maison à l'écart, isolée au milieu d'un parc et silencieuse comme un cloître. Depuis ce début de janvier 1878, Thérèse est la plupart du temps seule à la maison avec Pauline et Marie et avec son père : Léonie et Céline viennent d'entrer, Céline comme demi-externe et Léonie comme pensionnaire, à l' « Abbaye » où se trouvent leurs cousines Jeanne et Marie Guérin. L'Abbaye — en fait un prieuré à partir de 1815 — de Notre-Dame-du-Pré se trouvait à l'ouest de la ville sur la route de Caen; des religieuses de tradition bénédictine y tenaient une école pour petites filles; celles-ci, une soixantaine en 1878, étaient réparties en cinq classes; l'uniforme est obligatoire avec une ceinture de couleur différente pour chaque classe.

Le matin, Thérèse apprend à lire et à écrire avec Pauline; si elle ne travaille pas bien, elle est privée de la sortie de l'après-midi avec son père; ses récréations, le matin, Thérèse les passe à s'occuper de ses oiseaux — on lui a offert une magnifique volière — ou de ses lapins ou à se faire pousser à la balançoire par son père, le plus haut possible, jusqu'à ce qu'elle aperçoive par-dessus le mur le bonnet de coton de la mère Godet, leur voisine. La promenade de l'après-midi se déroule souvent dans le magnifique jardin de l'Étoile, près de la cathédrale. — Ce jardin est ouvert, non pas à tous, mais aux seules familles qui paient un abonnement annuel de 30 francs; leur épagneul Tom, accompagne le père et l'enfant; et ce sont de la part de Thérèse de multiples questions à son père; la promenade se termine par la visite au Saint-Sacrement.

A la saison, Mme Guérin loue sur la côte : à Deauville, au chalet Colombe; mais surtout à Trouville : au chalet des Lilas ou à la villa Marie-Rose. Alphonse Karr, après avoir lancé Étretat, avait réussi la même opération pour Trouville en publiant, en 1855, ses *Histoires normandes;* il est vrai qu'Alexandre Dumas se prétendait, déjà alors, l'inventeur de Trouville. Cette station balnéaire, où Thérèse voit la mer pour la première fois le jeudi 8 août 1878, est fort à la mode; le 6 juillet, *le Normand* écrit : « Touristes et baigneurs arrivent sur la côte, on dit que de grandes locations ont été faites à Trouville et à Deauville; l'archiduc Albert d'Autriche s'est vraisemblablement bien trouvé de la saison qu'il a faite l'année dernière à Trouville, il y est installé de nouveau depuis mercredi. » Et le 30 juillet : « La maréchale de Mac-Mahon s'installe avec sa famille à la villa Amélie, à Trouville. » Chaque année, mêmes mentions de personnalités célèbres : ainsi dans *le Normand* du 10 juillet 1880 : « Parmi les personnages arrivés les premiers à Trouville, on cite le prince Jérôme-Napoléon qui occupe un appartement à l'hôtel des Roches-Noires. »

Il faut dire qu'on insiste énormément à l'époque, sur la thérapeutique des bains de mer. Ceux-ci « activent les fonctions du type digestif, favorisent l'assimilation et font prédominer le système circulatoire sur le système nerveux ».

Le jour même de l'enterrement de sa mère, Thérèse a choisi Pauline pour seconde mère : « Le jour où l'Église bénit la dépouille mortelle de notre petite Mère du Ciel, le bon Dieu voulut m'en donner une autre sur la terre et il voulut que je la choisisse librement. » Thérèse se jette dans les bras de Pauline en s'écriant : « Eh bien! moi, c'est Pauline qui sera Maman! »

Pauline devient, dès lors, son idéal et sa confidente, son juge et son guide spirituel. Pauline sait entremêler fermeté et affection pour l'éducation de sa petite sœur.

Mais ce choix « libre » n'a pas effacé la culpabilité déjà existante du vivant de Mme Martin et accrue par sa mort. « A partir de la mort de Maman, mon heureux caractère changea complètement; moi si vive, si expansive, je devins timide et douce, sensible à l'excès. Un regard suffisait pour me faire fondre en larmes, il fallait que personne ne s'occupât de moi pour que je sois contente, je ne pouvais pas souffrir la compagnie de personnes étrangères et ne retrouvais ma gaieté que dans l'intimité de la famille... » C'est alors qu'elle projette sur son père le désir d'avoir une mère et qu'elle estime que c'est arrivé : « Cependant je continuais à être entourée de la *tendresse* la plus délicate. Le cœur si *tendre* de Papa avait joint à l'amour qu'il possédait déjà un amour vraiment maternel... » De là le phantasme de la mort du père-roi dont elle est la Reine. Ce phantasme a quelque chose à voir avec sa deuxième mère et aussi avec Marie qui a comme remplacé Mme Martin auprès de Louis Martin et qui est marraine (« ma reine ») de Thérèse. Son père qui est, dit-elle, « mon Roi à moi toute seule ».

Le lundi 3 octobre 1881 commence pour Thérèse une période fort pénible : elle devient demi-pensionnaire à « l'Abbaye ». « Les cinq années que j'y passai furent les plus tristes de ma vie; si je n'avais pas eu avec moi ma Céline chérie, je n'aurais pas pu y rester un seul mois sans tomber malade... » Elle a huit ans et demi; or on la met en quatrième, avec des filles plus âgées qu'elle; l'une de ces élèves, qui a treize ans, devient jalouse « me voyant si jeune, presque toujours la première de ma classe et chérie de toutes les religieuses. » Elle lui fait « payer de mille manières » ses « petits succès »; Thérèse pleure sans rien dire à personne.

A l'Abbaye, Thérèse se trouve donc pour la première fois devant un groupe; elle n'est plus, là, celle qui est l'objet d'admiration des autres et de leur affection; mais elle devient, parce qu'elle est l'objet de prévenances et de préférences de la part des religieuses, point de mire des autres. Le résultat n'est pas, comme à la maison, accueil et attendrissement mais jalousie et hostilité. Thérèse n'a qu'une hâte : rentrer vite à la maison.

Un médecin a écrit à ce sujet : « Pour un médecin de l'époque actuelle au courant de la psychiatrie infantile, le diagnostic serait évident : Thérèse présentait un retard affectif consécutif à la régression causée par la perte de sa mère et non compensée par une éducation suffisamment compréhensive. Thérèse dans cette situation se comportait affectivement comme une enfant beaucoup plus jeune que son âge réel, elle ne se sentait en sécurité que dans sa famille et même avec certaines personnes seulement parmi les siens. »

Thérèse est passionnée de lectures. A côté de *la Tirelire aux histoires* de Louise S. W. Belloc, du *Journal de la jeunesse* et de *la Mosaïque* (qui avait succédé au *Magasin pittoresque*) il y a des lectures qui sont bien moins innocentes que M. Martin ne le pense : par exemple la *Fabiola* du cardinal Wiseman, Fabiola qui prend plaisir à frapper et blesser ses femmes et ses esclaves. Ou encore les livres de la fameuse comtesse de Ségur, des livres qui sont un panorama de punitions et de violences dans un monde très précis : le monde du Second Empire, fait d'ordre et d'argent, un monde où l'on ne change pas de position sociale — et peut-être Thérèse a-t-elle lu *la Sœur de Gribouille* où l'héroïne, même si elle passe de l'extrême misère à une situation où elle emploie, comme Mme Martin, plusieurs ouvrières, reste pourtant

ce qu'elle est, une couturière —, un monde où les bons
gendarmes sont rois, reflets d'un Dieu qui peut être parfois
débonnaire, mais qui est surtout juste, qui récompense ou
punit dès ici-bas et qui de toutes façons rappelle toujours par
telle souffrance ou telle maladie, qu'il ne faut pas trop aimer
la vie.

Cette enfant, qui ne sait pas jouer et qui s'enferme dans
ses lectures, craint le monde : « Un jour, j'avais dit à Pauline
que je voudrais être solitaire, m'en aller avec elle dans un
désert lointain. »

Personne, sauf son père et Pauline, ne l'attache à cette
terre. Or voici que Pauline, sa « petite maman » qui, après le
bonsoir à M. Martin, la « prenait entre ses bras » et la cou-
chait tendrement, voici que Pauline va lui porter un coup
terrible. Ce sera, pour Thérèse, comme la mort de sa seconde
maman, après la mort de la première.

Pauline annonce un jour à Marie sa prochaine entrée au
Carmel de Lisieux et Thérèse l'entend.

Le choc est extrême; il est d'autant plus violent qu'il est
inattendu : « Si j'avais appris tout doucement le départ de
ma Pauline chérie, je n'aurais peut-être pas autant souffert,
mais l'ayant appris par surprise, ce fut comme si un glaive
s'était enfoncé dans mon cœur... »

Pauline, pour la consoler, lui explique ce qu'est le Carmel;
grande rumination intense chez Thérèse sur ce que Pauline
lui a dit; et bientôt une certitude : « Je sentis que le Carmel
était le *désert* où le Bon Dieu voulait que j'aille aussi me
cacher... Je le sentis avec tant de force qu'il n'y eut pas le
moindre doute dans mon cœur : ce n'était pas un rêve d'enfant qui se laisse entraîner, mais la *certitude* d'un appel
Divin. »

Le lendemain, elle confie sa résolution à Pauline qui l'approuve et l'emmène voir la prieure du Carmel. Thérèse, par
un subterfuge à base de mensonge, réussit à rester seule avec
la prieure. Celle-ci l'écoute et lui dit qu'elle croit à sa vocation; elle lui parle même du nom qu'elle pourrait porter;
par exemple, Theresita de Jésus, en évocation d'une nièce
de Thérèse d'Avila entrée très jeune au Carmel.

Pauline est la première à entrer au couvent; elle apparaît

ainsi aux yeux de Thérèse une figure maternelle puisqu'elle devient « la *mère* de celles qui viendraient la rejoindre peu d'années après ». Ce qui signifie en clair que si Thérèse entre au Carmel, Pauline deviendra sa mère de nouveau : une sorte de troisième mère. Toujours le besoin de retrouver, par choix libre, une nouvelle mère à mesure que ses mères meurent.

Ce n'est pas l'entrée au Carmel en tant que telle mais l'attitude, ensuite, de Pauline qui provoquera en Thérèse une souffrance atroce : « J'avoue que les souffrances qui avaient précédé son entrée ne furent rien en comparaison de celles qui suivirent... Tous les jeudis nous allions en *famille* au Carmel et moi, habituée à m'entretenir cœur à cœur avec *Pauline*, j'obtenais à grand-peine deux ou trois minutes à la fin du parloir, bien entendu je les passais à pleurer et m'en allais le cœur déchiré... Je ne comprenais pas que c'était par délicatesse pour ma Tante que vous adressiez de préférence la parole à Jeanne et à Marie au lieu de parler à vos petites filles... je ne comprenais pas et je disais au fond de mon cœur : " Pauline est perdue pour moi!!! " » Nouvelle mort.

Après une première réaction de révolte, elle a une seconde réaction plus profonde, infiniment plus grave : Thérèse ne peut plus supporter d'avoir une fois de plus perdu une mère; elle tombe malade. Elle éprouve des migraines incessantes; mais elle a laissé le récit de sa maladie — et c'est elle-même qui a souligné l'adjectif : *maternelle :* « Vers la fin de l'année je fus prise d'un mal de tête continuel qui ne me faisait presque pas souffrir, je pouvais poursuivre mes études et personne ne s'inquiétait de moi, ceci dura jusqu'à la fête de Pâques de 1883. Papa étant allé à Paris avec Marie et Léonie, ma Tante me prit chez elle avec Céline. Un soir mon Oncle m'ayant emmenée avec lui, il me parla de Maman, des souvenirs passés, avec une bonté qui me toucha profondément et me fit pleurer; alors il dit que j'avais trop de cœur, qu'il me fallait beaucoup de distraction et résolut avec ma Tante de nous procurer du plaisir pendant les vacances de Pâques. Ce soir-là nous devions aller au cercle catholique, mais trouvant que j'étais trop fatiguée, ma Tante me fit coucher;

en me déshabillant, je fus prise d'un tremblement étrange; croyant que j'avais froid ma Tante m'entoura de couvertures et de bouteilles chaudes, mais rien ne put diminuer mon agitation qui dura presque toute la nuit. Mon Oncle, en revenant du cercle catholique avec mes cousines et Céline, fut bien surpris de me trouver en cet état qu'il jugea très grave, mais il ne voulut pas le dire afin de ne pas effrayer ma Tante. Le lendemain il alla trouver le docteur Notta qui jugea comme mon Oncle que j'avais une maladie très grave et dont jamais une enfant si jeune n'avait été atteinte. Tout le monde était consterné, ma Tante fut obligée de me garder chez elle et me soigna avec une sollicitude vraiment *maternelle*. »

Thérèse est entourée, en même temps, des soins maternels de sa sœur aînée Marie; elle veut que celle-ci reste sans cesse près d'elle, l'appelle continuellement « Mama, mama ».

Le dimanche 13 mai 1883, jour de la Pentecôte, Thérèse est couchée dans la chambre où se trouve la statue de la Vierge : « Marie sortit dans le jardin me laissant avec Léonie qui lisait auprès de la fenêtre, au bout de quelques minutes je me mis à appeler presque tout bas : " Mama... Mama. " Léonie étant habituée à m'entendre toujours appeler ainsi, ne fit pas attention à moi. Ceci dura longtemps, alors j'appelai plus fort et enfin Marie revint, je la vis parfaitement entrer, mais je ne pouvais dire que je la reconnaissais et je continuais d'appeler toujours plus fort : " Mama... " Je *souffrais beaucoup* de cette lutte forcée et inexplicable et Marie en souffrait peut-être encore plus que moi; après de vains efforts pour me montrer qu'elle était auprès de moi, elle se mit à genoux auprès de mon lit avec Léonie et Céline puis se tournant vers la Sainte Vierge et la priant avec la ferveur d'une *Mère* qui demande la vie de son enfant. »

Thérèse voit Marie qui demande à la Vierge, avec la vigueur d'une *mère*, la vie de son enfant : ceci est extrêmement clair pour Thérèse : elle veut vivre, elle veut recevoir de la Vierge la vie, elle voit que sa sœur Marie est une mère qui demande le don de la vie pour son enfant. Thérèse, après avoir perdu Pauline, est plus que jamais en quête d'une autre mère, en quête d'un sein de vie. Et où se tourner lorsque toutes les

mères de la terre, l'une après l'autre, disparaissent?
Comment enfin trouver une mère qui ne rejettera pas et qui
donnera à jamais la vie, sans qu'on puisse craindre de la
perdre un jour? Elle donne elle-même la solution : « Ne trouvant aucun secours sur la terre, la pauvre petite Thérèse
s'était tournée vers sa Mère du Ciel, elle la priait de tout son
cœur d'avoir enfin pitié d'elle... Tout à coup la Sainte
Vierge me parut *belle*, si *belle* que jamais je n'avais vu rien
de si beau, son visage respirait une bonté et une tendresse
ineffable, mais ce qui me pénétra jusqu'au fond de l'âme ce
fut le " *ravissant sourire de la Sainte Vierge* ". Alors toutes
mes peines s'évanouirent, deux grosses larmes jaillirent de
mes paupières et coulèrent silencieusement sur mes joues,
mais c'était des larmes d'une joie sans mélange... Ah! pensai-
je, la Sainte Vierge m'a souri, que je suis heureuse... mais
jamais je ne le dirai à personne, car alors mon *bonheur dis-
paraîtrait*. Sans aucun effort je baissai les yeux et je vis Marie
qui me regardait avec amour; elle semblait émue et paraissait
se douter de la faveur que la Sainte Vierge m'avait accordée... »

Faut-il rappeler que cette Vierge se trouvait dans le
Pavillon? qu'elle avait ensuite été placée dans la chambre
de malade de Mme Martin? que la famille la considérait
comme miraculeuse et justement envers la mère de Thérèse?
Ainsi Thérèse se sent protégée par cette « *Statue miraculeuse* de la Sainte Vierge qui avait parlé deux fois à Maman. »
Si la Vierge avait parlé à sa mère, ici, la Vierge lui sourit.
Et ce sourire est un « *Rayon lumineux* » qui fait « renaître à
la vie » la « petite fleur », cette enfant que la vie et la mort de
sa mère ont empêchée de croître et de s'épanouir et qui
retrouve enfin la vie.

4. *La nuit, l'aurore et la prison*

De l'événement de Pentecôte 1883 naît bientôt dans le cœur de Thérèse non pas l'épanouissement mais une nouvelle culpabilité; elle se demande si elle n'est pas tout simplement une simulatrice : « Longtemps après ma guérison, j'ai cru que j'avais fait exprès d'être malade et ce fut là un *vrai martyre* pour mon âme » et encore : « Je me figurai *avoir menti*. » On dira que cette enfant a beaucoup de délicatesse et qu'elle a donc tout normalement une crise de scrupules. Mais pourquoi ne pas dire qu'elle est aussi fort intelligente, qu'elle a saisi comment une enfant encore égocentrique pouvait procéder pour obtenir ce qu'elle voulait, qu'elle a compris que sa maladie entremêlait le physiologique et le psychique avec beaucoup de subtilité, qu'elle se sent en partie responsable de tout cet ensemble complexe. Thérèse avait bien raison de pressentir que son état avait des racines ambiguës. Ce bien auquel elle avait droit : sa mère, lui avait été retiré, et cette perte avait fait surgir en elle une intense frustration ; elle avait l'impression douloureuse de ne rien avoir puisque ce bien lui avait été retiré; elle avait essayé, en redevenant enfant, en refusant de grandir, de capturer par le fait même ce bien qu'elle avait durant son enfance, qu'elle avait d'une manière d'ailleurs fort ambiguë puisqu'elle refusait sa mère et en cherchait une autre.

LA PAUVRE THÉRÈSE.

En octobre 1884, Thérèse entre en deuxième, dans la classe dite « orange ». En mai 1885, séjour à Deauville, au Chalet

Colombe, avec sa tante Guérin et ses cousines Jeanne et
Marie; elle est prise de violentes migraines; on la ramène à
Lisieux. « Vous m'avez dit de vous écrire, dit-elle à sa tante,
pour vous donner des nouvelles de ma santé. Je vais mieux
que dimanche cependant j'ai toujours très mal à la tête »
et elle lui annonce qu'elle entrera en retraite le dimanche
suivant 17 mai, pour le renouvellement solennel de sa première communion, le jeudi suivant 21 mai.

« Ce fut pendant ma retraite de seconde Communion que
je fus assaillie par la terrible maladie des scrupules. » Elle
ajoute : « Il faut avoir passé par ce martyre pour le bien
comprendre : dire ce que j'ai souffert pendant *un an et demi*,
me serait impossible... Toutes mes pensées et mes actions
les plus simples devenaient pour moi un sujet de trouble; je
n'avais de repos qu'en les disant à Marie, ce qui me coûtait
beaucoup, car je me croyais obligée de lui dire les pensées
extravagantes que j'avais d'elle-même. Aussitôt que mon
fardeau était déposé, je goûtais un instant de paix, mais
cette paix passait comme un éclair et bientôt mon martyre
recommençait. Quelle patience n'a-t-il pas fallu à ma chère
Marie, pour m'écouter sans jamais témoigner d'ennui!...
A peine étais-je revenue de l'abbaye qu'elle se mettait à me
friser pour le lendemain (car tous les jours pour faire plaisir
à Papa la petite reine avait les cheveux frisés, au grand
étonnement de ses compagnes et surtout des maîtresses qui
ne voyaient pas d'enfants si choyées de leurs parents),
pendant la séance je ne cessais de pleurer en racontant tous
mes scrupules. »

Il faut dire que tout avait été fait pour lui donner cette
maladie. L'aumônier du pensionnat, l'abbé Domin, avait pris
pour thème de prédication de retraite, le péché mortel et ses
terribles conséquences. Le petit carnet des notes de retraite
qu'a consignées Thérèse a été conservé; en voici quelques
extraits :

« Monsieur l'abbé nous a parlé de la mort et il nous a dit
qu'il n'y avait pas moyen de nous faire illusion, que c'était
bien sûr que nous mourrons et que peut-être il y en aurait
une qui ne finirait pas sa retraite. » « Monsieur l'abbé nous
a parlé de la première communion sacrilège, il nous a dit

des choses qui m'ont fait bien peur. » « Ce que M. l'abbé nous a dit était très effrayant. Il nous a parlé du péché mortel; il nous a dépeint l'état de l'âme en péché et combien Dieu la hait. Il l'a comparée à une petite colombe que l'on trempe dans la boue et qui ne peut plus voler à cause de cela. Nous sommes la même chose quand nous sommes en état de péché mortel et que nous ne pouvons plus élever notre âme vers Dieu. » Thérèse, dix-huit mois plus tard, découvrira que Dieu est l'inverse de ce tyran sadique qu'on lui présentait. Mais quel calvaire jusque-là!

Nouveau séjour à la mer, en septembre, toujours avec sa tante et ses cousines : « Un soir je fis une expérience qui m'étonna beaucoup. Marie (Guérin) qui était presque toujours souffrante, *pleurnichait* souvent; alors ma Tante la câlinait, lui prodiguait les noms les plus tendres et ma chère petite cousine n'en continuait pas moins de dire en larmoyant qu'elle avait mal à la tête. Moi qui presque chaque jour avais aussi mal à la tête et ne m'en plaignais pas, je voulus un soir imiter Marie, je me mis donc en devoir de larmoyer sur un fauteuil dans un coin du salon. Bientôt Jeanne et ma Tante s'empressèrent autour de moi, me demandant ce que j'avais. Je répondis comme Marie : " J'ai mal à la tête. " Il paraît que cela ne m'allait pas de me plaindre, jamais je ne pus les convaincre que le mal de tête me fît pleurer; au lieu de me câliner, on me parla comme à une grande personne et Jeanne me reprocha de manquer de confiance en ma Tante, car elle pensait que j'avais une inquiétude de conscience... enfin j'en fus quitte pour mes frais, bien résolue à ne plus imiter les autres et je compris la fable de " L'âne et du petit chien ". J'*étais* l'*âne* qui ayant vu les caresses que l'on prodiguait au *petit chien*, était venu mettre sa lourde patte sur la table pour recevoir sa part de baisers; mais hélas! si je n'ai pas reçu de coups de bâton comme le pauvre animal, j'ai reçu véritablement la monnaie de ma pièce et cette monnaie me guérit pour la vie du désir d'attirer l'attention; le seul effort que je fis pour cela me coûta trop cher!... »

Thérèse fait là une très douloureuse expérience : elle qui se sent une enfant perdue — tout particulièrement depuis le départ de Pauline — est rejetée lorsqu'elle manifeste indirectement son désir d'être choyée et câlinée. Quand elle raconte qu'elle voulait attirer l'attention, en fait c'est les caresses qu'elle recherchait. Et voilà qu'on lui signifie, assez brutalement, d'y renoncer et de se conduire comme une grande.

On aperçoit ici que la famille Guérin joue, sans bien le savoir, un rôle précis envers Thérèse, le rôle de figure paternelle virile et exigeante. Cette enfant, qui est très choyée en famille, a du mal à s'adapter à la société. Elle a tendance à des amitiés absolues, comme elle le raconte : « Mon cœur sensible et aimant se serait facilement donné s'il avait trouvé un cœur capable de le comprendre... J'essayai de me lier avec des petites filles de mon âge, surtout avec deux d'entre elles, je les aimais et de leur côté, elles m'aimaient autant qu'elles en étaient *capables;* mais hélas! qu'il est *étroit* et *volage* le cœur des créatures!!!... Bientôt je vis que mon amour était incompris, une de mes amies ayant été obligée de rentrer dans sa famille revint quelques mois après; pendant son absence j'avais *pensé à elle*, gardant précieusement une petite bague qu'elle m'avait donnée. En revoyant ma compagne ma joie fut grande, mais hélas! je n'obtins qu'un regard indifférent... » Qu'elle soit repoussée par cette amie est de nouveau un fait éprouvant comme le rejet vécu au bord de la mer. Thérèse en est toute meurtrie; et comme un petit chat échaudé, elle ne s'y frotte plus : « Combien je remercie Jésus de ne m'avoir fait trouver " *qu'amertume dans les amitiés de la terre* " avec un cœur comme le mien, je me serais laissée prendre et couper les ailes, alors comment aurais-je pu " *voler et me reposer?* " » Et elle ajoute : « Ah! je le sens, Jésus me savait trop faible pour m'exposer à la tentation, peut-être me serais-je laissée brûler tout entière par la *trompeuse lumière* si je l'avais vue briller à mes yeux... Il n'en a pas été ainsi, je n'ai rencontré qu'amertume là où des âmes plus fortes rencontrent la joie et s'en détachent par fidélité. » Dur apprentissage que d'être rejetée par l'élue du cœur; apprentissage semblable à celui qu'elle vivait au contact des Guérin : « Je réussissais très bien dans mes études, presque toujours j'étais la première, mes plus grands succès étaient l'histoire et le style. Toutes mes maîtresses me regardaient comme une élève très intelligente, il n'en était pas de même chez mon Oncle où je passais pour une petite ignorante, bonne et douce, ayant un jugement droit, mais incapable et maladroite...

« Je ne suis pas surprise de cette opinion que mon Oncle et ma Tante avaient et ont sans doute encore de moi, je ne parlais presque pas étant très timide ; lorsque j'écrivais, mon *écriture* de *chat* et mon orthographe qui n'est rien moins que naturelle n'étaient pas faites pour *séduire*... Dans les petits travaux de couture, broderies et autres, je réussissais bien, il est vrai, au gré de mes maîtresses, mais la façon *gauche* et maladroite dont je *tenais* mon *ouvrage* justifiait l'opinion peu avantageuse qu'on avait de moi. »

Apprentissage difficile ; au point que Thérèse préfère parfois la fuite ; ainsi l'année suivante, en 1886 : « Ma Tante m'invita encore mais cette fois, seule, et je me trouvai si dépaysée qu'au bout de deux ou trois jours je tombai malade et il fallut me ramener à Lisieux ; ma maladie que l'on craignait qui fut grave, n'était que la nostalgie des Buissonnets, à peine y eus-je posé le pied que la santé revint... »

Les Guérin avaient raison sur bien des points. Cette enfant pleurnicharde et timide, silencieuse et gauche, devait être assez souvent exaspérante et on le lui faisait sentir. Or il était infiniment nécessaire pour Thérèse qu'elle connaisse ces reproches et ces échecs : c'est à travers eux que se forgeait peu à peu en elle une personnalité adulte.

Mais il n'y a pas seulement la brusquerie des Guérin : il y a aussi l'attitude de sa sœur Marie qui, depuis un an, depuis l'entrée de Pauline au Carmel est sa « troisième » mère. Marie est primesautière, elle aime railler et contredire ; les heures de parloir avec Pauline étant strictement comptées, Marie s'adjuge la meilleure part, elle aime bavarder avec Pauline, et elle écrase Thérèse qui ne peut placer un mot. Un jour, M. Martin décide de faire prendre à Céline des leçons de dessin ; il demande alors à Thérèse si elle veut en prendre aussi ; Marie intervient aussitôt en disant : « Ce sera de l'argent perdu, Thérèse n'a pas les dispositions de Céline. » Thérèse reste muette et Marie apprendra bien plus tard quel coup cette intervention avait porté à Thérèse. La petite dernière demande-t-elle à son aînée de pouvoir faire tous les jours une demi-heure d'oraison, Marie la rabroue avec ironie. « Un quart d'heure » supplie-t-elle alors; nouveau refus. Ainsi, Thérèse est-elle mise aussi à rude épreuve par sa troisième mère.

Il y a enfin une autre épreuve, celle qui lui vient de son père. Tandis que Thérèse se trouve villa Marie-Rose à Trouville avec les Guérin, en septembre 1885, M. Martin, lui, est très loin : lui qui aime tant les voyages se trouve à Constantinople. Jamais la distance n'a été aussi grande entre Thérèse et son père; jamais elle n'a été aussi longtemps séparée de lui. Ainsi n'a-t-il pas hésité à la laisser pour accomplir ce périple à travers l'Allemagne, l'Autriche, la Roumanie, Constantinople et retour par l'Italie. Il est parti allègrement avec un vicaire de Saint-Jacques, l'abbé Charles Marie, en espérant pouvoir se rendre jusqu'à Jérusalem. Ses lettres le montrent manifestement épanoui par son voyage, choisissant d'excellents hôtels et se réjouissant des bonnes tables qu'il trouve sur sa route : « La ville est de toute beauté » écrit-il de Vienne le 30 août. « Le pays est magnifique » (en bateau, sur la mer Noire, le 7 septembre). Le 11, de Constantinople : « Si je pouvais vous faire ressentir tout ce que j'éprouve en admirant les grandes et belles choses qui se déroulent devant moi [...] Constantinople est merveilleuse [...] Nous venons de gravir la tour de Galata, d'où l'on découvre toute la ville, spectacle unique en ce monde. » Le 16, à Marie : « Que te dirai-je maintenant de cette belle ville de Constantinople? Je l'ai parcourue en tous sens et plus je la vois, plus je l'admire. » De Constantinople, les deux voyageurs prennent le bateau pour Athènes et de là pour Naples. Visite de Pompéi (« C'est très intéressant »). Ils arrivent à Rome le dimanche 27 septembre où ils restent une semaine (« Quelle tristesse que le Saint-Père soit ainsi en captivité; cela fait tache et cette ombre vous fait broyer du noir, malgré tout »). Enfin Milan : « Tout ce que je vois est splendide » écrit-il le 6 octobre. Il rentre à Lisieux le 10 octobre, après sept semaines d'absence.

A cette époque Thérèse connaît un sentiment de très grande

solitude : « Je me sentais *seule;* bien seule; comme aux jours de ma vie de pensionnaire alors que je me promenais triste et malade dans la grande cour, je répétais ces paroles qui toujours faisaient renaître la paix et la force en mon cœur : " La vie est ton navire et non pas ta demeure!... " Toute petite ces paroles me rendaient le courage; maintenant encore, malgré les années qui font disparaître tant d'impressions de piété enfantine, l'image du navire charme encore mon âme et lui aide à supporter l'exil... La Sagesse aussi ne dit-elle pas que " La vie est comme le vaisseau qui fend les flots agités et ne laisse après lui aucune trace de son passage rapide?... " Quand je pense à ces choses, mon âme se plonge dans l'infini, il me semble déjà toucher le rivage éternel... Il me semble recevoir les embrassements de Jésus... Je crois voir Ma Mère du Ciel venant à ma rencontre avec Papa... Maman... les quatre petits anges... Je crois jouir enfin pour toujours de la vraie, de l'éternelle vie en famille... »

LE DIEU DES JANSÉNISTES.

En même temps les scrupules continuent de plus belle; mais dans cet état, Thérèse trouve un guide : sa sœur aînée, Marie, qui a été elle-même enfoncée dans les scrupules et emploie une méthode radicale : « Marie, elle m'était pour ainsi dire indispensable, je ne disais qu'à elle mes scrupules et j'étais si obéissante que jamais mon confesseur n'a connu ma vilaine maladie; je lui disais juste le nombre de péchés que Marie m'avait permis de confesser, pas un de plus, aussi j'aurais pu passer pour être l'âme la moins scrupuleuse de la terre, malgré que je le fusse au dernier degré... »

Il faut ici mentionner une influence spirituelle qui est importante : celle d'un père jésuite, le père Pichon, originaire de Sainte-Marguerite de Carrouges, près d'Alençon. Grand prédicateur, apôtre du Sacré-Cœur, le père Pichon était venu à Lisieux en avril 1882 — il a alors trente-neuf ans — prêcher une mission au personnel de l'usine de draps Lambert. Le père Pichon avait connu « à en devenir fou » la maladie des scrupules mais grâce aux écrits du père Ramière qui avait publié, avec une introduction, le petit livre du père de Caussade *l'Abandon à la Divine Providence*, le père Pichon avait, comme il disait, « remisé au galetas le Dieu des jansénistes ». Marie Martin, poussée par la curiosité — le père Pichon avait la réputation d'un saint — suit ses conférences.

Bientôt le père Pichon fait la connaissance de toute la famille et devient l'ami de M. Martin et le directeur spirituel de Céline et de Léonie. S'inspirant de la spiritualité de saint François de Sales et de Caussade, il prêche un Dieu de bonté : « Oui, oui, écrit-il à Marie le 1er septembre 1882, oubliez le Dieu mécontent et voyez le Dieu indulgent, plein d'amour. » Le 19 mai, il lui avait rappelé le mot de François de Sales : « Ayons patience d'être imparfaits. » Du 23 au 29 juin 1884, Marie participe à une retraite que le père Pichon donne à Vitré, retraite où il parle essentiellement du Sacré-Cœur. Mais le père Pichon est envoyé au Canada; M. Martin et Marie le rejoignent à Rouen et l'accompagnent jusqu'au bateau, le 4 octobre 1884; c'est pour Marie une souffrance profonde et Thérèse la voit souvent pleurer; mais surtout Marie lui transmet la spiritualité que le père Pichon, dans ses lettres, lui inculquait : « Je me souviens qu'une fois elle me parla de la souffrance, me disant que je ne marcherais probablement pas par cette voie mais que le Bon Dieu me porterait toujours comme une enfant... » Ce thème est habituel au père Pichon, et vient de sa spiritualité d'abandon.

On comprend par là que Marie, elle qui avait été guidée par le père Pichon lui-même ancien scrupuleux, était vraiment préparée à aider Thérèse dans sa crise de scrupules; Marie racontera elle-même comment elle faisait envers Thérèse : « C'était surtout la veille de ses confessions que ses scrupules redoublaient. Elle venait me raconter tous ses prétendus péchés. J'essayais de la guérir en lui disant que je prenais sur moi ses péchés, qui n'étaient même pas des imperfections, et je ne lui permettais de n'en accuser que deux ou trois que je lui indiquais. »

Le Père Pichon écrit à Marie le 1er avril 1886, de Montréal, en la poussant à entrer au Carmel. La jeune fille — elle a vingt-six ans — hésite encore, surtout à cause de Céline et de Thérèse. Elle se décide enfin, en juin, et en parle à son père, puis à son oncle. Personne ne s'attendait à cette nouvelle, tant Marie est indépendante et ironique. Pour Thérèse, c'est un nouveau coup, l'un des plus terribles : « Aussitôt que j'appris la détermination de Marie, je résolus de ne prendre plus aucun plaisir sur la terre... »

La guérison de la Pentecôte 1883 — trois ans et demi plus tôt — n'a pas été radicale. Que Thérèse ait alors été aidée par le symbole maternel si fortement inclus dans la figure de la Mère de Jésus, c'est un fait. Mais c'est un fait aussi que Thérèse a alors été guérie d'une crise mais non de sa névrose : ses migraines, ses scrupules, ses larmes sont un ensemble de symptômes convergents qui montrent que la névrose demeure. Nous ne nous prononçons pas, ici, sur le caractère ou non miraculeux de la Vierge au sourire, à la Pentecôte 1883 ; même s'il n'y a pas eu alors guérison radicale, il peut y avoir eu intervention surnaturelle ; et même si, comme la suite l'a montré, le besoin affectif d'une mère demeure fondamental chez Thérèse, cela ne veut pas dire que l'enfant a comme créé le fait de la Pentecôte à partir de ce besoin : Dieu ne fait pas de miracles totalement purs, c'est-à-dire des miracles qui seraient hors de l'humain ou inhumains ; que Dieu, ici, ait utilisé les images formées dans la mémoire de Thérèse, le psychologue ou l'historien ne peuvent pas en contester la possibilité. Nous avons simplement voulu souligner le caractère humble et très humain du contexte où tout cela se déroule : la vie d'une petite fille infiniment malheureuse d'avoir perdu sa mère et de n'avoir pas de mère, le chemin de croix de cette enfant, tout spécialement entre la mort de sa mère et Noël 1886. Et s'il y eut intervention surnaturelle, de toute façon nous voyons qu'elle ne s'est pas produite de manière grandiose et éclatante comme on a si souvent voulu le montrer en grossissant les témoignages et les textes, mais d'une manière ténue, cachée et simple.

La nuit de Noël 1886, Thérèse l'appellera sa « nuit de lumière » ou encore « la nuit de ma conversion ». C'est pour elle un événement capital qui transforme le reste de sa vie ; événement qui est le passage de l'état d'enfance à l'état adulte.

Le père et ses filles rentrent de la messe de minuit : « En arrivant aux Buissonnets, racontera Thérèse, je me réjouissais d'aller prendre mes souliers dans la cheminée, cet antique usage nous avait causé tant de joie pendant notre enfance que Céline voulait continuer à me traiter comme un bébé puisque j'étais la plus petite de la famille... Papa aimait à voir mon bonheur, à entendre mes cris de joie en tirant chaque surprise des *souliers enchantés* et la gaieté de mon Roi chéri augmentait beaucoup mon bonheur. »

NUIT DE LUMIÈRE.

Voilà donc cette adolescente — qui va avoir quatorze ans la semaine suivante — en train de faire l'enfant telle que les mois et les années précédentes nous l'ont bien montrée. Il y a, dans cette joie puérile, quelque chose d'agaçant. Mais agaçante aussi l'attitude de ce père qui est pour Thérèse une sorte de miroir narcissique, puisque la joie de l'enfant est fortement augmentée par la joie du père devant l'attitude puérile de l'enfant.

Mais cette fois-ci, le père brise le miroir : « Il éprouva de l'ennui en voyant mes souliers dans la cheminée et il dit ces paroles qui me percèrent le cœur : " Enfin, heureusement que c'est la dernière année ! " »

L'enchantement du jeu de la joie que l'on se renvoie l'un à l'autre est rompu. Et surtout, Thérèse sait désormais que son père ne veut plus la voir enfant, qu'il désire la voir adulte. Lui qui avait l'habitude de la traiter comme un bébé, voici que, rentrant de la messe de minuit, il manifeste de l'ennui devant ce rite auquel on sacrifiait jadis avec beaucoup de faste dans la famille Martin et qu'il a un mouvement d'humeur à cause de la puérilité de Thérèse qui a encore besoin de ce rite. Cette réaction de M. Martin démythifie d'un seul coup aux yeux de Thérèse ce rite des souliers dans la cheminée, et le dévalorise radicalement. Les cadeaux, qui étaient signes de ce que Thérèse, la petite dernière, *recevait* de son père et de ses sœurs, sont maintenant considérés comme une obligation pesante de la part de son père. Il y a là une exigence radicale de son père qui la secoue, et lui signifie qu'elle doit désormais chercher non plus à recevoir comme une enfant mais à vivre en don de soi comme une adulte. Requête inattendue et ressentie comme brutale par Thérèse; comment va-t-elle réagir?

« Je montais alors l'escalier pour aller défaire mon chapeau, Céline connaissant ma sensibilité et voyant des larmes briller dans mes yeux eut aussi bien envie d'en verser, car elle m'aimait beaucoup et comprenait mon chagrin : " O Thérèse! me dit-elle, ne descends pas, cela te ferait trop de peine de regarder tout de suite dans tes souliers ". Mais Thérèse n'était plus la même, Jésus avait changé son cœur! Refoulant mes larmes, je descendis rapidement l'escalier et comprimant les battements de mon cœur, je pris mes souliers et les posant devant Papa, je tirai *joyeusement* tous les objets, ayant l'air heureuse comme une reine. Papa riait, il était aussi redevenu joyeux et Céline croyait *rêver*!... Heureusement c'était une douce réalité. »

Céline, qui connaît bien Thérèse, s'attend à un drame, à une crise de larmes, à un enfantillage quelconque. Or Thérèse réagit d'une tout autre manière. Dix ans plus tard, quelques semaines avant sa mort, elle parlera de sa réaction : « J'ai pensé aujourd'hui à ma vie passée, à l'acte de courage que j'avais fait autrefois à Noël! et la louange adressée à Judith m'est revenue à la mémoire : " Vous avez agi avec un cœur viril et votre cœur s'est fortifié ". Bien des âmes disent : Mais je n'ai pas la force d'accomplir tel sacrifice. Qu'elles fassent donc ce que j'ai fait : un grand effort! »

C'est cette composante qui est ici essentielle : la force. Ce dont veut témoigner Thérèse, c'est qu'elle a reçu de Dieu le don de force et qu'elle a ainsi pu quitter non seulement les faiblesses et « les défauts de l'enfance » mais aussi ses « innocentes joies ». « En un instant l'ouvrage que je n'avais pu faire en dix ans, Jésus le fit se contentant de ma *bonne volonté* qui jamais ne me fit défaut. » Un passage d'une lettre de 1896 est encore plus explicite : « La *nuit* de Noël 1886 fut, il est vrai, décisive pour ma vocation, mais pour la nommer plus clairement, je dois l'appeler : *la nuit de ma conversion*. En cette nuit bénie dont il est écrit *qu'elle éclaire les délices de*

Dieu même, Jésus qui se faisait enfant par amour pour moi daigna me faire sortir des langes et des imperfections de l'enfance. Il me transforma de telle sorte que je ne me reconnaissais plus moi-même. Sans ce changement, j'aurais dû rester encore bien des années dans le monde. Sainte Thérèse qui disait à ses filles : " Je veux que vous ne soyez femmes en rien, mais qu'en tout, vous égaliez des hommes forts ", sainte Thérèse n'aurait pas voulu me reconnaître pour son enfant si le Seigneur ne m'avait revêtue de sa force divine, s'il ne m'avait lui-même armée pour la guerre. »

Parlant de sa première communion, Thérèse avait souligné comment elle avait vu le Christ Eucharistique : « Jésus était le maître, le Roi. Thérèse ne lui avait-elle pas demandé de lui ôter sa *liberté*, car sa *liberté* lui faisait peur, elle se sentait si faible, si fragile que pour jamais elle voulait s'unir à la Force divine !... »

Elle montrait bien, dans ce texte que la force de Dieu lui avait fait peur alors, comme lui faisait peur aussi sa propre liberté. Mais ici, à Noël 1886, elle acquiesce à cette force : « Nous revenions de la messe de minuit où j'avais eu le bonheur de recevoir le Dieu *fort et puissant*. »

Avant ce moment, elle n'était qu'une enfant qui avait comme perdu sa personnalité : « Je n'étais encore qu'une enfant qui ne paraissait avoir d'autre volonté que celle des autres », une enfant qui hésitait devant elle-même et sa liberté.

Ce don de force lui est fait, paradoxalement, dans cette fête de Noël où le Christ apparaît comme un enfant, un être sans force. Thérèse souligne elle-même ce contraste : « En cette *nuit* lumineuse [...] Jésus, le doux *petit* Enfant [...] changea la nuit de mon âme en torrents de lumière... En cette *nuit* où Il se fit *faible* et souffrant pour mon amour, Il me rendit *forte* et courageuse. » Le Christ de la conversion de Thérèse est celui qui se montre fort à travers sa faiblesse.

Et il **transforme** Thérèse à partir de sa puérilité même et à partir de ses enfantillages de Noël : les « souliers enchantés » dans la cheminée, les cadeaux attendus et les surprises. Il lui montre qu'elle a à quitter « les défauts de l'enfance » mais aussi « les innocentes joies », tout l'ensemble des faiblesses et les paradis de l'enfance.

Mais comment le Christ agit-il? Non pas en donnant à Thérèse une illumination : rien de comparable, dans ce récit de conversion, aux multiples récits de conversion dans lesquels est décrit une sorte de choc lumineux, que ce soit un Ratisbonne ou même Claudel (celui-ci en ce même jour exactement, Noël 1886); cette « nuit de lumière » qu'elle a vécue, Thérèse ne l'appelle pas ainsi à cause d'une illumination spéciale qu'elle y aurait éprouvée mais à cause d'un acte qui s'y est accompli à travers lequel elle a été transformée : l'acte de passage de l'état d'enfance à l'état adulte. Le Christ l'a donc fait « sortir de l'enfance », ou encore « sortir des langes et des imperfections de l'enfance », comme elle dit, et c'est le commencement de la dernière période de sa vie, la période adulte, définitive. Il faudra toujours se souvenir, quand on parlera de « la voie d'enfance » de Thérèse de Lisieux que ce ne peut pas être, en tout cas, une invitation à la régression et à la puérilité puisque le Christ est présenté par Thérèse comme celui qui lui donne de faire ce pas qu'elle estime décisif : « sortir de l'enfance » « c'est pour toujours ».

Ce qui la frappe encore et toujours quand elle écrit ces récits, c'est la force du Christ et la force qu'il lui donne. Ce qu'elle n'avait pu réaliser en dix ans d'efforts, il le réalise, lui, « en un instant ». « Il me transforma de telle sorte que je ne me reconnaissais plus moi-même. »

Mais si Thérèse insiste sur le rôle du Christ dans cette transformation qui s'opère en elle, il ne faut pas oublier la coopération qu'elle a apportée, le courage avec lequel elle a fait le pas. Les paroles de son père lui percent le cœur. Elle ne s'enferme pas dans sa souffrance mais réagit aussitôt, répond à l'appel à peine esquissé de son père, refoule ses larmes, descend rapidement l'escalier, comprime les battements de son cœur, se montre joyeuse, « ayant l'air heureux comme une reine ». Thérèse assume avec force toutes les frustrations. On dira que si cette enfant montre ce courage, c'est qu'elle le possédait déjà auparavant : et c'est vrai, nous avons vu une Thérèse petite enfant extrêmement vive, pleine de goût de vivre. La mort de sa mère l'avait fait régresser; et les soins

trop assidus de ses sœurs avaient contribué à cette infantili-
sation. Quant au père, trop faible avec sa petite dernière, son
attitude l'empêchait de grandir. On peut dire, d'une certaine
manière, que Thérèse n'attendait qu'un mot, qu'une occasion pour être délivrée de cet état névrotique dans lequel elle
était plongée; ce mot, cette occasion, elle les a saisis aussitôt,
avec une vigueur qui surprend tout son entourage. Huit ans
après l'événement elle pourra écrire sans forfanterie : « Depuis cette nuit bénie, je ne fus vaincue en aucun combat, mais
au contraire je marchai de victoires en victoires. » Ce qui ne
signifie pas qu'il n'y aura plus de traces d'infantilisme dans
la suite de sa vie : ses écrits par exemple contiendront des
traces de ce genre. Mais l'ensemble de son comportement est
complètement retourné : cette enfant qui se plaignait toujours — ce qui agaçait prodigieusement un homme viril
comme son oncle — devient une jeune fille adulte, vigoureuse dans sa vie quotidienne, ardente, tenace, audacieuse
dans la poursuite des buts qu'elle se fixe. D'égocentrique et
repliée sur elle-même, la voilà ouverte aux autres, en donation d'elle-même : « Je sentis en un mot la *charité* entrer dans
mon cœur, le besoin de m'oublier pour faire plaisir et depuis
lors je fus heureuse. »

Cette charité dont elle parle, elle n'est pas un sentiment
mais un acte, nous le voyons. Mais elle prend aussitôt une
dimension radicale. Cette nuit qui a été la sienne depuis dix
ans, cette nuit dans laquelle elle a essayé de vaincre, sans y
parvenir, ses puérilités, elle la compare, aussitôt après le
récit de sa conversion, à la nuit pendant laquelle les apôtres,
dans le récit évangélique, ont jeté leurs filets sans rien prendre.
Et, comme pour les apôtres, Jésus arrive, à la fin de cette
nuit, et tout se réalise. D'un seul coup, la faible enfant qu'elle
était devient une adulte, une force. Tout était réuni contre
elle : la ville, le milieu, la famille morbides; tout était réuni
pour sa mise à mort, pour la faire littéralement demeurer
en enfance, l'empêcher de grandir, la laisser immature. Noël
1886, c'est pour elle la nuit où Jésus la transforme, où, ayant
brisé le carcan, elle devient « armée pour la guerre » comme
elle dira. C'est tout le contraire des images fades selon lesquelles on a voulu la représenter. Sept semaines avant sa

mort, Thérèse s'écriera : « Je l'ai déjà dit : je mourrai les armes à la main. »

Voilà Thérèse, à l'aube du XXe siècle.

Noël 1886 : une fête célébrée, à Lisieux et ailleurs, par les chrétiens mais aussi par tous les hommes; pour quelques heures, l'enfant que fut Jésus mais surtout l'enfant que chacun a été et qu'il retrouve dans les enfants, ceux qu'il a lui-même fait naître ou les autres, l'enfant impose sa fête à toute la société des adultes, une fête d'accueil de tous, car tous, le vieillard isolé ou le malade mental, tous ont été d'abord enfants. L'enfant impose en même temps une trêve, car il conteste, en son existence, la violence, la rapacité, les conflits raciaux, les inégalités sociales, les marchandages du monde des adultes.

Noël : ce jour-là, le monde des adultes veut voir en l'enfant un monde insoupçonné, une richesse débordante, un fol espoir; l'enfant devient symbole, promesse de bonheur, car il sollicite les adultes dans une voie inhabituelle de l'Histoire, la voie de la gratuité. Et cette voie paraît, paradoxalement, être capable de faire réussir l'Histoire, à l'encontre de la voie de mort qu'est la volonté de puissance.

En 1886, l'Enfant-symbole tient beaucoup plus de place encore qu'aujourd'hui dans la société : le culte de l'enfance, inauguré par Jean-Jacques Rousseau qui confondait indétermination et innocence, est continué par Lamartine ou Victor Hugo.

Mais ce XIXe siècle où l'on célèbre tant l'enfance, où on la présente comme signe d'espoir pour chacun et signe de possibilités de paix entre les peuples, ce XIXe siècle est hypocrite et dur avec les enfants qu'il fait travailler très jeunes dans les usines. Par ailleurs il n'y a jamais eu sans doute de périodes où il y eut autant d'infanticides. Enfin on étouffe l'enfant sous les cadeaux, ce qui est une manière de le maintenir en enfance, de l'empêcher de grandir, de l'annihiler.

Freud, en ces mêmes années 1886 et suivantes va découvrir que l'enfance n'est pas synonyme d'innocence et de bonheur et que vouloir en demeurer au stade de l'enfance est un malheur pour un homme. Or nous voyons Thérèse Martin considérer son enfance non comme une période d'innocence et de bonheur, non comme un paradis rose mais comme un temps de nuit, un temps d'immense épreuve. Période qu'elle veut quitter, même pour ce qui semble être d' « innocentes joies. » Et son bonheur naît justement du courage qu'elle a de rompre avec l'enfance, malgré les incitations de ses sœurs qui auraient aimé continuer de la pouponner; n'est-il pas significatif, par exemple, de lire ce que Pauline écrit à l'une de ses amies au sujet de Thérèse, le 4 avril 1877 (Pauline a donc seize ans et Thérèse quatre ans) : « Comme je voudrais donc bien que ce petit ange-là ne grandisse pas. » On ne pourra jamais parler de la voie d'enfance spirituelle de Thérèse de l'Enfant-Jésus si on ne se réfère pas de près à ces données précises qui prouvent qu'à Noël 1886, Thérèse agit à l'opposé des thèses habituellement reçues dans son époque et son milieu. Thérèse a vu que son enfance avait été égocentrique et captatrice et que la véritable enfance, c'est le contraire de la passivité, c'est une vie d'accueil et de sollicitude envers autrui, une vie où l'on se quitte soi-même et où l'on s'ouvre aux autres.

Au même moment, dans son *Zarathoustra*, Nietzsche exprimait la parabole des trois métamorphoses : il faut devenir lion, après avoir été chameau, afin de redevenir enfant : il faut d'abord prendre en charge les fardeaux du passé comme le chameau. Puis interroger le passé, le mettre en pièces comme le lion. Parvenir enfin à la joie de l'enfance, au désir ardent d'être et de connaître. En ce Noël 1886, Thérèse redécouvre — elle le dit — son enfance, elle retrouve « la force d'âme qu'elle avait à quatre ans et demi ». C'est pour elle une nouvelle naissance, c'est entrer dans la voie de l'inventivité et de la création; et elle rencontre un Dieu qui n'est pas un être du passé mais un être qui délivre de dix années de nuit, un être qui est maître de l'impossible puisqu'il réalise en un moment ce que dix années d'efforts n'avaient pu réussir. L'enfance de Dieu, n'est-ce pas cette force sans cesse renouvelée qu'il manifeste et cette force qu'il veut sans cesse partager afin que chacun parvienne à une trouée, à la lumière et que personne ne s'enferme dans sa nuit et la désespérance?

A partir de Noël 1886, Thérèse avance à pas de géant et très rapidement : « En peu de temps le Bon Dieu avait su me faire sortir du cercle étroit où je tournais ne sachant comment en sortir. »

Thérèse choisira le jour de la Pentecôte, 29 mai 1887 — cinq mois plus tard seulement — pour demander à son père la permission d'entrer au Carmel et d'y entrer à Noël 1887, pour l'anniversaire de sa conversion. Autour de cette Pentecôte 1887, un livre tombe entre les mains de Thérèse, livre qui sera pour elle une aide extrêmement précieuse. Dans ce livre d'un théologien, l'abbé Arminjon, Thérèse découvre que Dieu aime comme un père embrasse, jusqu'au fond de l'être; et il aime en premier, il se donne en premier, et il le fait parce qu'il souhaite que les hommes eux-mêmes participent à son être, à sa vie. Dieu s'est fait homme pour que les hommes apprennent d'un homme comment les hommes peuvent devenir des dieux eux-mêmes. Combat gigantesque entre deux libertés, celle de Dieu et celle de l'homme, l'homme qui, devant l'Amour, est toujours plus embrasé et toujours plus en désir, toujours plus adulte dans son avancée et toujours plus « enfant » parce que toujours devancé par un Père qui aime sans cesse le premier.

Thérèse, cette jeune fille de quatorze ans, a le cœur tout brûlant d'amour; elle est désormais une force d'amour. Sur qui va s'appliquer aussitôt cette vitalité intense? Sur des enfants ou des vieillards de son entourage? Curieusement, Thérèse va tout de suite à l'extrême : vers un jeune criminel.

Dans la nuit du 19 au 20 mars 1887, un triple assassinat est commis rue Montaigne à Paris : une jeune femme de mœurs faciles, sa bonne et la fille de celle-ci (une enfant de onze ans) ont été sauvagement égorgées. L'assassinat produit aussitôt une immense émotion dans le public. L'émotion s'amplifie encore quand on arrête deux jours après, à Marseille, l'assassin présumé, un certain Henri Pranzini. Le procès de Pranzini, qui aura lieu du 9 au 13 juillet, aura un retentissement énorme.

Pourquoi tant de bruit? L'horreur du triple crime ne l'explique pas entièrement. Il y a, plus profondément, un phénomène d'angoisse et d'effroi devant la signification possible de ce crime. Henri Pranzini n'avait rien en effet d'un vulgaire bandit : il était vite apparu comme une forte personnalité, qui bravait consciemment les lois de la société. Cet homme de trente ans, beau, séduisant, cultivé, polyglotte, a beaucoup voyagé; il a fait un séjour en Russie. L'opinion publique fait de lui, aussitôt, un frère de ces hommes dont on parlait beaucoup en ces années 1880 : les nihilistes russes. Le *Grand Dictionnaire Larousse* qui ne parlait pas d'eux dans son édition de 1868 écrit, dans son supplément de 1878 : « Membres d'une secte de communistes russes qui nie Dieu, la propriété, le mariage, qui veut abolir toutes les institutions sur lesquelles repose la société moderne et fonder sur ses ruines un nivellement général. » Le *Dictionnaire* relate ensuite les actes, en 1870, des nihilistes russes, dirigés par Bakounine; il cite une de leurs déclarations : « Il ne nous reste qu'une chose à faire, c'est d'étrangler nos maîtres comme des chiens. Pas de quartier; il faut que tous disparaissent. Il faut incendier les villes, il faut que notre pays soit purifié par le feu. A quoi bon ces villes? Elles ne servent qu'à engendrer la servitude. » Et ajoute : « En 1877, de nouveaux troubles amenèrent de nombreuses arrestations. Ce qu'il y a d'étrange, c'est que parmi les personnes arrêtées on compte très peu d'hommes appartenant aux classes laborieuses et pauvres. Sur 198 accusés nihilistes, il y avait 82 nobles, 17 fonctionnaires, 7 officiers et 33 prêtres. »

PRANZINI, LE NIHILISTE.

Ainsi l'affaire Pranzini prend-elle, en France, une dimension mythique : Pranzini, c'est le nihilisme qui, sans foi ni loi, veut détruire jusqu'aux fondements de la société; Pranzini, c'est l'intelligence diabolique qui est en train de vouloir mettre le monde à feu et à sang. L'ensemble de la société est troublé par cet homme, son crime et son procès; d'autant plus que Pranzini, jusqu'au bout, se déclarera innocent. Avait-on voulu faire un exemple comme, quelques années plus tard, pour Dreyfus? En tout cas, Pranzini apparaît comme l'archétype du vrai criminel, qui veut le crime pour le crime, qui veut la mort de toute société.

Thérèse entend parler du crime et elle est aussitôt attirée par Pranzini. Elle suit de près l'affaire et pour cela n'hésite pas à enfreindre les ordres paternels : « Malgré la défense que Papa nous avait faite de lire aucun journal, je ne croyais pas désobéir en lisant les passages qui parlaient de Pranzini. » Elle précise que le journal est *la Croix*.

La Croix n'était pas un journal innocent. Nous avons vu quel antisémitisme il distillait. Mais ce journal verse aussi volontiers dans le sensationnel : « *La Croix* ne recule devant aucun événement. Elle éprouve une évidente prédilection pour les exécutions capitales et, tout en glissant çà et là une note édifiante, elle n'omet pas les moindres détails. Meurtres, vols, agressions ont droit à d'aussi larges développements » a dit un historien.

On voit, au sujet de l'affaire Pranzini, que le journal des assomptionnistes, en effet, s'attarde avec un plaisir évident à tous les détails du crime. Ce n'est donc pas une lecture anodine que fait Thérèse : cette adolescente de quatorze ans, pure, préservée, se plonge dans un univers qui est à l'opposé de ce qu'elle vit, à l'opposé des valeurs bourgeoises qui lui ont été inculquées : le culte de la famille et de la propriété.

L'ensemble des détails tend nettement, dans *la Croix*, à composer le portrait d'un assassin type : aventurier, cosmopolite, séduisant, sans scrupule, inhumain, le portrait d'un être dont on va heureusement débarrasser la société.

Aux yeux des juges et des contemporains, Pranzini est, de façon certaine, l'auteur du crime de la rue Montaigne. Mais ce qui frappe l'opinion, c'est l'insolence du criminel, son endurcissement, sa manière de nier de façon hautaine sans se disculper. Pour Thérèse aussi Pranzini est l'auteur du triple assassinat — il a commis des « crimes horribles »; elle se sent proche de cette petite fille de douze ans, sa cadette, qui a été mise à mort; et en même temps elle saisit que Pranzini persévérait avec intransigeance dans son affirmation de non-culpabilité : « Tout portait à croire qu'il mourrait dans l'impénitence. »

Alors Thérèse est prise d'une volonté extraordinaire de sauver Pranzini : « Je voulus à tout prix l'empêcher de tomber en enfer, afin d'y parvenir j'employai tous les moyens imaginables; sentant que de moi-même je ne pouvais rien, j'offris au bon Dieu tous les mérites infinis de Notre-Seigneur, les trésors de la Sainte Église, enfin je priai Céline de faire dire une messe dans mes intentions, n'osant pas la demander moi-même dans la crainte d'être obligée d'avouer que c'était pour Pranzini, le grand criminel. Je ne voulais pas non plus le dire à Céline, mais elle me fit de si tendres et si pressantes questions que je lui confiai mon secret; bien loin de se moquer de moi, elle me demanda de m'aider à convertir *mon pécheur*, j'acceptai avec reconnaissance, car j'aurais voulu que toutes les créatures s'unissent à moi pour implorer la grâce du coupable. Je sentais au fond de mon cœur la *certitude* que nos désirs seraient satisfaits. »

La phrase qui suit est capitale : « Afin de me donner du courage pour continuer à prier pour les pécheurs, je dis au bon Dieu que j'étais bien sûre qu'Il pardonnerait au pauvre malheureux Pranzini, que je le croirais même s'il ne se *confessait pas* et ne donnait *aucune marque de repentir*, tant j'avais de confiance en la miséricorde infinie de Jésus, mais que je lui demandais seulement *un signe* de repentir pour ma simple consolation... »

Il y a manifestement chez Thérèse un transfert qui s'est opéré sur Pranzini : toute cette histoire, avec le signe de miséricorde demandé à Dieu pour le criminel n'est rien d'autre qu'une projection de sa propre culpabilité. On se souvient que Zélie Martin avait raconté l'incident où elle donne à Thérèse une rose « sachant que cela la rend heureuse » et que Thérèse « rouge d'émotion » se met à la « supplier de ne pas la couper »; Zélie avait ajouté : « C'est une enfant qui s'émotionne bien facilement. Dès qu'elle a fait un petit malheur, il faut que tout le monde le sache [...]. Elle est là comme un criminel qui attend sa condamnation, mais elle a dans sa petite idée qu'on va lui pardonner plus facilement si elle s'accuse. »

Le procès de Pranzini, c'est Thérèse aussi devant le tribunal, Thérèse qui, elle, s'accusait pour être pardonnée tandis que Pranzini, lui, persiste à nier. Mais il y a Dieu pour Thérèse, Dieu qui, à Noël 1886, lui a donné sa force et lui a montré que ses fautes étaient de peu de poids devant lui, qu'il se « contentait » de sa « bonne volonté », Dieu qui avait été envers elle « plus miséricordieux encore qu'Il ne le fut pour ses disciples ». Pranzini, pour Thérèse, c'est le premier pécheur que Dieu lui confie; on se souvient qu'à Noël 1886, elle a ressenti « un grand désir de travailler à la conversion des pécheurs »; trois mois plus tard à peine commence l'affaire Pranzini; et Thérèse se met à « travailler » à sa conversion : « J'employai tous les moyens imaginables. » Elle prie, fait dire des messes, offre à Dieu tous les mérites du Christ... Bref une véritable mobilisation de toutes ses forces spirituelles chez cette jeune fille de quatorze ans. Ceci avec la certitude que Pranzini est pardonné de Dieu, et qu'il continuera d'être aimé de Dieu même s'il ne donnait extérieurement aucun signe de repentir. Thérèse montre par là qu'elle est passée à travers le feu de Dieu, qu'elle a transmué sa culpabilité d'antan en une certitude que Dieu est amour et qu'il n'est pas un juge.

Affaire Pranzini : Dieu lui donna le signe qu'elle demandait : « Ma prière fut exaucée à la lettre » dit-elle. Le lendemain de l'exécution de Pranzini, elle ouvre *la Croix* « avec empressement ». Que lit-elle? Le rapport très froid du commissaire Baron :

« Nous nous sommes rendus, à cinq heures moins un quart, dans la cellule n° 2, occupée par Pranzini. Ce dernier qui dormait profondément, a été réveillé par le brigadier de la prison.

« Puis M. Beauquesne (directeur de la Roquette) après lui avoir annoncé le rejet de son pourvoi, et aussi celui de son recours en grâce par le président de la République, lui dit:

« Vous avez eu du courage. C'est le moment de continuer à en montrer.

« Il a répondu : Oui, Monsieur, et a ajouté : On ne m'a pas accordé la grâce de voir ma mère, la seule grâce que je demandais. Je sais que je mourrai innocent.

« Et comme on l'habillait en même temps, il a dit : " Bien, merci ", au gardien qui lui remettait ses chaussures.

« Interpellé par M. Beauquesne qui lui demande s'il veut rester seul avec l'aumônier, il a répondu : " Non, merci. Que l'aumônier fasse son devoir, je ferai le mien! "

« On lui dit alors " Pranzini, levez-vous! " et, au même moment, comme les gardiens l'aidaient à se lever, il leur a dit : " Oh! soyez tranquille, je n'essayerai pas de me sauver! "

« Arrivé à la salle de toilette, où il s'est rendu d'un pas très assuré et pendant qu'on lui liait les bras et les jambes, il a dit : " J'ai désiré une seule chose, un sursis de trente jours, que j'avais demandé dans une lettre au président de la République. Il me l'a refusé. Dieu est grand, a-t-il ajouté, je suis heureux de mourir plutôt que d'obtenir ma grâce et d'aller au bagne. "

« Alors, cherchant des yeux M. Taylor qui était devant lui, il l'a interpellé en ces termes : " Allons, M. Taylor, ne vous cachez pas, vous avez mis des témoins qui n'étaient pas vrais dans ma cause. Malheur à celui qui... " (il n'a pas achevé sa phrase). " Je meurs avec mon innocence. C'est fini, que Dieu soit avec moi. "

« La toilette terminée, le cortège s'est remis en route, et, arrivé devant l'échafaud, après avoir refusé le concours du bourreau qui voulait le soutenir, il lui a dit : " Laissez-moi ", puis il a repoussé l'abbé Faure, mais a toutefois embrassé le crucifix qu'il lui a demandé.

« A cinq heures deux minutes, l'exécution était terminée. »

La Croix précise que Pranzini a embrassé trois fois le Crucifix. Elle ajoute aussi qu'après l'exécution, tandis qu'on démonte la guillotine, un aide du bourreau va verser l'eau rougie de sang dans une bouche d'égout; la foule rompt le cordon des policiers et se précipite : on trempe mouchoir ou casquette dans la boue rougie de sang.

Thérèse lit le récit et se trouve violemment émue : « Ah! mes larmes trahirent mon émotion et je fus obligée de me cacher... Pranzini ne s'était pas confessé, il était monté sur l'échafaud et s'apprêtait à passer sa tête dans le lugubre trou, quand tout à coup, saisi d'une inspiration subite, il se retourne, saisit un *Crucifix* que lui presentait le prêtre et *baise par trois fois ses plaies sacrées!...* »

Pranzini embrasse le Crucifix et c'est pour elle la confirmation de sa vocation de Noël : mettre au monde, si l'on peut dire, des pécheurs, les faire passer de la mort à la vie. Depuis la maladie, l'agonie et surtout depuis la mort de sa mère, Thérèse avait éprouvé en tout une immense présence de la mort. Nous la voyons ici retourner ce paysage de mort et lire en lui qu'il est annonce de vie.

Pour cette jeune fille de quatorze ans qui, devant Pranzini, réalise pour la première fois ce qu'est un crime et ce que peut être le cœur d'un criminel, devant cet homme que la société considère comme un très grand pécheur, Thérèse Martin se dit que les plus grands crimes ne sont rien devant le brasier d'amour qu'est le cœur de Dieu. Sur son lit d'agonie, ne dira-t-elle pas à sa sœur Pauline, le 11 juillet 1897, et d'une manière très affirmée, des paroles que celle-ci a dû trouver pour le moins insolites : « Dites bien, ma Mère, que, si j'avais commis tous les crimes possibles, j'aurais toujours la même confiance, je sens que toute cette multitude d'offenses serait comme une goutte d'eau jetée dans un brasier ardent. » C'est la seule fois, avec l'épisode de Pranzini, où elle emploie le mot « crime ».

Ceci dans une époque où, ne l'oublions pas, la psychologie n'est pas encore entrée dans les mœurs, si l'on peut dire, dans une époque où les criminels ne bénéficient quasiment jamais, du fait de leur psychologie, de circonstances atténuantes, et sont considérés par tous comme des êtres abjects. A l'encontre de la société de son temps, comme aussi de la mentalité habituelle des chrétiens qui se regardaient comme des hommes de bien et avaient un profond mépris pour ceux qu'ils jugeaient comme « les pécheurs » : les criminels et les prostituées, Thérèse Martin adopte Pranzini, le plus grand criminel de son époque.

Paradoxalement, c'est le criminel Pranzini qui fait mieux découvrir à Thérèse le crucifié, Jésus, l'innocent mis au rang des criminels. Thérèse découvre dans le Crucifié celui qui a les mains ouvertes, celui qui donne la vie et non pas celui qui

punit, qui serait la Loi. Elle saisit que sa vocation, son travail,
c'est de faire comprendre, elle qui, aux yeux de la société,
n'a rien d'une criminelle, que ces différences entre criminel
et non-criminel ne tiennent pas devant le Crucifié et la force
de son amour. Et elle se met comme elle le dira « à la table
des pécheurs ». Jésus, en Croix, a soif de voir les hommes,
les criminels et les autres comprendre enfin que l'essentiel
est de se laisser aimer par la force extraordinaire de
l'Amour divin, cette force qui s'est présentée faiblesse,
Enfant.

Le moins expérimenté des psychologues — et tout homme
de bon sens — relèveront enfin combien la sexualité est
intensément présente dans les récits qui se suivent de l'image
du Christ crucifié et de l'histoire de Pranzini. On sait à quel
point l'évocation du sang est liée à la sexualité et on a vu les
scènes qui ont suivi l'exécution de Pranzini — scènes que
Thérèse a d'ailleurs lues. Elle veut être au pied de la Croix
et recevoir du Crucifié « la Divine rosée » qui coule de ses
mains et elle veut l'apaiser : « Je voulais donner à boire à
mon Bien-Aimé et je me sentais moi-même dévorée de la
soif des âmes. » « Le cri de Jésus [...]" J'ai soif ". Ces paroles
allumaient en moi une ardeur inconnue et très vive. » « Les
lèvres de " mon *premier enfant* " allèrent se coller sur les
plaies sacrées. »

Il ne faut pas avoir peur des mots, encore moins des réalités : Noël 1886 et les mois qui ont suivi sont pour Thérèse
le temps où elle devient symboliquement et réellement,
épouse et mère; il s'agit, avec le Christ, d'un « échange
d'amour ». « Il me semblait entendre Jésus me dire comme
à la Samaritaine : " Donne-moi à boire! " C'était un véritable échange d'amour; aux âmes je donnais le *sang* de Jésus,
à Jésus j'offrais ces mêmes âmes rafraîchies par sa *rosée Divine;*
ainsi il me semblait le désaltérer et plus je lui donnais à
boire, plus la soif de ma pauvre petite âme augmentait et
c'était cette soif ardente qu'il me donnait comme le plus
délicieux breuvage de son amour... »

La petite fille qui était prisonnière du « cercle étroit » où
elle tournait « ne sachant comment en sortir » est désormais
une adulte qui a brisé, avec le Christ, ses chaînes et ses

grilles; elle a trouvé une brèche et une issue et s'y jette à corps perdu. Thérèse Martin n'est plus une enfant. Elle est devenue femme, épouse et mère.

Sa force d'amour qu'elle sent en elle, Thérèse va aussi l'employer à tout faire pour pouvoir entrer au Carmel.

Entre l'exécution de Pranzini — 30 août 1887 — et l'entrée de Thérèse au Carmel de Lisieux — 9 avril 1888, il n'y a que sept mois. Depuis la conversion de Noël 1886, les choses se sont en effet précipitées; Thérèse acquiert de jour en jour davantage une personnalité affirmée. Elle le montre dans sa confrontation avec l' « événement » Pranzini. Elle le montre dans l'esprit de décision qui désormais va la caractériser. Et d'abord dans la volonté de briser tous les obstacles qui l'empêcheraient d'entrer au Carmel.

Cette entrée au Carmel, il ne faut pas la voir comme un besoin de rejoindre Pauline : cette attitude puérile est largement dépassée. Si Thérèse veut se faire carmélite, c'est dans la droite ligne de Noël 1886, par vocation missionnaire, par désir ardent de faire connaître l'amour du Christ à tous et d'abord aux plus désespérés des hommes et aux plus criminels, aux plus éloignés de Dieu ou aux plus emprisonnés par des scrupules religieux. Sait-on ce que c'est que l'intense irruption de l'amour dans un cœur d'enfant? C'est ce que vit Thérèse.

Thérèse choisit le jour de la Pentecôte 1887 pour demander à son père la permission d'entrer au Carmel de Lisieux. Il acquiesce aussitôt. Mais les difficultés surviennent d'ailleurs. Du curé de Saint-Jacques d'abord, M. Delatroëtte, qui était supérieur canonique du Carmel; l'abbé Delatroëtte avait justement en ce moment une fâcheuse affaire qui le rendait peu disposé à écouter Thérèse Martin : un riche lexovien à qui sa fille avait exprimé le désir d'être carmélite, avait intenté un procès de tendance à l'abbé Delatroëtte, estimant que celui-ci avait exercé sur sa fille une pression psychologique excessive. Par ailleurs, cette histoire, que tout Lisieux connaissait, rendrait réticent — Thérèse le savait bien — le terrible oncle Guérin qui ne serait pas près, comme tuteur, de donner son autorisation et de faire naître mille cancans sur un oncle qui permet à une nièce aussi jeune d'entrer au couvent. Le 22 octobre, Thérèse rassemble tout son courage, va voir son oncle, et celui-ci, contre toute attente, donne son accord.

Mais les obstacles, levés du côté de l'oncle Guérin, se révèlent vite bien plus redoutables encore du côté de l'abbé Delatroëtte. Celui-ci est un homme austère qui veille à ce que la communauté des carmélites suive la règle avec la plus stricte observance. Quand la Prieure lui parle de la jeune postulante, il l'arrête aussitôt : et il se met en colère lorsque la vénérée mère Geneviève revient à la charge.

Pauline apprend la nouvelle à Thérèse, qui en est bouleversée. Elle se rend, avec son père, chez l'abbé Delatroëtte, « afin d'essayer de le toucher en lui montrant que j'avais bien la vocation du Carmel, Il nous reçut très froidement, mon *incomparable* petit Père eut beau joindre ses instances aux miennes, rien ne put changer sa disposition. Il me dit qu'il n'y avait pas de péril à la demeure, que je pouvais mener une vie de carmélite à la maison, que si je ne prenais pas la discipline tout ne serait pas perdu... etc., enfin il finit par ajouter qu'il n'était que le *délégué* de *Monseigneur* et que s'il voulait me permettre d'entrer au Carmel, lui n'aurait plus rien à dire... Je sortis tout en *larmes* du presbytère, heureusement j'étais cachée par mon parapluie, car la *pluie* tombait par torrents. Papa ne savait comment me consoler... il me promit de me conduire à Bayeux aussitôt que j'en témoignai le désir, car j'étais résolue *d'arriver à mes fins*, je dis même que j'irais jusqu'au *Saint Père*, si Monseigneur ne voulait pas me permettre d'entrer au Carmel à quinze ans... »

M. Martin et sa fille partent pour Bayeux le 31 octobre. Thérèse a pris soin de relever ses cheveux afin de paraître plus âgée. Ils ont demandé audience à Mr Révérony, vicaire général, mais sans lui dire l'objet de la visite : « Moi qui n'avais jamais besoin de parler que pour répondre aux questions que l'on m'adressait, je devais expliquer moi-même le but de ma visite, développer les raisons qui me faisaient solliciter l'entrée du Carmel, en un mot je devais montrer la solidité de ma vocation. Ah! qu'il m'en a coûté de faire ce voyage ! »

Il pleut à verse quand ils arrivent à Bayeux : « Nous allâmes directement chez Mr Révérony qui était instruit de notre arrivée ayant lui-même fixé le jour du voyage, mais il était absent ; il nous fallut donc errer dans les rues qui me parurent *bien tristes ;* enfin nous revînmes près de l'évéché et Papa me fit entrer dans un bel hôtel où je ne fis pas honneur à l'habile cuisinier. Ce pauvre petit Père était d'une tendresse pour moi presque incroyable, il me disait de ne pas me faire de chagrin, que bien sûr Monseigneur allait m'accorder ma demande. Après nous être reposés, nous retournâmes chez Mr Révérony ; un monsieur arriva en même temps, mais le grand vicaire lui demanda poliment d'attendre et nous fit entrer les premiers dans son cabinet (le pauvre monsieur eut le temps de s'ennuyer car la visite fut longue). Mr Révérony se montra très aimable, mais je crois que le motif de notre voyage l'étonna beaucoup ; après m'avoir regardée en souriant et adressé quelques questions, il nous dit : " Je vais vous présenter à Monseigneur, voulez-vous avoir la bonté de me suivre. " Voyant des larmes perler dans mes yeux il ajouta : " Ah ! je vois des diamants... il ne faut pas les montrer à Monseigneur !... " Il nous fit traverser plusieurs pièces très vastes, garnies de portraits d'évêques ; en me voyant dans ces grands salons, je me faisais l'effet d'une pauvre petite fourmi et je me demandais ce que j'allais oser dire à Monseigneur ; il se promenait entre deux prêtres sur une galerie, je vis Mr Révérony lui dire quelques mots et revenir avec lui, nous l'attendions dans son cabinet ; là, trois énormes fauteuils étaient placés devant la cheminée où pétillait un feu ardent. En voyant entrer sa Grandeur, Papa se mit à genoux à côté de moi pour recevoir sa bénédiction, puis Monseigneur fit placer Papa dans un des fauteuils, se mit en face de lui et Mr Révérony voulut me faire prendre celui du milieu ; je refusai poliment, mais il insista, me disant de montrer si j'étais capable d'obéir, aussitôt je m'assis sans faire de réflexion et j'eus la confusion de le voir prendre une chaise pendant que j'étais enfoncée dans un fauteuil où quatre comme moi auraient été à l'aise (plus à l'aise que moi, car j'étais loin d'y être !...) J'espérais que Papa allait parler mais il me dit d'expliquer moi-même à Monseigneur le but de

notre visite ; je le fis le plus *éloquemment* possible, sa Grandeur
habituée à *l'éloquence* ne parut pas très touchée de mes
raisons, au lieu d'elles un mot de M. le Supérieur m'eût
plus servi, malheureusement je n'en avais pas et son opposition ne plaidait aucunement en ma faveur... »

LE VOYAGE A ROME DE LA FUTURE PRISONNIÈRE.

« Monseigneur me demanda s'il y avait longtemps que je
désirais entrer au Carmel : " Oh oui ! Monseigneur, bien
longtemps !... " — Voyons reprit en riant Mr Révérony,
vous ne pouvez toujours pas dire qu'il y a quinze ans que
vous avez ce désir. — C'est vrai, repris-je en souriant aussi,
mais il n'y a pas beaucoup d'années à retrancher car j'ai
désiré me faire religieuse dès l'éveil de ma raison et j'ai désiré
le Carmel aussitôt que je l'ai bien connu, parce que dans cet
ordre je trouvais que toutes les aspirations de mon âme
seraient remplies. »
M. Martin intercède alors pour sa fille. Mgr Hugonin
répond qu'il faut d'abord consulter l'abbé Delatroëtte, ce
qui déclenche chez Thérèse une crise de larmes. « Il me dit
que tout n'était pas perdu, qu'il était bien content que je
fasse le voyage de Rome afin d'affermir ma vocation et qu'au
lieu de pleurer je devais me réjouir ; il ajouta que la semaine
suivante, devant aller à Lisieux, il parlerait de moi à M. le
curé de Saint-Jacques et que certainement je recevrais sa
réponse en Italie. » M. Martin n'hésite pas à dire alors à
Mgr Hugonin que Thérèse profiterait de son prochain pèlerinage à Rome pour demander au pape lui-même la permission d'entrer au Carmel.
Le voyage dura vingt-trois jours. C'est un pèlerinage, orga-
nisé par les Assomptionnistes de Paris ; ceux-ci avaient lancé
en 1872 les « pèlerinages de pénitence » afin de rapprocher
bourgeois et ouvriers : ceux qui ont de l'argent paient en
effet pour ceux qui n'ont rien ; ils se retrouvent tous ensemble
dans les mêmes trains et les mêmes compartiments et ils
prient tous ensemble. On avait commencé à vouloir résoudre
ainsi la question sociale en faisant le pèlerinage de la Salette

en 1872 ; puis ce fut Lourdes et Rome et bientôt — en 1882 — Jérusalem. Cela fait naître, en juillet 1873, un modeste hebdomadaire *le Pèlerin* qui devient illustré et a bientôt un grand succès.

Que représente ce pèlerinage pour Thérèse ? « Mon voyage de noces » dit-elle à Pauline. Elle a demandé à son père de pouvoir être au Carmel à Noël : « O Jésus, prenez-moi pour Noël ! » Nous retrouvons bien le lien que Thérèse veut vivre avec le Christ depuis Noël 1886 et depuis Pranzini : « Un véritable échange d'amour. » La signification de l'entrée au Carmel : être prise par le Christ de façon décisive ; mais l'amour existe déjà, plénier, entre elle et lui ; le voyage à Rome est le « voyage de noces ». Pendant ce temps-là, « les personnes du monde pensèrent que Papa m'avait fait faire ce grand voyage afin de changer mes idées de vie religieuse ».

Le voyage est pour Thérèse, en fait, une épreuve : « Il y avait de quoi ébranler une vocation peu affermie. » La première épreuve c'est le côté mondain du pèlerinage : « N'ayant jamais vécu parmi le grand monde, Céline et moi, nous nous trouvâmes au milieu de la noblesse qui composait presque exclusivement le pèlerinage. Ah ! bien loin de nous éblouir, tous ces titres et ces " *de* " ne nous parurent qu'une fumée... De loin cela m'avait quelquefois jeté un peu de poudre aux yeux, mais de près, j'ai vu que " tout ce qui brille n'est pas or ". »

Tout ce monde noble entremêle fortement foi et politique monarchiste. Le sermon du curé de Saint-Pierre, début janvier 1888, quelques semaines après ce pèlerinage donne bien le ton : « Il a développé la thèse suivante : " Le pape est roi ! Il est le roi des intelligences. Il règne sur les cœurs. Il est le roi du monde entier. " »

La seconde expérience, c'est la rencontre d'un autre monde, celui des prêtres qu'elle n'avait jamais vus « en liberté » ; plusieurs prêtres participaient, on l'a vu, au pèlerinage ; l'un d'entre eux était assez insistant pour s'occuper des deux jeunes filles ; mais l'ensemble des prêtres lui ont sans doute paru assez peu passionnés de Dieu ; elle écrit dans l'*Histoire d'une âme :* « La seconde expérience que j'ai faite regarde les prêtres. N'ayant jamais vécu dans leur intimité, je ne pouvais comprendre le but principal de la réforme du Carmel. Prier pour les pécheurs me ravissait, mais prier pour les âmes des prêtres, que je croyais plus pures que le cristal, me semblait étonnant!... » Elle explicite aussitôt sa pensée : « Ah! j'ai compris *ma vocation* en *Italie*, ce n'était pas aller chercher trop loin une si utile connaissance...

« Pendant un mois j'ai vécu avec beaucoup de *saints prêtres* et j'ai vu que, si leur sublime dignité les élève au-dessus des anges, ils n'en sont pas moins des hommes faibles et fragiles... Si de *saints prêtres* que Jésus appelle dans son Évangile : « Le *sel de la terre* » montrent dans leur conduite qu'ils ont un extrême besoin de prières, que faut-il dire de ceux qui sont tièdes? Jésus n'a-t-Il pas dit encore : " *Si le sel vient à s'affadir, avec quoi l'assaisonnera-t-on?* " »

Pranzini lui a fait désirer donner sa vie pour les pécheurs; la rencontre avec des prêtres dans le voyage en Italie lui fait préciser sa vocation : elle veut plus particulièrement se consacrer à ceux qui sont envoyés aux pécheurs, aux plus éloignés de Dieu. On a vu qu'elle a renoncé à ce désir très vif qu'elle avait d'être elle-même missionnaire, estimant que sa vocation personnelle était une donation à Dieu dans le cloître. Elle ne renonce pas pour autant à être missionnaire : elle veut l'être, si l'on peut dire, au second degré, elle veut, comme elle le dit, être « *apôtre* des *apôtres*, priant pour eux pendant qu'ils évangélisent les âmes par leurs paroles et surtout par leurs exemples ». En Pranzini elle aperçoit, en même temps que cet homme, tous les pécheurs; en ces quelques prêtres rencontrés dans le voyage, c'est de tous les prêtres dont elle prend conscience. Et avec la capacité de synthèse qui est la sienne, elle relie ces trois événements que sont Noël, Pranzini, les prêtres du voyage. De même qu'à Noël 1886, le Christ, qui était faible, pauvre, caché, s'est montré à elle comme la Force d'Amour qui l'a transformée, de même le Christ peut-il transformer les cœurs les plus endurcis et les cœurs les plus incrédules : rien ne résiste à son Amour. Et ce qu'elle veut faire, c'est de continuer la force du Christ... Coopérer, en vivant un grand amour, à la force intérieure de ceux qui sont envoyés les premiers aux plus éloignés : les prêtres. Le projet de sa vie, tel qu'elle l'exprimera quelques semaines avant sa mort, le 18 juillet 1897 : « Faire aimer l'Amour » est déjà là présent : elle veut faire aimer l'Amour à ceux qui sont très loin d'y croire ou d'y penser ; elle veut faire aimer l'Amour aux prêtres pour qu'eux-mêmes sachent, en leur vie, révéler l'Amour à tous ceux-là qui sont perdus dans « les ténèbres », qui désespèrent de Dieu.

La voici solidaire des pécheurs et solidaire des prêtres. Elle dira le 1er novembre 1896 au père Roulland, un missionnaire, qu'en devenant carmélite, son « unique but était de sauver les âmes, surtout les âmes d'apôtres » ; et que « ne pouvant être prêtre, elle voulait qu'à sa place un prêtre reçût les grâces du Seigneur, qu'il ait les mêmes aspirations, les mêmes désirs qu'elle ». Elle entreprendra de prier, en 1891, pour un prêtre, Hyacinthe Loyson, qui a quitté l'Église et s'est marié et elle ne cessera de le faire tout au long de sa vie de carmélite ; elle offrira expressément pour lui sa dernière Communion, le 19 août 1897. Elle participera enfin elle-même, d'avril 1896 à sa mort, à une « nuit » extrême qui lui fera saisir ce qu'est la nuit de l'incroyance. Cette épreuve, elle en a parlé dans la lettre du 9 juin 1897 à mère Marie de Gonzague : « Je dois vous sembler une âme remplie de consolations et pour laquelle le voile de la foi s'est presque déchiré, et cependant... ce n'est plus un voile pour moi, c'est un mur qui s'élève jusqu'aux cieux et couvre le firmament étoilé. Lorsque je chante le bonheur du Ciel, l'éternelle possession de Dieu, je n'en ressens aucune joie, car je chante simplement ce que je veux croire. » Et encore : « Aux jours si joyeux du temps pascal, Jésus m'a fait sentir qu'il y a véritablement des âmes qui n'ont pas la foi. [...] Il permit que mon âme fût envahie par les plus épaisses ténèbres. » Enfin trois mois avant sa mort, elle confiera à sa sœur Agnès : « Si vous saviez ! C'est le raisonnement des pires matérialistes qui s'impose à mon esprit ! »

Ainsi, cette carmélite, née, protégée, épanouie en chrétienté a-t-elle vécu au plus profond de son cœur la nuit de l'athéisme. Et tandis que les athées trouvent leur état normal et y vivent sereinement, elle a, elle, terriblement souffert de cet état. En même temps, cette épreuve lui a fait d'autant mieux saisir que la foi dont elle vivait venait de Dieu seul. Rien, dans son comportement, qui puisse faire penser à cet orgueil fréquent des âmes pures qui regardent de haut la vie des hommes et du monde. Elle a connu la nuit de l'athéisme et d'autant plus profondément qu'elle avait un cœur extraordinairement ouvert à Dieu.

Devant toute cette incroyance et cette non-espérance qu'elle découvre, Thérèse n'a qu'un désir : « Je voudrais éclairer les âmes comme les *Prophètes*, les *Docteurs*. Je voudrais parcourir la terre, prêcher ton nom... mais une seule mission ne me suffirait pas : je voudrais, en même temps, annoncer l'Évangile à toutes les parties du monde... Je voudrais être missionnaire, non seulement pendant quelques années, mais je voudrais l'avoir été depuis la création du monde et continuer de l'être jusqu'à la consommation des siècles. » Et quelques minutes avant de mourir, elle dira : « Jamais je n'aurais cru qu'il fût possible de tant souffrir! jamais! jamais!... Je ne puis m'expliquer cela que par les désirs ardents que j'ai eus de sauver des âmes. » Souffrances physiques, oui, mais surtout cette extrême souffrance d'un cœur qui sait combien Dieu est Amour et qui aperçoit à quel point tant et tant d'hommes le méconnaissent et passent à côté de la vérité et du bonheur.

Le dimanche 20 novembre, à Rome, audience du Pape, à qui Thérèse demande d'entrer au Carmel. L'incident ne passe pas inaperçu parmi les Français qui ont pris part au pèlerinage. Mais bien au-delà : l'*Univers* du 24 novembre, dans sa rubrique *Correspondance romaine* s'en fait l'écho : « Parmi les pèlerins se trouvait une jeune fille de quinze ans qui a demandé au Saint-Père la permission de pouvoir entrer tout de suite au couvent pour s'y faire religieuse. » Et les nouvelles sont arrivées à Lisieux, y provoquant toute une effervescence : lorsque M. Martin et ses filles rentrent à Lisieux le 2 décembre, toute la ville parle de Thérèse.

Ce que Thérèse retire de son « voyage de noces » c'est donc une somme d'expériences : « Quel voyage que celui-là!... Lui seul m'a plus instruite que de longues années d'études! » C'est aussi la rencontre, pour cette jeune fille qui n'avait rien vu jusque-là, de la beauté : « J'ai vu de bien belles choses, j'ai contemplé toutes les merveilles de l'art et de la religion. » Cependant l'essentiel pour elle n'est pas là mais dans une autre rencontre; « surtout, j'ai foulé la même terre que les Saints Apôtres ». La référence de Thérèse a été constamment une référence missionnaire.

On se demandera : mais cette fille de quinze ans savait-elle ce qu'elle faisait en entrant au Carmel? Et on dira : l'expérience qu'elle avait du monde, on vient de voir que c'était seulement celle qu'elle avait acquise dans le voyage à Rome; était-ce suffisant?

Par ailleurs ne peut-on pas penser que se jeter ainsi dans ce lieu clos qu'est un Carmel, c'est s'enterrer et reproduire ainsi les attitudes névrotiques de sa mère.

Ce qu'on est obligé de constater, c'est la vitalité débordante de Thérèse à partir de Noël 1886. Elle a plus que retrouvé ses forces d'antan, elle les a décuplées. Elle s'est ouverte à la vie et profite de toutes les expériences. Elle est sans cesse en éveil, sait garder son calme — par exemple sur le plan de ce qu'est la relation sexuelle, elle n'est pas une oie blanche : « Je n'ignorais pas qu'en un voyage comme celui d'Italie, il se rencontrerait bien des choses capables de me troubler, surtout que ne connaissant pas le mal je craignais de le découvrir, n'ayant pas expérimenté que *tout est pur pour les purs* »; et lorsque à l'arrivée du train à Bologne il lui arrive une « petite aventure » avec un des étudiants chahuteurs qui se trouvait là et qui l'enlève dans ses bras, elle ne crie pas et ne fait pas d'histoire.

En voulant entrer au Carmel, Thérèse sait parfaitement à quoi elle renonce. Dans le récit de son voyage, elle raconte qu'elle admirait les montagnes et les lacs, toutes ces « beautés » qui lui parlent de la grandeur de Dieu : « Que ces beautés de la nature répandues à *profusion* ont fait du bien à mon âme! » et elle veut, comme d'habitude, tout voir et tout avoir : « Je n'avais pas assez d'yeux pour regarder. Debout à la portière je perdais presque la respiration; j'aurais voulu être des deux côtés du wagon car en me détournant, je voyais des paysages d'un aspect enchanteur et tout différents de ceux qui s'étendaient devant moi. » Mais, dans ce voyage même, elle pense qu'elle sera bientôt « prisonnière au Carmel ». « La vie religieuse m'apparaissait *telle qu'elle est* avec ses *assujettissements*, ses petits sacrifices accomplis dans l'ombre. Je comprenais combien il est facile de se replier sur soi-même, d'oublier le but sublime de sa vocation et je me disais : plus tard, à l'heure de l'épreuve, lorsque prisonnière au Carmel je ne pourrai contempler qu'un petit coin du Ciel étoilé, je me souviendrai de ce que je vois aujourd'hui; cette pensée me donnera du courage, j'oublierai facilement mes pauvres petits intérêts en voyant la grandeur et la puissance du Dieu que je veux aimer uniquement. »

Elle reprend le même terme quelques pages plus loin et montre bien que sa motivation d'entrer au Carmel même si elle savait bien qu'elle y serait emprisonnée, n'avait rien de masochiste. Thérèse n'a rien d'une masochiste; elle dira : « Je résolus de me livrer plus que jamais à une vie *sérieuse* et *mortifiée*. Lorsque je dis mortifiée, ce n'est pas afin de faire croire que je faisais des pénitences, hélas! Je n'en ai *jamais fait aucune*, bien loin de ressembler aux belles âmes qui dès leur enfance pratiquaient toute espèce de mortifications, je ne sentais pour elles aucun attrait; sans doute cela venait de ma lâcheté, car j'aurais pu, comme Céline, trouver mille petites inventions pour me faire souffrir, au lieu de cela je me suis toujours laissée dorloter dans du coton et empâter comme un petit oiseau qui n'a pas besoin de faire pénitence... »

« A la tombée du jour, nous voyions les nombreux petits ports de mer s'éclairer d'une multitude de lumières, pendant qu'au Ciel scintillaient les premières *étoiles*... Ah! quelle poésie remplissait mon âme à la vue de toutes ces choses que je regardais pour la première et la dernière fois de ma vie!... C'était sans regret que je les voyais s'évanouir, mon cœur aspirait à d'autres merveilles, il avait assez contemplé les *beautés* de la *terre*, *celles* du *Ciel* étaient l'objet de ses désirs et pour les donner aux *âmes*, je voulais devenir *prisonnière!*... »

C'est donc consciemment que Thérèse s'est enfermée au Carmel et par volonté extrême d'amour qu'elle l'a fait.

Prisonnière, dans son enfance, des angoisses et des pulsions de mort de son entourage, elle se fait librement prisonnière au Carmel pour défier la mort en ses lieux mêmes, forcer le destin, montrer que l'amour dont Dieu vous aime vous permet de tout souffrir et vous fait devenir, pour vous-même et pour autrui, un fleuve d'eau vive.

Au retour du voyage, commence alors pour Thérèse une longue attente. Elle se rend chaque matin à la poste; chaque matin, déception. Elle se prépare par des petits « *riens* » « à devenir la fiancée de Jésus ». « Je veux être une sainte, écrit-elle à Pauline douze jours avant son entrée au Carmel, je veux le devenir. »

Le 1er janvier 1888, la veille de ses quinze ans, lui est transmise une lettre de mère Marie de Gonzague lui disant que la réponse de Monseigneur Hugonin lui était arrivée, à elle, le 28 décembre : il s'en remettait à l'appréciation de la Prieure. Et celle-ci avait décidé de l'admettre mais après le Carême; elle voulait en effet ménager la susceptibilité de M. Delatroëtte et avait pour cette raison voulu un certain délai; il était donc décidé que Thérèse entrerait au Carmel à l'occasion du cinquantenaire de la fondation du monastère.

L'entrée a lieu, comme prévu, le lundi 9 avril 1888 « jour où le Carmel célébrait la fête de l'Annonciation ».

Le supérieur ecclésiastique du Carmel de Lisieux, M. Delatroëtte a une intervention qu'a relatée Pauline : « En présentant Thérèse à la Communauté, le jour de son entrée, M. le Supérieur dit devant mon père, la porte de la clôture étant grande ouverte : " Eh bien! mes Révérendes Mères, vous pouvez chanter un *Te Deum!* Comme délégué de Monseigneur l'Évêque, je vous présente cette enfant de quinze ans, dont vous avez voulu l'entrée. Je souhaite qu'elle ne trompe pas vos espérances, mais je vous rappelle que s'il en est autrement, vous en porterez seules la responsabilité. " Toute la Communauté est glacée par ces paroles. » Léonie, elle, donnera ce témoignage : « J'ai été singulièrement frappée de sa force d'âme dans cette circonstance. Seule, elle était calme. »

5. Une histoire d'amour

Le Carmel de Lisieux est un ensemble de constructions en brique rouge sombre, aux toits d'ardoise. Disposées en carré, elles se composent, sur un côté, de la chapelle et sur deux autres côtés, de deux ailes de bâtiments. Un cloître. Un jardin avec une allée de marronniers.

Quand Thérèse reçoit l'habit, à seize ans et quelques jours, le 10 janvier 1889, elle est la vingt-cinquième de la communauté. Sur les vingt-quatre religieuses qui la précèdent, treize ont cinquante ans et plus, huit ont de trente à quarante-neuf ans, les trois autres ont vingt-sept, vingt-huit et vingt-neuf ans (dont les deux sœurs de Thérèse : Marie et Pauline).

A ce moment-là, la moyenne d'âge des religieuses est exactement de cinquante ans. Sur les vingt-quatre religieuses, dix-neuf ont plus de trente-six ans, c'est-à-dire ont au moins l'âge d'être la mère de Thérèse. (Et sur les cinq autres, il y a Marie et Pauline, ses « mères ».)

Sur ces vingt-quatre religieuses qui sont là lorsque Thérèse reçoit l'habit, dix-neuf lui survivront; quatre sur les cinq qui meurent avant elle vont décéder en un mois : la fondatrice du Carmel de Lisieux, mère Geneviève de Sainte-Thérèse le 5 décembre 1891 (à quatre-vingt-six ans) ; sœur Saint-Joseph de Jésus, le 2 janvier 1892 (à quatre-vingts ans); sœur Fébronie de la Sainte-Enfance, le 4 janvier (à soixante-treize ans); sœur Madeleine du Saint-Sacrement le 7 janvier (à soixante-quinze ans). Ces trois dernières meurent au cours d'une épidémie d'influenza. Et la moyenne d'âge devient alors de quarante-quatre ans.

Entre le 10 janvier 1889, date de la prise d'habit de Thérèse et sa mort, le 30 septembre 1897, il y aura donc cinq décès et aussi cinq entrées : dont Céline, la sœur de Thérèse, et Marie Guérin, sa cousine. La communauté oscille donc toujours autour de vingt-cinq membres.

Au 1er janvier 1897, sur les vingt-quatre membres, il y a quatre sœurs Martin et leur cousine Guérin.

Du 20 février 1893 au 20 mars 1896, mère Agnès de Jésus (Pauline) est prieure du Carmel. Avant elle et après elle, la prieure est mère Marie de Gonzague.

Deux sœurs tourières, sœur Constance-Marie Jarry et sœur Désirée Bailly partirent en mai 1889 : elles furent remplacées par deux autres qui prirent à leur tour l'habit de sœur tourière le 15 août 1890 : sœur Marie Hamard qui avait alors trente et un ans et sœur Antoinette Blanc qui avait alors vingt-sept ans.

Quand Thérèse arrive au Carmel de Lisieux, la prieure est mère Marie de Gonzague. Celle-ci a alors cinquante-quatre ans. Elle a reçu l'habit de carmélite à vingt-sept ans, en 1861, et a fait profession le 27 juin 1862.

Dès 1866, elle est sous-prieure (jusqu'en 1872). Elle est élue prieure le 28 octobre 1874, et réélue en 1877 — les mandats de prieure sont de trois ans — mais une prieure ne peut pas demeurer en charge plus de six années consécutives; or Marie de Gonzague obtient en 1880 et 1881 deux prolongations de son mandat. Après une interruption obligatoire entre 1882 et 1886, elle est de nouveau prieure le 3 janvier 1886 puis en 1889; de nouveau elle obtient une prolongation d'une année (jusqu'au 20 février 1893). Nouvelle interruption obligatoire, pendant laquelle elle fait élire sœur Agnès de Jésus — Pauline — et devient elle-même maîtresse des novices. Elle se fait réélire le 21 mars 1896, puis en 1899. Elle mourra le 17 décembre 1904, d'un cancer à la langue. Dans ses quarante-deux ans de vie religieuse, Marie de Gonzague est donc sous-prieure durant six ans, et prieure durant vingt-deux ans. C'est dire qu'elle tient une place extrêmement importante dans le Carmel de Lisieux.

Appartenant à une vieille famille de Caen — elle est née Marie Davy de Virville —, Marie de Gonzague, si elle est entrée au Carmel de Lisieux, a pourtant gardé un pied dans le monde. Quand, cinquante ans après la mort de Thérèse, en 1947, dans un livre tonitruant Maxence Van der Meersch brossa un portrait outré de Marie de Gonzague, un certain nombre d'hagiographes se récrièrent; mais mère Agnès n'hésita pas à ouvrir alors certaines archives qui révélèrent que Marie de Gonzague était un personnage singulier : « La Mère était autoritaire, susceptible, changeante, impulsive, préoccupée des intérêts de sa famille, attachée à son chat, pas toujours assez attentive à assurer le silence dans son Carmel, ni à le garder elle-même. Avec cela, énergique, femme de tête et de bon conseil; des lumières et des vues spirituelles élevées; zélée pour le bien. Bref, une personnalité accusée, mais qui devenait assez encombrante quand elle ne trouvait plus, dans l'exercice du pouvoir, les occasions régulières de s'affirmer. »

Élue donc une première fois prieure en 1874, Marie de Gonzague trouve les fonds nécessaires pour achever les bâtiments du monastère. Ce n'est pas sans difficultés; et le parloir l'occupe beaucoup : il y a les questions matérielles à traiter, des problèmes d'argent, donc des sollicitations à présenter pour obtenir les sommes nécessaires et des congratulations à faire pour les avoir obtenues.

Elle s'occupe beaucoup aussi de sa famille. Elle installe pour de longues périodes, dans le bâtiment des sœurs tourières, une proche parente et son petit-fils. Elle consent tel prêt important à un membre de sa famille : même si ce prêt a reçu la permission du Supérieur du Carmel, M. l'abbé Delatroëtte, il reste que cet argent est celui de la communauté; et ce n'est pas parce que le prêt a été « remboursé intégralement avec un surplus de 10 % » et que « les intérêts du monastère ont été sauvegardés » que cette manière d'agir peut être justifiée; force est de conclure que la prieure se laissait « guider par ses affections de famille pour imposer des charges qui pesèrent sur la communauté (...). La perfection religieuse eût demandé plus de détachement et de réserve ».

Et il y a le chat. Faut-il, avec M. Van der Meersch, s'en offusquer? Oui, Marie de Gonzague a des faiblesses pour « Mira ». On le nourrit de foie de veau. On le soigne. On le cherche : tel soir où Mira n'est pas rentré, Marie de Gonzague lance un S.O.S. à travers le Carmel au mépris du « grand silence ». Mais tout cela est sans grande conséquence : pas de quoi fouetter un chat!

Il y a plus grave, qu'il faut souligner : le caractère de Marie de Gonzague, qu'elle a vif, autoritaire et jaloux. Son goût du pouvoir est évident.

Le Carmel de Lisieux où mère Marie de Gonzague règne presque sans discontinuer entre 1874 et 1904 avait été fondé sur le désir de deux jeunes filles de Pont-Audemer, Athalie et Désirée Gosselin, qui souhaitaient devenir carmélites et qui s'en étaient ouvertes à l'évêque de Bayeux, Mgr Daniel. Celui-ci les invite à se mettre sous la direction d'un vicaire de la paroisse Saint-Jacques à Lisieux. L'abbé Sauvage cherche alors un Carmel qui accepterait de patronner la fondation; et c'est ainsi que deux religieuses du Carmel de Poitiers arrivent à Lisieux le 16 mars 1838 : sœur Élisabeth de Saint-Louis, nommée prieure et sœur Geneviève de Sainte-Thérèse, sous-prieure et maîtresse des novices; avec elles arrivent à Lisieux quatre novices normandes qui viennent de passer un an à Poitiers. Les deux fondatrices et leurs novices s'installent dans une vieille demeure rue de Livarot; il faudra quarante ans pour que la maison devienne un monastère régulier; les épreuves de toutes sortes ne manquèrent pas : maladies, très grandes difficultés financières. Sœur Élisabeth meurt en 1850; c'est sœur Geneviève qui est, en fait la vraie fondatrice.

Celle-ci, Claire Bertrand, était née à Poitiers le 19 juillet 1805 et était entrée le 25 mars 1830 au Carmel de cette ville.

Six mois avant sa profession — donc au début de 1831, sœur Geneviève avait connu, au cours d'une retraite, une profonde angoisse spirituelle qu'elle racontera un jour à Thérèse : « Ne sachant plus que faire, incapable de prier, je m'assis près de notre lit (il était tard, c'était après Matines), lorsque dans le silence de la nuit, une voix étrange et qui semblait venir de dehors me dit très haut et distinctement : " Tu as pu et tu n'as pas voulu! " Saisissant mon crucifix, je le tendis vers l'endroit d'où venait cette voix et répondis :

" Pardonnez-moi, mon Dieu!... pardonnez-moi! Voici ma caution! " Je demeurai toute la nuit dans une angoisse mortelle, sous le coup de la justice divine prête à me précipiter aux abîmes. »

A Lisieux, sœur Geneviève s'occupe d'abord des novices. En 1847, elle lit le récit de l'œuvre d'une carmélite de Tours, sœur Marie de Saint-Pierre, qui avait lancé dans son couvent la dévotion à la Sainte Face et qui avait été l'inspiratrice de M. Dupont « le saint homme de Tours »; une image du voile de Véronique avait été alors placée dans la chapelle de Lisieux. Pour sœur Marie de Saint-Pierre, la dévotion à la Sainte Face est placée sous le signe de la réparation et s'inscrit d'ailleurs dans la ligne de la spiritualité qui est en honneur dans les Carmels de cette époque. Spiritualité dont on trouve une expression précise dans un livre très lu dans les couvents : le *Trésor du Carmel*.

Y est présentée l'idée, héritée de plusieurs écrits du XVIIe siècle, d'une immolation de soi-même en substitution pour les pécheurs.

AGNÈS, CELLE QUI VEUT ÊTRE LA PREMIÈRE.

Mais à côté de Marie de Gonzague, celle qui a le plus d'influence au Carmel de Lisieux, c'est sœur Agnès de Jésus.

Agnès de Jésus, c'est Pauline. Entrée au Carmel le 2 octobre 1882 — à vingt et un ans et quelques jours — elle prend l'habit le 6 avril 1883 et fait profession le 8 mai 1884. Elle est la première des filles Martin à être entrée au Carmel : avant Marie, sa sœur aînée; et elle écrit d'ailleurs à son père : « Mon petit père chéri, sais-tu que tu peux être fier? non pas de moi ni d'aucune en particulier, mais du choix de Dieu et de sa prédilection marquée pour nous cinq »; et elle signe : « Ta petite perle *aînée;* je suis le petit Jacob qui a volé le droit d'aînesse. » Pauline, c'est celle qui était la seconde et qui voulait être la première; elle réussit à dépasser sa sœur aînée Marie en entrant la première au Carmel. Fin 1883, elle écrit à son père : « Comme je veux être sainte! c'est là toute mon ambition, je sais que tout le reste passe, je sais que rien n'est stable ici-bas, et je veux m'attacher à Dieu de plus en plus. Quelle miséricorde de sa part de m'avoir attirée à Lui si jeune et la *première!* » C'est elle qui souligne la *première!* Mais au Carmel, où elle accueillera Marie, Thérèse, Céline, elle désirera demeurer la première. C'est elle qui prend, auprès de ses sœurs de sang, la place de Mme Martin en transposant cette place au plan spirituel; elle est une mère pour elles toutes : « Je vois si clairement la volonté de Dieu sur nous! » dit-elle à Marie dans un billet qu'elle lui envoie tandis que celle-ci fait son noviciat. Mais elle ne peut pas ne pas souhaiter prendre aussi la tête des autres carmélites, ses sœurs.

Dès son noviciat, elle est la grande confidente, elle qui a vingt-deux ans, de la fondatrice, mère Geneviève. Et elle devient de plus en plus le bras droit de mère Marie de Gonzague. Or ce que Pauline veut, elle le veut. C'est elle qui est l'âme de toutes les démarches pour obtenir l'entrée de Thérèse au Carmel. C'est elle qui affronte, la première, l'opposition de l'oncle Guérin. C'est elle qui, devant les refus que l'abbé Delatroëtte avait opposés à mère Marie de Gonzague et à mère Geneviève, a l'idée de recourir à l'évêque par-dessus la tête du supérieur; c'est elle qui mobilise dans ce but son père et aussi l'abbé Youf, aumônier du Carmel. Quand M. Martin échoue à Bayeux, l'escalade continue : Pauline pousse à aller à Rome. C'est elle qui décide finalement de la stratégie à employer devant le pape : elle avait d'abord donné la consigne du silence, mais dans une lettre ultime, le 10 novembre 1887, lettre envoyée à Rome à Thérèse qui est déjà en voyage, elle la presse de parler : « Que ton petit cœur ne se trouble pas, ne fais pas attention à tout le monde qui se trouvera autour de toi; qu'est-ce que cela fait qu'on t'entende? *Rien du tout.* Demande à Jésus comment t'y prendre, c'est à lui de t'instruire, puisque c'est pour son amour que tu parleras. Pense que c'est à Jésus lui-même que tu parles, cela t'aidera. Autrefois, dans sa vie mortelle, les Juifs n'avaient pas honte de lui découvrir leurs besoins au milieu des foules; toi, ne rougis pas non plus, parle et ne crains rien. »

Dans la même lettre, elle montre son côté « conspirateur » :

pour réussir, tout a été échafaudé et doit être réalisé en dehors du vicaire général M. Révérony; et elle a su mettre dans le coup et mère Geneviève et mère Marie de Gonzague : ainsi peut-elle être sûre de sa position et de son « devoir ». Il y a chez Pauline une manière extraordinaire d'être persévérante : toute difficulté est pour elle une sorte de tremplin; rien ne l'arrête, rien ne l'empêche de chercher à aller de l'avant. Thérèse a-t-elle échoué dans l'audience pontificale? « N'es-tu pas fière, lui écrit-elle, n'es-tu pas heureuse de la *préférence marquée* que Jésus te témoigne? Aussi jeune, à quinze ans, il te trouve digne déjà de porter sa croix; il te trouve digne de souffrir! Quel honneur pour toi! » Voilà tout Pauline : entreprenante, souple, habile, indomptable. C'est elle qui a vraiment voulu l'entrée de Thérèse à quinze ans au Carmel; elle rapportera elle-même la réflexion d'une carmélite à ce moment-là : « Quelle imprudence de faire entrer au Carmel une enfant si jeune! Quelle imagination a cette sœur Agnès de Jésus. »

C'est elle qui a réussi ce haut fait d'armes, en mobilisant jusqu'au pape lui-même. Par le fait même, Thérèse lui devient encore plus chère; Thérèse est vraiment pour elle une autre « elle-même » qu'elle aime ardemment et pour laquelle elle sera prête à tout faire. Pauline n'a-t-elle pas pu réaliser pour Thérèse ce qu'elle aurait souhaité pour elle-même : non seulement entrer la première au Carmel d'entre les filles Martin mais y entrer la plus jeune. Pauline, le lendemain même de son entrée au Carmel, n'avait-elle pas répondu à mère Geneviève, sa maîtresse des novices, qui la trouvait triste et l'interrogeait sur la raison de cette tristesse : « Parce que je trouve que je suis entrée vieille au Carmel. » Thérèse entre, à cause d'elle, à quinze ans. Pauline a réussi. Pauline est quelqu'un qui réussit.

Marie de Gonzague et Agnès de Jésus sont donc les véritables personnages essentiels du Carmel, proches et antagonistes à la fois. L'aînée qui a cinquante-quatre ans à l'entrée de Thérèse au Carmel, et la dauphine, qui a vingt-sept ans. L'aînée qui est prieure jusqu'au 20 février 1893 et qui est alors remplacée par Agnès; et celle-ci qui est, à son tour, remplacée, aux élections suivantes — des élections fort difficiles — par Marie de Gonzague, le 21 mars 1896, veille des Rameaux. Thérèse sera « témoin de douloureuses oppositions entre Agnès de Jésus, devenue prieure, et mère Marie de Gonzague ». Elle sera aussi, on le verra, l'objet de leurs dissensions.

LES ÉPREUVES, LA PAIX, LA LUCIDITÉ.

Il faut toujours se rappeler que Thérèse n'a que quinze ans à l'entrée au Carmel : c'est cette jeune, très jeune fille, qui sera tout spécialement témoin des différends entre deux femmes adultes qu'elle considérait dans l'obéissance d'un côté, dans le sang de l'autre, comme ses vraies « mères ». L'histoire de l'aventure spirituelle de Thérèse se situe là en premier lieu : dans cette croix précise qui consiste à vivre avec deux adultes à qui il faut obéir et pour qui on a beaucoup d'admiration, avec deux adultes qui ont la même ténacité et le même entêtement, la même impulsivité et le même désir d'imposer leurs vues, avec deux adultes qui n'arrivent pas à s'entendre.

Dès le point de départ, dès les premiers mois de Carmel, un certain nombre de données sont fixées qui demeureront, à travers toute la vie religieuse de Thérèse, de façon immuable.

D'abord, comme première donnée, la PAIX. Le temps qui avait précédé l'entrée au Carmel avait été pour Thérèse un long combat : le combat contre le puérilisme, jusqu'à Noël 1886; puis le combat pour devenir dès que possible carmélite. Or aussitôt entrée, elle connaît une paix que rien ne viendra altérer; elle écrira plus tard : « Mon âme ressentait une PAIX si douce et si profonde qu'il me serait impossible de l'exprimer et depuis sept ans et demi cette paix intime est restée mon partage, elle ne m'a pas abandonnée au milieu des plus grandes épreuves. »

La deuxième donnée, c'est que Thérèse, extrêmement réaliste et par nature et par acquis, vivra cette paix, non pas à la faveur de vues idéales dont elle se serait bercée mais dans la plus grande lucidité : « Les ILLUSIONS, le bon Dieu m'a fait la grande grâce de n'en avoir AUCUNE en entrant au Carmel; j'ai trouvé la vie religieuse TELLE que je me l'étais figurée, aucun sacrifice ne m'étonna. »

Troisième donnée : la manière de vivre les épreuves et les souffrances. Elle connaît une très forte souffrance. Or comment vit-elle cette souffrance ? en silence : « A l'extérieur, rien ne traduisait ma souffrance d'autant plus douloureuse que j'étais seule à la connaître. Ah! quelle surprise à la fin du monde nous aurons en lisant l'histoire des âmes!... »

Ces trois données : paix profonde, intense lucidité, souffrance silencieuse paraissent antinomiques. Il faut pourtant les admettre telles quelles, ensemble. C'est s'exposer à ne rien comprendre de Thérèse que d'isoler l'une des trois données et la présenter comme prédominante. Peut-être, pour essayer de comprendre, a-t-on intérêt à mettre ces trois données en dialectique et dire par exemple : c'est parce que Thérèse est extrêmement lucide et qu'elle est en même temps toute en paix, qu'elle est capable de souffrir sans rien en laisser paraître. En tout cas, il faut bien insister et souligner que la souffrance, toute gardée pour soi comme elle l'était, n'empêchait pas la paix; ou que la lucidité toute pénétrante, n'empêchait pas non plus la paix. Les trois données sont ainsi comme trois projecteurs qui ne peuvent éclairer une même réalité — la vie de Thérèse au Carmel — que s'ils sont sans cesse utilisés tous trois ensemble.

Quant au *but* de son entrée au Carmel, il est clairement perçu et exprimé dès le point de départ. Quand, le 2 septembre 1890, Thérèse passe, devant le redoutable abbé Delatroëtte, l'examen canonique en vue de sa profession — qui aura lieu le 8 —, le supérieur du Carmel lui demande « pour quel motif » elle s'est faite religieuse : « Sauver les âmes et surtout pour les prêtres. »

Entrée le lundi 9 avril 1888, Thérèse est d'abord « postulante ». Cette fille de quinze ans qui écrivait avec fougue à Pauline quelques jours avant son entrée : « *Je veux être une sainte* » en soulignant la phrase, s'exerce aussitôt avec précision à devenir une vraie carmélite. Et ce sont les détails quotidiens, peu signifiants pour l'extérieur, qui comptent. Par exemple, le fait de vouvoyer ses sœurs Pauline et Marie, qu'elle tutoyait toujours lorsqu'elle leur écrivait auparavant : désormais c'est le « vous », en leur écrivant comme en leur parlant. Autre exemple : l'obéissance dans l'instant même ; c'est ainsi que dans un billet qu'elle envoie à Marie pendant la retraite de profession de sa sœur — mi-mai 1888 — donc un mois après l'entrée de Thérèse, celle-ci écrit « Bientôt la cloche va sonner, elle son » : le mot est inachevé et elle reprend « J'ai interrompu mon petit mot. »

Encore qu'il faille relativiser cette obéissance stricte : quelques mois plus tard, le 12 mars 1889, on trouve ceci dans une lettre : « La cloche sonne et je n'ai pas encore écrit à ma pauvre Léonie. » Suivent sept lignes ; cette fois-ci, Thérèse a terminé sa lettre.

Dès son arrivée, Thérèse est en butte à des difficultés intérieures. Ce cri, par exemple, dès le 23 juillet 1888 : « Si encore on sentait Jésus... mais non, il paraît à mille lieues, nous sommes seules avec nous-mêmes. » Heureusement, le père Pichon vient au Carmel et lui donne l'occasion de parler à cœur ouvert ; il la rassure avec force et la met vraiment dans la paix ; le père Pichon est réellement un père pour elle à ce moment-là : il lui donne la parole et lui parle, il lui permet d'exister au Carmel telle qu'elle est, dans son désert intérieur.

Au même moment, son propre père M. Martin devient muet. Le 23 juin — un mois après l'entrevue avec le père Pichon — M. Martin fait une fugue : on le cherche, il est parti sans prévenir personne. Un an plus tôt, le 1er mai 1887, M. Martin avait connu une assez forte poussée de congestion cérébrale, mais il avait été assez rapidement libéré d'une petite hémiplégie et avait pu faire le voyage à Rome. Au début de 1888, l'artériosclérose reprend ses ravages : il a des moments de grande lassitude et des pertes de mémoire ; ainsi lorsqu'il laisse périr, faute de soins, une perruche qu'il aimait beaucoup.

A cette époque on appelle cette maladie l' « apoplexie ».

De nos jours, on insiste beaucoup sur les signes prémonitoires de l' « apoplexie » — des troubles moteurs : la main manque de mobilité, la marche ou encore la parole sont entravées ; des troubles de la conscience : perte de conscience fugace, obnubilation, ou désorientation ; mais aussi troubles psychiques : le comportement du sujet se modifie et se caractérise par des difficultés de fonctionnement intellectuel : appauvrissement de l'imagination, baisse des capacités de jugement et d'attention, ralentissement de l'idéation, difficultés d'adaptation aux situations nouvelles, fuite des responsabilités. Ces signes, dont le sujet est conscient, entraînent des réactions de dépression mélancolique ou d'agacement violent; ils surviennent, une fois sur deux, chez des anxieux ou des émotifs, dont les réactions neurovégétatives sont importantes et ils se voient trop souvent classés par le diagnostic vague de « coup de vieux ». Enfin, on souligne fortement l'effet déclenchant qu'ont, sur ces terrains d'élection de l'apoplexie, une angoisse, une irritation, ou une tension émotionnelle.

On n'avait pas alors les moyens de lutter efficacement contre la maladie. Mais on ignorait aussi à quel point, dans l'artériosclérose, les troubles psychiques évoluent parallèlement aux troubles organiques; et que ne sont pas rares les manifestations délirantes et les hallucinations qui empruntent leur thème aux tendances affectives profondes. Un jour de mai 1888 au parloir du Carmel, il dit à ses trois filles : « Mes enfants, je reviens d'Alençon où j'ai reçu dans l'église Notre-Dame de si grandes grâces, de telles consolations que j'ai fait cette prière : " Mon Dieu, c'en est trop, oui, je suis trop heureux, il n'est pas possible d'aller au ciel comme cela, je veux souffrir quelque chose pour vous! Et je me suis offert. " »

Des événements surviennent qui contribuent à traumatiser le malade. Ainsi, le problème de Léonie, qui était entrée le 16 juillet 1887 à la Visitation de Caen, et qui ne s'habitue pas au couvent. M. Martin, qui avait beaucoup prié pour la vocation de sa fille la plus difficile, est obligé d'aller la chercher à Caen le 6 janvier 1888 et de la ramener à Lisieux. Mais un second événement va sans doute précipiter la crise du 23 juin 1888 et la fugue de M. Martin.

Thérèse est entrée au Carmel le 9 avril. M. Martin ne peut compter sur Léonie, qui est bien plus une charge qu'une aide. Il s'appuie totalement sur Céline, qui vient d'avoir dix-neuf ans le 28 avril. Celle-ci reçoit en avril, juste après le départ de Thérèse, une demande en mariage en bonne et due forme. Céline en est bouleversée. Elle qui pensait secrètement à la vie religieuse, se demande si elle n'est pas faite pour le mariage — on lui disait souvent qu'elle n'avait aucunement les allures d'une religieuse. L'angoisse monte : « Je n'y voyais plus clair. Je répondis cependant, à tout hasard, que je ne voulais pas, que je désirais être tranquille pour le moment. » Le père Pichon, que Céline rencontre le 22 mai à l'occasion de la profession de Marie, approuve.

Le samedi 16 juin, Céline, à qui on trouvait beaucoup de talent et une vocation de peintre, montre à son père, au Belvédère, une toile qu'elle vient de composer et qui représente Marie-Madeleine et la Vierge des Douleurs. M. Martin lui annonce qu'au cours du voyage qu'il vient de faire à Paris pour la gestion de ses affaires, il a loué une villa à Auteuil afin de permettre à Céline de s'y établir et de suivre à Paris des leçons de peinture auprès de quelques maîtres : « Sans prendre le temps pour délibérer, dira Céline, je posai le tableau que je tenais à la main et, m'approchant de mon père, je lui confiai que, voulant être religieuse, je ne cherchais pas la gloire du siècle, que, si le bon Dieu avait besoin, plus tard, de mes travaux, il saurait bien suppléer à mon ignorance. J'ajoutai que je préférais mon innocence à tout autre avantage et que je ne voulais pas l'exposer dans les ateliers. »

Cette annonce ne peut pas ne pas provoquer un choc chez M. Martin. En même temps « hanté par le péril anticlérical qui commençait alors à se lever sur la France, il craint pour la vie de ses filles, pour la sécurité des prêtres. La passion des voyages le ressaisit avec une acuité troublante. Le désir de vie érémitique le poursuit. Il aspire à s'enfuir, à s'arracher aux bruits du monde, à gagner quelque retraite lointaine où il pourrait échapper à tout regard, méditer à loisir et préparer sa mort. » (P. Piat)

Il part donc à l'aventure, le 23 juin. Il arrive au Havre et de là envoie un télégramme demandant une réponse « poste restante » au Havre, ce qui permet de retrouver sa trace. Céline et son oncle Guérin se rendent aussitôt à la poste du Havre où ils retrouvent M. Martin trois jours plus tard. Dans l'intervalle, un incendie ravage la maison voisine des

Buissonnets au grand effroi de Léonie, demeurée seule à la maison.

La crise se calme de nouveau. Séjour à Auteuil — M. Martin, Léonie et Céline — du 1er au 15 juillet. Nouvelle rechute le 12 août. Puis quelques semaines d'accalmie. Le 31 octobre, M. Martin veut se rendre au Havre avec Léonie et Céline pour saluer le père Pichon qui doit s'embarquer le 3 novembre pour le Canada. On passe par Honfleur et là, près du sanctuaire Notre-Dame de Grâce, M. Martin est la proie de la crise la plus violente qu'il ait connue.

Il faut se représenter la souffrance des trois carmélites qui sont anéanties devant ce qui arrive. Ainsi, lors de la première fugue, celle du 23 juin « au premier moment de notre si grande peine, quand Papa semblait s'être perdu on ne sait où » elles se sentent profondément rejetées. Mère Geneviève est quasiment seule à les comprendre; dans un monastère où tout se sait, on parle à tort et à travers. « Manque d'éducation et de finesse de plusieurs qui ne surent pas toujours éviter les questions indiscrètes, les allusions malencontreuses et les paroles maladroites de commisération qui se veulent charitables et qui sont humiliantes. Il y eut aussi des mines à sous-entendus, des silences embarrassés, des craintes exprimées sur les conséquences possibles du malheur, sur le discrédit qui pouvait s'ensuivre pour la famille et la communauté. »

Au parloir, les gens du dehors poursuivent le travail de critique déjà bien avancé dans la communauté : « Un jour, au parloir, nous entendîmes les choses les plus dures sur notre pauvre père; on employait en parlant de lui des termes méprisants. »

Mais les critiques du dedans comme du dehors atteignent surtout Thérèse. Mère Agnès le précise dans un double témoignage : « Des personnes peu délicates dirent devant sœur Thérèse elle-même que l'entrée de ses filles au Carmel, et tout particulièrement de la plus jeune, qu'il aimait spécialement, avait causé ces accidents. » « Au-dehors, bien des personnes nous rendaient responsables de ce malheur, causé, affirmaient-elles, par l'excès de chagrin, surtout à l'entrée de Thérèse. »

Imagine-t-on ce que vivait la jeune postulante de quinze ans à la pensée qu'elle pouvait être la principale responsable de la maladie et de l'égarement de son père?

La crise du 3 novembre a été suivie d'un mieux notable et M. Martin peut participer à la cérémonie du 10 janvier. La prise d'habit, aujourd'hui fort simplifiée, est alors d'une grande solennité.

Thérèse commence par sortir de la clôture; elle est en robe de mariée; elle rejoint sa famille; puis elle entre dans la chapelle au bras de son père, comme pour un mariage; elle est suivie des siens, en cortège, deux par deux. Toute la famille assiste à la messe. Ensuite, le cortège se reforme pour gagner la sacristie. Thérèse embrasse son père et les siens et franchit alors pour toujours la porte du monastère.

Précédée par toutes les religieuses portant un cierge allumé, elle est conduite par la prieure jusqu'au chœur et c'est là que se déroulent les rites proprement dits de la vêture, auxquels la famille assiste à la grille. L'officiant, Mgr Hugonin, prononce les formules liturgiques, tandis que la prieure revêt Thérèse de la bure et du manteau blanc. On lui donne son nom : Thérèse de l'Enfant-Jésus.

A la fin de la cérémonie, l'évêque se trompe : il entonne le *Te Deum*, qui est réservé à la profession, mais tout le monde a déjà repris en chœur. Ensuite, on retrouve Thérèse au parloir du Carmel.

UNE PETITE FLEUR D'HIVER.

Thérèse entre dans le monastère après avoir embrassé une dernière fois son père.

Dehors il neige. Thérèse, qui est née elle-même en hiver et qui s'est donnée à elle-même le nom de « petite fleur d'hiver » une petite fleur qui a réussi à pousser malgré le froid et les épreuves, Thérèse en est très heureuse. Elle dira plus tard que justement, Dieu lui a permis de pousser « malgré la neige de l'épreuve ».

Une nouvelle épreuve, c'est un mois après la prise d'habit, une nouvelle rechute de M. Martin. Celui-ci veut sans cesse partir en voyage, il dilapide son argent, a des accès de délire où il devient dangereux pour son entourage. M. Guérin décide de faire interner son beau-frère dans une maison psychiatrique, le Bon-Sauveur, à Caen, où M. Martin va demeurer trois ans. Les commentaires contre les sœurs Martin redoublent au Carmel de Lisieux.

Les Guérin accueillent chez eux Céline et Léonie. Céline continue à s'adonner à la peinture, mais aussi à la photographie et à la galvanoplastie; elle se querelle assez fréquemment avec l'oncle Guérin : ils ont tous deux la même impulsivité. L'oncle emmène ses nièces à l'Exposition universelle, en mai 1889. Les distractions et réceptions se succèdent à la Musse; bientôt, Jeanne Guérin, la cousine de Céline et Léonie, se mariera, le 1er octobre 1890, avec le docteur Francis La Néele.

La sœur de Jeanne Guérin, Marie, est, elle, beaucoup plus timide et réservée que sa sœur; Marie et Thérèse s'écrivent mais en cachette, car l'oncle Guérin se méfie de la fragilité de sa fille et veut éviter de favoriser sa tendance à ce qu'il appelle « le mysticisme ». Un jour, en août 1895, Marie entrera au Carmel de Lisieux et y sera accueillie par Thérèse.

On pourrait penser que Thérèse est bien au chaud, très entourée et toute comprise par ce groupe de femmes qu'est le Carmel; en fait, un Carmel est d'abord un désert où l'on cherche Dieu en grand silence et profonde solitude. Thérèse va vivre cette réalité dès son noviciat; d'autant plus que la maîtresse des novices est une religieuse très bonne mais fort peu lucide, et aucunement psychologue; elle ne comprend rien aux états intérieurs de Thérèse et ne fait que dévider un flot de paroles.

Par ailleurs, Thérèse veut éviter de se laisser trop attirer par sa sœur Pauline, qui, elle aussi, la comprend mal et ne répondrait à ses confidences que par des bonnes paroles affectives. C'est dans l'ordre de l'amour que Thérèse veut être la première. Que Pauline l'ait initiée à l'amour, elle le reconnaît. Mais elle veut la dépasser. Et sans doute est-ce une raison de son silence envers elle : Thérèse veut travailler secrètement à devenir la première en amour. Et elle n'estime pas que sa sœur Agnès peut l'aider dans la voie de l'amour,

Agnès, qui, elle, veut être la première en autorité. La même réserve existe aussi, chez Thérèse, par rapport à Marie de Gonzague, parce que celle-ci est une personnalité trop fascinante.

Les rapports entre mère Marie de Gonzague et Thérèse ne sont pas simples, ne seront jamais simples. D'un côté cette femme de plus de cinquante ans d'une extrême affectivité se laissant emporter par elle-même et par ses impulsions, qui inspire des attachements envers elle et gouverne par eux. Et de l'autre ce petit bout de femme de moins de vingt ans, d'une extrême affectivité elle aussi, d'une même ardeur mais qui est décidée, à tout prix, à ne pas se laisser attirer, à ne pas laisser prendre son cœur par quelqu'un sauf par Jésus; qui se méfie des attachements, qui les pressent, qui fait tout pour ne pas y sacrifier, qui veut en triompher. Dès le point de départ, les deux femmes se sont mesurées, on n'en peut douter, et il y eut sans cesse entre elles un combat singulier — et en même temps une estime réciproque d'autant plus vive.

Ces deux femmes sont des êtres qui veulent « tout ». Marie de Gonzague a essayé de « tout » avoir de sa communauté; Thérèse renonce à tout pour avoir ce qui est pour elle le tout : Jésus. D'un côté comme de l'autre, pas de quartier. Le Carmel est un champ clos.

Les rapports entre elles sont tendus. Thérèse n'a pas de joie à se rendre chez Marie de Gonzague et à la rencontrer : « Chez Notre Mère — écrit-elle dans un petit billet à Pauline durant sa retraite de prise d'habit, le 9 janvier 1889 — je suis continuellement dérangée et puis, quand j'ai un instant, je ne puis lui dire ce qui se passe dans mon âme. Je m'en vais sans joie après être entrée sans joie! » Elle ajoute : « Je crois que le travail de Jésus, pendant cette retraite, a été de me détacher de tout ce qui n'est pas Lui. »

Mère Marie de Gonzague, de son côté, a décidé de traiter très sévèrement Thérèse. L'attitude qu'elle adopte envers elle est une attitude vraiment délibérée. Elle estime que Thérèse n'a rien d'une enfant et qu'il ne faut pas la ménager; elle donne cette indication à la maîtresse des novices : « Ce n'est pas une âme de cette trempe-là qu'il faut traiter comme une enfant et craindre d'humilier toujours. »

Mère Marie de Gonzague emploie envers Thérèse toutes les ressources que possède une prieure pour éprouver une jeune religieuse. On a vu qu'à chaque rencontre Thérèse doit baiser la terre devant Marie de Gonzague. Admonestations, froideur, sévérité, rien ne manque. Et si la prieure n'a pas à lui refuser des permissions, c'est que Thérèse, par obéissance et aussi par fierté, n'en demande jamais. « Les occasions ne lui manquèrent pas de pratiquer l'humilité, témoignera sœur Agnès. La mère prieure s'appliquait en conscience à la mortifier sur ce point. Elle les accepta toutes non seulement avec générosité, mais avec joie. Elle me dit sur son lit de mort : " Je m'en allais fortifiée par les humiliations ". » Sœur Agnès, elle, était malade de voir sa jeune sœur ainsi traitée.

Mais, bien plus que les humiliations — celles-ci sont encore une attitude où l'on se rend compte de l'attention de quelqu'un envers vous — c'est l'attitude d'indifférence de la prieure qui est infiniment pénible pour Thérèse : « Mère Marie de Gonzague m'a confié que, pour exercer la vertu de sœur Thérèse, elle s'étudiait à l'éprouver, en affectant à son égard une sorte d'indifférence. » Le même témoin précise « (la prieure) m'a attesté que ce rebut apparent avait été certainement très pénible à la servante de Dieu dans les premières années ».

On peut penser que cette affectation d'indifférence — le pire des rejets — était dictée chez la prieure par une haute conscience de sa charge. On peut estimer qu'il s'y mêlait aussi quelque dépit. On a un billet de 1888 — Thérèse est postulante — dans lequel la prieure écrit à Thérèse : « Que mon benjamin... dise tout à sa Mère, elle le comprend. » Or nous avons vu que Thérèse, dans le bureau de la prieure, n'arrivait pas à parler. La prieure, avec son tempérament possessif, n'a pas pu ne pas en concevoir un profond ressentiment. Et c'est ainsi qu'elle utilise envers Thérèse deux armes : l'une, offensive, l'humiliation, qui ne fait que fortifier la jeune fille car elle y voit bien une volonté délibérée et y trouve une confirmation de sa position de résistance; l'autre, l'indifférence, beaucoup plus éprouvante pour la sensibilité extrême de Thérèse : car alors il n'y a pas un terrain d'affrontement mais du vide, une sorte d'absence, comme si Thérèse n'avait pas d'importance et, en fin de compte, n'existait pas.

Thérèse est une solitaire. Sa sensibilité et son bon sens, aussi forts l'un que l'autre, lui ont fait désirer, très tôt, trouver un cœur à qui se donner de toute sa fougue; parlant de son enfance, elle dit : « Mon cœur sensible et aimant se serait facilement donné s'il avait trouvé un cœur capable de le comprendre. » Mais elle ne trouve pas ce cœur et sa fierté ne peut accepter de s'expliquer si elle n'est pas comprise : « Mon amour n'était pas compris, je le sentis et je ne *mendiai* pas une affection qu'on me refusait. » Avec le recul, elle remercie Jésus de n'avoir pas trouvé cette âme-sœur : « Avec un cœur comme le mien, je me serais laissé prendre et couper les ailes. » Thérèse n'a donc aucune peur de l'amour : tout au contraire, elle veut un immense amour, saisir un espace large comme le fait un aigle — elle emploiera plus tard cette comparaison. C'est parce qu'elle n'a aucunement envie qu'on lui rogne les ailes, qu'elle est, au Carmel, si perspicace en fait d'affections.

C'est cette raison même qui lui fait être une solitaire. Dans le monde elle aurait, elle le sait — elle est très précoce — elle aurait été tentée ou de papillonner, ou de chercher sans fin et en vain un cœur à sa mesure. Dans un couvent elle pouvait, elle le sait tout autant, se confiner en des affections étroites. Elle ne veut pas plus des unes que des autres. Et c'est ce qui la rend vive, nette et dure comme un diamant.

Diamant, elle ne l'a pas été aussitôt. Mais les circonstances l'ont aidée. Comment parlerait-elle encore en profondeur à Pauline quand on se souvient qu'elle a été jadis, dans ses rapports avec elle, réellement échaudée? « Un jour, j'avais dit à Pauline que je voudrais être solitaire, m'en aller avec elle dans un désert lointain, elle m'avait répondu que mon désir était le sien et qu'elle *attendrait* que je sois assez grande pour partir. Sans doute ceci n'était pas dit sérieusement, mais la petite Thérèse l'avait pris au sérieux; aussi quelle ne fut pas sa douleur d'entendre un jour sa chère Pauline parler avec Marie de son entrée au Carmel. » Maintenant, elle veut être vraiment solitaire, au désert; non plus avec Pauline : toute seule. Jadis, elle avait cherché à être solitaire mais accompagnée d'une âme-sœur, comme lorsqu'elle invente de jouer avec sa cousine Marie, à « un jeu tout à fait nouveau. Marie et Thérèse devenaient deux *solitaires* n'ayant qu'une pauvre cabane, un petit champ de blé et quelques légumes à cultiver. Leur vie se passait dans une contemplation continuelle, c'est-à-dire que l'un des *solitaires* remplaçait l'autre à l'oraison lorsqu'il fallait s'occuper de la vie active. Tout se faisait avec une entente, un silence et des manières si religieuses que c'était parfait ».

Mais, désormais, elle veut être strictement solitaire. Le Carmel est le lieu qui lui permettra de l'être. Quand elle y arrive, le 9 avril 1888 et qu'on lui fait visiter les lieux : « Je me croyais transportée dans un désert », dit-elle. « Je sentis que le Carmel était le *désert* où le bon Dieu voulait que j'aille aussi me cacher », précise-t-elle pour le début de sa vocation. « Je le sentis avec tant de force qu'il n'y eut pas le moindre doute dans mon cœur : ce n'était pas un rêve d'enfant qui se laisse entraîner, mais la certitude d'un appel divin; je voulais aller au Carmel non pour *Pauline*, mais pour *Jésus seul.* »

On dira que Thérèse a beaucoup souffert de la mort de sa mère, puis du départ au Carmel — une mort — de sa seconde mère, Pauline. Et que, désormais, par réaction, elle ne veut plus s'attacher parce qu'elle ne veut plus souffrir. Cela paraît difficilement contestable. Mais ce motif psychologique ne justifie pas pour autant l'adhésion à « Jésus seul ». Il y a, dans la grâce de Noël 1886, une rencontre réelle de la force du Christ qui la transforme et elle ne peut pas — elle qui est pleine de bon sens — ne pas reconnaître que la petite fille pleurnicharde qu'elle était s'est trouvée, en un moment, transformée. Et nous verrons que cette volonté tenace de solitude n'a rien d'une plongée schizophrénique; tout au contraire, Thérèse tout en gardant sa réserve et ses secrets, deviendra de plus en plus humaine et simple dans la Communauté, pleine de tendresse et d'humour.

Cette adolescente — elle vient d'avoir seize ans — est une femme ardente, dont le cœur est désireux d'aimer avec une force comme on en rencontre peu. Et voici bien l'étonnant de cette situation : ce cœur brûlant, qui n'a rien de sentimental mais qui est absolument rigoureux dans sa précision d'amour, ce cœur brûlant existe entre les murs d'un Carmel. On dirait que tout a été fait pour ne pas faire briller cette passion : dans la vie de tous les jours, n'aurait-elle pas, tôt ou tard, transpercé la nuit et le brouillard que crée l'absence ou la pauvreté d'amour? Ici, ce cœur est comme soustrait à la possibilité de s'exprimer, d'exploser, de manifester sa vivacité. Quelle comparaison prendre? Un merveilleux artiste qui composerait les tableaux les plus merveilleux dans la solitude la plus stricte. Mais, dirait-on, à quoi bon? Quelle perte pour l'humanité! quelle tristesse qu'une telle créativité trop gratuite! Mais nous atteignons ici au secret du cœur de Thérèse : elle croit à l'amour gratuit, elle croit à la force d'un amour qui ne transparaît pas au-dehors, dont justement la puissance, canalisée de manière souterraine et obscure, a d'autant plus de vigueur et d'efficacité. Puisque « Jésus brûle d'amour pour nous », il faut commencer par lui répondre à lui et le reste se fera par surcroît : il ne s'agit pas de chanter « les cantiques du Ciel aux créatures » mais de chanter « un cantique mélodieux pour notre bien-aimé »! Elle est certaine que son amour de feu, connu de Jésus seul et ayant Jésus seul pour objet, peut être transformé par l'amour infini qui existe dans le cœur de Jésus et prendre une force bien plus étonnante encore. Nous avons parlé d'un calcul spirituel; il s'agit, en fait, d'une perspective d'alchimiste : Thérèse ne veut rien moins que d'échanger le plomb de son amour en l'or de l'amour de Jésus : « Bientôt nous vivrons de la vie même de Jésus, écrit-elle le 12 mars 1889 à Céline... nous serons déifiées à la source même de toutes les joies... » et elle cite alors Jean de la Croix : « L'amour ne se paie que par l'amour et les *plaies* de l'amour ne se guérissent que par l'amour. »

En très grande passionnée d'amour qu'elle est, Thérèse a le sens des délais, des retards : l'amour qui sait attendre accumule des forces explosives et augmente les affinements qui lui permettront de s'exprimer infiniment davantage : citant, à Céline, le psaume 136 : « Nos harpes sont en ce moment suspendues aux saules qui bordent le fleuve de Babylone », elle s'écrie : « mais au jour de notre délivrance, quelles harmonies ne ferons-nous pas entendre... avec quelle joie nous ferons vibrer toutes les cordes de nos instruments!... »

Il y a là une science admirable de l'amour chez cette fille de seize ans. On se tromperait en voyant là masochisme et ascèse; Thérèse est très lucide : elle joue à qui perd gagne, elle veut tout perdre de ce qui est non satisfaisant pour gagner ce que son désir, dans son acuité, a pressenti : l'existence d'amour de ce Jésus. Elle sait que l'amour se gagne comme à la dérobée.

LE FEU DU SOLEIL.

La grande confidente de Thérèse, c'est Céline, celle qui est restée dans le monde. Elle, elle comprend le cœur de Thérèse. Celle-ci lui explique comment aimer. L'essentiel, dit celle qui aime, c'est que l'autre puisse voir, lui, que je l'aime; mais non pas que je me sécurise ou me réchauffe à apercevoir de quel amour je l'aime. Et plus je n'aperçois pas la force de mon amour envers lui, plus cet amour est gratuit, et plus l'autre est aimé, puisqu'il n'y a pas de retour sur moi-même. Au fond, Thérèse remercie Jésus de la préserver de se replier sur elle-même. Ce que l'apôtre Pierre avait atteint après la résurrection seulement, quand, pour répondre à la question de Jésus « Pierre, m'aimes-tu? » il s'était, non plus appuyé sur ses propres forces mais avait fait confiance à Jésus — « toi qui sais tout tu sais bien que je t'aime » —, Thérèse l'atteint ici d'emblée : elle fait confiance à Jésus seul, mais non pas à elle-même, dans une quelconque appréciation de son amour envers lui.

Mais pourquoi Jésus l'aime-t-il? Celle qui aime ardemment se pose la question des raisons que l'autre a de l'aimer mais répond aussitôt en lui faisant confiance : « Oui, Jésus a ses préférences, il y a dans son jardin des fruits que le Soleil de son amour fait mûrir presque en un clin d'œil... Pourquoi sommes-nous de ce nombre?... Question pleine de mystère... Quelle raison Jésus peut-il nous donner... » Elle donne la réponse : « Sa raison est qu'il n'a pas de raison!... Céline!...

usons de la préférence de Jésus qui nous a appris tant de choses en peu d'années, ne négligeons rien de ce qui peut lui faire plaisir... Ah! Laissons-nous dorer par le Soleil de son *amour*... ce Soleil est brûlant... consumons-nous d'*amour!*... Saint François de Sales dit : " *Quand le feu de l'amour est dans un cœur, tous les meubles volent par les fenêtres* ". »

Cette lettre manifeste en même temps le réalisme extrême de Thérèse. A quoi juge-t-elle qu'elle est aimée? A la fulgurance avec laquelle elle a été transformée. L'amour est ce feu qui dévaste tout en un instant —. Il faut remarquer, dans ce passage de la lettre à Céline, la progression des images : il s'agit d'abord de l'image de fruits que le soleil fait *mûrir* mais ici, au lieu du long temps habituel, c'est un mûrissement foudroyant « presque en un clin d'œil »; or Thérèse passe de l'image du soleil qui mûrit et *dore* à l'image du soleil qui *brûle* « ce Soleil est brûlant » et qui appelle à se « consumer » soi-même : elle en arrive à l'image du *feu* avec la citation de saint François de Sales. Jésus, ce Jésus qui lui « a appris tant de choses en peu d'années » est un feu dévorant qui s'est emparé d'elle avec une soudaineté dont elle est tout étonnée encore : c'est un mystère que les raisons qu'il a d'aimer; c'est un mystère que la manière qu'il a d'aimer, avec cette vivacité transformante.

Quand on est pris par cette fulgurance il ne s'agit pas de vouloir répondre en donnant sa vie d'un seul coup mais en mourant à petit feu. Lorsque Céline confie à sa sœur qu'elle a fait un rêve : elle subissait le martyre, Thérèse, réaliste, lui montre qu' « en attendant », il s'agit de vivre un autre martyre, bien plus vrai : « Ah c'est là un grand amour d'aimer Jésus sans sentir la douceur de cet amour... C'est là un martyre... le martyre ignoré, connu de Dieu seul (...), martyre sans honneur, sans triomphe... Voilà l'amour poussé jusqu'à l'héroïsme. » Quand on aime « Jésus sans sentir la douceur de cet amour » et qu'on souffre ce « martyre ignoré, connu de Dieu seul », un « martyre sans honneur, sans triomphe », alors c'est l'amour le plus haut et il y aura une réponse de Dieu.

Personne ne niera que Thérèse vit un grand amour; or

elle vit cet amour envers Jésus sans pourtant ressentir que le Bien-Aimé est là. Alors, interrogation : « Où est-il? pourquoi ne vient-il pas nous consoler, puisque nous n'avons que lui pour ami? » Réponse : « Il n'est pas loin. » Il demande justement de lui donner cette souffrance de ne pas sentir sa présence : « Il est là tout près qui nous regarde, qui nous *mendie* cette tristesse. »

Nouvelle interrogation, alors : pourquoi sa présence-absence, pourquoi cette souffrance à lui présenter? Réponse : la certitude que cette souffrance offerte a un retentissement certain dans le cœur et la vie d'autres êtres.

Conclusion : « Il ne reste donc qu'à combattre; quand nous n'en avons pas la force c'est alors que Jésus combat pour nous... Mettons ensemble la cognée à la racine de l'arbre. »

La grandeur de Thérèse consiste entre autres, à avoir compris que sa souffrance avait été trop forte pour pouvoir jamais s'en dégager réellement — on voit mal, par exemple, comment elle aurait pu vivre paisiblement les joies de la vie, du mariage, le choc initial avait été trop rude. Mais cet état de fait, elle aurait pu le fuir en se jetant dans des plaisirs intenses à la manière de Charles de Foucauld, orphelin de père et mère à cinq ans, qui s'est enfoncé, à partir de seize ans, dans la recherche d'oublis et de compensations. Ou le fuir encore en se perdant dans la psychose. Les deux voies lui étaient possibles. Elle a cherché une troisième voie : celle de se confronter avec sa vie telle quelle, et de s'ouvrir, telle quelle, aux autres. Elle a compris que si elle se mettait à boire à la « source enchantée » du bonheur humain, cette source dont son cœur, elle l'avoue, a « une soif ardente », cela ne ferait qu'attiser sa soif, la rendre plus brûlante. Voir sa souffrance reconnue par son entourage, et consolée par lui, ne lui suffirait pas non plus; il lui faut, au contraire, cacher cette souffrance à ses proches et ne la laisser voir qu'à Jésus seul.

Admettre que sa vie est ainsi une vie en partie ratée, une vie marquée à jamais par la souffrance et en faire une explosion d'amour implique une lucidité extrême. Pour elle, cette vie est une nuit — « la nuit » de cette vie écrit-elle —

mais, réaliste, elle voit que cette nuit n'a qu'un temps « l'unique nuit qui ne viendra *qu'une fois* ». Elle veut, dès lors, utiliser au maximum les instants de cette nuit pour en faire de l'amour et c'est en ce sens qu'elle écrit : « Oui, la vie est un trésor, chaque instant c'est une *éternité.* »

Thérèse a un don : celui de retourner les situations et de se servir d'elles. Ce don exige une grande acuité : il s'agit de saisir aussitôt la souffrance dès qu'elle est là, de ne pas perdre de temps, d'en faire une action, au lieu d'un poids que l'on subit.

Thérèse est de grand bon sens : elle a saisi que la vie spirituelle n'exigeait pas de mener des actions héroïques mais de vivre simplement en amour la plus petite des situations. Elle cite à Céline une parole de Thérèse d'Avila : « Jésus ne regarde pas autant à la grandeur des actions ni même à leur difficulté qu'à l'amour qui fait faire ces actes. » Est-elle « sans *joie* sans *courage* sans *force* »? c'est alors qu'elle « veut se mettre à l'œuvre » car justement ces trois « titres » comme elle les appelle lui « faciliteront l'entreprise ». Comment cela? parce qu'ils montrent qu'elle ne se met pas à l'ouvrage par goût, par héroïsme, par puissance, mais qu'elle veut « travailler par Amour ». C'est l'amour seul qui guide ses actes. La vie mystique est là, pour elle, dans l'amour et l'amour quotidien : « Je n'ai pas envie d'aller à Lourdes pour avoir des extases. Je préfère la monotonie du sacrifice! »

Mais qui est Jésus pour Thérèse? Il est réellement vivant au moment même où elle lui parle, où elle pense à lui. Mais il est lui-même dans un état de *souffrance* — comme on dit d'une chose qui est là, inutilisée; « ce colis est en souffrance », en attente. Jésus est sans cesse dépeint par Thérèse comme quelqu'un qui est en pauvreté parce qu'il attend, parce qu'il mendie. Elle écrit à sa cousine Marie Guérin : « Jésus est malade d'amour. » Elle ajoute aussitôt, citant saint Jean de la Croix : « Et il faut remarquer que *la maladie de l'amour ne se guérit que par l'amour.* Marie, donne bien tout ton cœur à Jésus, il en a soif, il en est affamé. » La pauvreté du Christ est la pauvreté de celui qui mendie l'amour d'autrui. Jésus attend qu'on l'aime : « Il en a *besoin.* » Il faut remarquer qu'il s'agit toujours d'un présent, d'un aujourd'hui.

Pour l'aider dans sa vie spirituelle, Thérèse a un père très proche : saint Jean de la Croix; elle lit souvent le *Cantique spirituel* et *la Vive Flamme d'amour* du grand mystique espagnol. Parce que, pour elle, c'est le « saint de l'Amour », Jean de la Croix distend d'une manière extrême le non-sentir et le sentir, le non-voir et le voir. *Nada* et *todo* : rythme d'extrême absence et d'extrême présence, participation à Jésus en son visage de silence, de sommeil, d'agonie et de mort, et participation à la divinisation. Ce rythme inclut une dialectique : la négativité est condition nécessaire de cette divinisation. Jean de la Croix montre comment la mort du Christ peut pénétrer tout acte de la vie d'un homme, « *comment* à chaque instant l'être humain peut faire sienne cette mort, *comment* enfin la voie négative est non pas une voie parmi d'autres pour accéder au Réel, mais la seule voie, puisqu'il n'y a d'entrée dans la vie qu'à travers la mort ».

Par le fait même, Jean de la Croix propose un rythme qui va du rien désespéré et désespérant de l'homme à la joie. Dans ses *Maximes*, nous trouvons par exemple la « prière de l'âme énamourée » — qui est « comme une synthèse de l'œuvre de saint Jean de la Croix » et où se trouve une conception précise de la toute-puissance de Dieu : « Celle-ci ne supplée pas à notre impuissance, mais l'anime du dedans pour qu'elle puisse produire ce que, laissée à ses seules ressources, elle eût été incapable de réaliser. » (P. Lucien-Marie)

Thérèse — tout le mouvement de son être dans les années suivantes le montrera — saisit que la pensée de Jean de la Croix ne se réduit pas à la nuit, ni au moment de la négation : Jean de la Croix parle de la « pure possession de Dieu » par l'homme à travers la mort même, par l'homme dans son intégralité. Son *nada* est une plénitude qui s'ignore. Il n'est pas le prophète du rien mais le mystique du tout. Thérèse saisit que cette négation dont parle Jean de la Croix suppose une affirmation plus profonde. Son expérience mystique comme celle de Jean de la Croix est essentiellement affirmative : elle ne nie jamais que des négations. Car elle tend sans cesse vers la transformation de « feu » : Thérèse, comme Jean de la Croix, nous décrit comment l'Esprit-Saint prend un être et l'amène à une manière divine d'agir, de penser, d'aimer, comment cet être est entraîné dans le feu trinitaire. Jean de la Croix, pour exprimer cette transformation, parle d'une bûche de bois embrasée par le feu. Thérèse, dans l'une des dernières pages de sa vie, parlera d'un morceau de fer, matière plus pesante et plus résistante que le bois, qui « désire s'identifier au feu de manière qu'il le pénètre et l'imbibe de sa brûlante substance et semble ne faire qu'un avec lui ». L'un et l'autre tendent de toute leur pauvreté vers cette union d'amour qu'ils désirent uniquement.

Thérèse a choisi délibérément Jean de la Croix à une époque où il était encore peu lu et souvent mal compris. Avec l'instinct très sûr des grands génies spirituels, elle y a pris la farine qui lui était nécessaire pour en faire son pain à elle. Elle a choisi le mystique du *Cantique spirituel* et surtout de *la Vive Flamme* comme son guide, elle qui n'avait pas de père spirituel. Et avec l'audace d'une vraie fille, elle a exprimé, à sa façon, l'essentiel de ce qu'elle avait reçu de lui; on peut dire que Thérèse nous « rend » — au double sens du terme — saint Jean de la Croix : qu'elle le dit pour notre époque et qu'en même temps, elle demeure elle-même à tout moment. Elle le fait de deux manières. D'abord en rendant comme familière la doctrine de Jean de la Croix : Thérèse dit la même chose que lui mais en termes plus compréhensibles par tous; pour notre siècle, il fallait cette lecture simple telle que les *Manuscrits autobiographiques* ou la *Correspondance* de Thérèse nous la donnent. Mais il y a aussi une seconde « manière ». Jean de la Croix vivait dans une époque où tout le monde croyait en Dieu. Thérèse, elle, dans les dix-huit derniers mois de sa vie, a perçu, par grâce de Jésus, qu'il y avait une réalité nouvelle dans son époque — et la nôtre — : des hommes nombreux pour qui Dieu n'existe pas. Et on verra qu'elle fait le lien — une connexion radicale — entre elle-même dans son épreuve — sa nuit de la foi — et ces hommes incroyants, qu'elle a voulu leur être solidaire devant le Christ. Elle qui n'avait donc pas de père spirituel s'appuie sur ce père spirituel pour avancer plus vite dans la voie de l'amour — elle meurt à vingt-quatre ans, Jean de la Croix à quarante-neuf ans, deux fois plus; et elle meurt dans une mort d'amour ordinaire après avoir lié son sort aux hommes de son temps et s'être enracinée dans cette époque du XXe siècle où l'on veut que Dieu soit mis en question, mis en doute, mis à mort.

Comment ne pas rappeler que c'est en 1881-1882 que Nietzsche compose *le Gai Savoir* où se trouve la scène du fou qui, sur la place publique, cherche Dieu avec une lanterne en plein jour; le fou interpelle la foule : « Où est allé Dieu? Je vais vous le dire. Nous l'avons tué, vous et moi! » Un peu plus tard, dans le cinquième livre du *Gai Savoir*, Nietzsche dira que le plus grand événement récent est que la croyance au Dieu chrétien est tombée en discrédit, est devenue incroyable. Thérèse vit dans ce moment où Nietzsche établit comme un constat, que la foi chrétienne semble désormais appartenir à une autre époque et à un autre monde. Et le fou du *Gai Savoir* sait ce que signifie ce discrédit : que vont devenir les hommes dans cette nouvelle ère, celle du nihilisme? Nietzsche a pris acte de la disparition du christianisme qui est en train de mourir; mais il ne fait pas que constater: il estime heureuse cette disparition du christianisme parce que celui-ci lui apparaît comme une attitude humaine négative. Aux yeux de Nietzsche, en effet, le christianisme est un platonisme pour le peuple; le christianisme a poussé jusqu'à l'extrême les trois moments d'un processus morbide : le ressentiment, la mauvaise conscience, l'ascétisme; il a enraciné l'idée que le monde, la vie, l'existence sont marqués d'une tache ineffaçable, ce qui rend le chrétien sans cesse craintif devant les réalités humaines, la sexualité ou la politique, par exemple. En fin de compte, pour Nietzsche, le christianisme ne s'engage pas dans la voie de l'activité créatrice mais amène à un comportement négatif commandé par un sentiment d'échec et toujours orienté par les idées de faute et de réparation, de dette et de devoir. « Comme le répète Nietzsche, les chrétiens semblent toujours avoir besoin de justifier leur vie et la vie; or un tel *besoin* est déjà l'indice d'un sentiment de culpabilité, car la vie n'a pas besoin de justification. Bref, entre le oui sans arrière-pensée que dira peut-être un jour l'enfant rieur et le non des chrétiens astucieusement caché sous les apparences du oui, il n'y a pas de rapport : du non

jamais ne sortira le oui. » La vie et la réaction de Thérèse
sont une protestation essentielle, nous le verrons, contre une
certaine conception ascétique prônée au Carmel, conception
basée sur une vue erronée de la Justice de Dieu ; et elles sont,
à l'opposé, la proposition d'un Dieu de tendresse.

On se souvient que Thérèse, dans son voyage à Rome,
avait été frappée par une première réalité : la futilité des
grands de ce monde. Mais il y avait eu une autre réalité,
celle des prêtres : « La seconde expérience que j'ai faite
regarde les prêtres. N'ayant jamais vécu dans leur intimité,
je ne pouvais comprendre le but principal de la réforme du
Carmel. Prier pour les pécheurs me ravissait, mais prier pour
les âmes des prêtres, que je croyais plus pures que le cristal,
me semblait étonnant !...

« Ah ! j'ai compris *ma vocation* en *Italie*, ce n'était pas
aller chercher trop loin une si utile connaissance...

« Pendant un mois j'ai vécu avec beaucoup de *saints
prêtres* et j'ai vu que, si leur sublime dignité les élève au-dessus
des anges, ils n'en sont pas moins des hommes faibles et fragiles... Si de *saints prêtres* que Jésus appelle dans son Évangile " *Le sel de la terre* " montrent dans leur conduite qu'ils
ont un extrême besoin de prières, que faut-il dire de ceux
qui sont tièdes ? Jésus n'a-t-il pas dit encore : " *Si le sel vient
à s'affadir, avec quoi l'assaisonnera-t-on ?* " »

Très souvent, dans ses lettres à Céline, Thérèse parle des
prêtres ; elle dit à sa sœur : « Il faut que nous fassions beaucoup de prêtres qui sachent aimer Jésus. » Oui, faire des
prêtres, comme une femme enfante, fait des enfants. Thérèse
elle-même aurait voulu être un garçon pour pouvoir devenir
prêtre mais surtout prêtre missionnaire, allant faire connaître
Jésus aux quatre coins du monde.

Passion si forte, chez Thérèse, de faire connaître l'Amour
qu'elle s'intéresse particulièrement d'un côté aux criminels et
aux pécheurs et de l'autre aux prêtres, à ceux qui ont pour
mission d'être « apôtres ». Sœur Agnès avait bien mal saisi
cette intention lorsqu'elle disait, au procès apostolique :

« Elle avait une très haute idée de la dignité et des fonctions sacerdotales; c'est pourquoi elle voulut toute sa vie se sacrifier spécialement pour les prêtres. » Il ne s'agit pas de « dignité »!

Céline, elle, avait compris que Thérèse voulait être missionnaire au second degré : que, faute de pouvoir être elle-même prêtre et missionnaire, elle souhaitait littéralement enfanter des vocations missionnaires : « faire », comme elle disait, « le commerce en gros ». « Notre Mission, comme Carmélites, est de former des ouvriers évangéliques qui sauveront des millions d'âmes dont nous serons les mères » dit-elle à Céline et elle ajoute : « Je trouve que notre part est bien belle!... Qu'avons-nous à envier aux prêtres? »

Cette passion de faire aimer Jésus, qui se fixe, dans une cohérence précise, par son attrait à la fois envers les pécheurs et envers les prêtres, Thérèse va la montrer de façon très concrète. On pourrait dire qu'elle aura quatre hommes dans sa vie : deux réprouvés, deux missionnaires. Les deux missionnaires n'entreront dans son existence qu'à la fin de sa vie : l'abbé Bellière en octobre 1895 et le père Roulland en mai 1896; et encore auront-ils été choisis pour être ses frères spirituels non par elle-même mais par mère Marie de Gonzague. Les deux réprouvés, eux, seront directement choisis par Thérèse. Le premier, nous le connaissons, c'est Pranzini. Le second, nous le verrons, sera Loyson.

Il a été décidé que Thérèse fera sa profession le 8 septembre 1890.

Que se passe-t-il la veille de la profession, le dimanche 7 septembre? Dans son autobiographie, Thérèse relate que si la retraite avait été d'une « grande aridité », il reste que, pendant neuf jours, Jésus l'avait nourrie « à chaque instant » et lui avait montré « clairement, sans que je m'en aperçoive, le moyen de lui plaire ». Mais le dernier jour fut tout autre : « Il s'éleva dans mon âme une tempête comme jamais je n'en avais vue... Pas un seul doute sur ma vocation ne m'était encore venu à la pensée, il fallait que je connaisse cette épreuve. Le soir, en faisant mon chemin de la Croix après matines, ma vocation m'apparut comme un *rêve*, une chimère... je trouvais la vie du Carmel bien belle, mais le démon m'inspirait l'*assurance* qu'elle n'était pas faite pour moi, que je tromperais les supérieures en avançant dans une voie où je n'étais pas appelée... Mes ténèbres étaient si grandes que je ne voyais ni ne comprenais qu'une chose : Je n'avais pas la *vocation!*... Ah! comment dépeindre l'angoisse de mon âme?... Il me semblait (chose absurde qui montre que cette tentation était du démon) que si je disais mes craintes à ma maîtresse elle allait m'empêcher de prononcer mes Saints Vœux; cependant je voulais faire la volonté du bon Dieu et retourner dans le monde plutôt que rester au Carmel en faisant la mienne; je fis donc sortir ma maîtresse et *remplie* de *confusion* je lui dis l'état de mon âme... Heureusement elle vit plus clair que moi et me rassura complètement; d'ailleurs l'acte d'humilité que j'avais fait venait de mettre en fuite le démon qui pensait peut-être que je n'allais pas oser avouer ma tentation. Aussitôt que j'eus fini de parler mes doutes s'en allèrent, cependant pour rendre plus complet mon acte d'humilité, je voulus encore confier mon étrange tentation à notre Mère qui se contenta de rire de moi. »

Il faut se représenter la scène : les sœurs de la communauté, comme il est d'usage la veille d'une profession, restent en prière dans le chœur de la chapelle jusqu'à minuit. Thérèse est là, en train de faire un chemin de croix, allant de station en station, quand le doute l'assaille, un doute qu'elle n'avait jamais connu jusque-là : sur sa vocation même. Elle fait signe à sa maîtresse des novices qui sort avec elle de la chapelle; même manège ensuite avec mère Marie de Gonzague; les deux religieuses, tour à tour, la rassurent. Le 8 septembre sera une fête sans ombre : Thérèse sera « *inondée* d'un fleuve de *paix* ».

LE REFUS DES SOUFFRANCES MORBIDES.

Souvent, Thérèse parle de la Sainte Face de Jésus. Non pas dans un sens doloriste, mais toujours dans le sens d'une amoureuse. La Sainte Face, c'est le « visage caché » de Jésus, comme elle dit.

Le visage « caché » de Jésus, il faut le comprendre dans un sens précis : beaucoup d'hommes ne le reconnaissent pas. Citant le *Cantique des Cantiques* : « Ouvre-moi ma sœur mon épouse car ma face est pleine de rosée et mes cheveux des gouttes de la nuit » elle ajoute « voilà ce que Jésus dit à l'âme quand il est abandonné et oublié!... Céline, *l'oubli* il me semble que c'est ce qui lui fait le plus de peine. » Pour elle, Jésus est trop souvent comme relégué aux oubliettes, perdu. Comme dans ce tabernacle délabré que Marie Guérin a découvert en été dans un village — et Thérèse réagit aussitôt en disant à sa cousine : « ... Ton cœur, voilà ce qu'il ambitionne au point que pour l'avoir pour Lui, il consent à loger sous un réduit sale et obscur!... Ah! comment ne pas aimer un ami qui se réduit à une si extrême indigence... » Et elle écrit à Céline : « Faisons dans notre cœur un petit tabernacle où Jésus puisse se réfugier, alors Il sera consolé et Il oubliera ce que nous ne pouvons oublier : l'ingratitude des âmes qui l'abandonnent dans un tabernacle désert! »

Elle veut se plonger « dans les BEAUTÉS CACHÉES de Jésus », et, dans sa retraite de profession, elle confie — précieuse précision — que ce qui l'a séduite dans le Christ, ce sont ses souffrances méconnues. C'est justement ce qui est caché qui l'attire : « La pauvre petite fiancée de Jésus sent qu'elle aime Jésus pour *Lui seul* et elle ne veut regarder le visage de son bien-aimé que pour y surprendre les larmes qui coulent des yeux qui l'ont ravie par leurs *charmes cachés!* » Et la veille de sa profession, citant Isaïe, elle dit qu'elle sera « demain » « l'épouse de Jésus », « l'épouse de Celui dont le Visage était caché et que personne n'a reconnu ». Elle veut voir « le Visage inconnu et aimé qui nous ravit par ses larmes ».

On se souvient que sa retraite a été un véritable tunnel : « Je ne comprends pas la retraite que je fais, je ne pense à rien, en un mot je suis dans un souterrain bien obscur! » Pourtant l'essentiel n'est pas cette nuit et ce souterrain mais Celui qui s'y trouve : « Je consentirai si c'est sa volonté à marcher toute ma vie dans la route obscure que je suis, pourvu qu'un jour j'arrive au terme de la montagne de l'Amour, mais je crois que ce ne sera pas ici-bas. » Et voici l'essentiel : « Jésus m'a prise par la main, et Il m'a fait entrer dans un souterrain où il ne fait ni froid ni chaud — où le soleil ne luit pas et que la pluie ni le vent ne visitent pas, un souterrain où je ne vois rien qu'une clarté à demi voilée, la clarté que répand autour d'eux les yeux baissés de la Face de mon Fiancé ! »

Dans un passage d'une lettre adressée à sœur Agnès, en mai 1890, Thérèse avait employé une comparaison qui allait dans le même sens ; faisant allusion à une prière symbolique dans laquelle la Face du Christ est comparée à un bouquet de fleurs, Thérèse avait repris le nom des fleurs qui dans cette prière, signifiait les yeux du Christ : les « belles de nuit » — on sait que ces fleurs ne s'ouvrent et ne s'épanouissent que le soir, après le coucher du soleil — Voici le passage en question : « Dites à Jésus de me regarder, que les " belles de nuit " pénètrent de leurs lumineux rayons le cœur du grain de sable. » Paradoxes étonnants : c'est la nuit que les yeux du Christ s'ouvrent et regardent ; c'est « baissés » que ces yeux donnent leur lumière et se font comprendre... Nous retrouvons cette manière de retourner les situations difficiles, d'en tirer un profit spirituel, de traduire en lecture de foi. Elle connaît un moment pénible en 1893 ? Voici la réaction aussitôt : « Le voile que Jésus a jeté sur cette journée la rend plus lumineuse encore à mes yeux, c'est le cachet de la Face adorable, le parfum du « bouquet mystérieux », qui est répandu sur vous. »

Et si Thérèse cite fréquemment un texte d'Isaïe au chap. 53, ce n'est pas pour s'attarder complaisamment à je ne sais quelles morbidités mais pour retenir, dans ce texte, la phrase « son visage était comme caché ». La Sainte Face, pour Thérèse, c'est l'insistance sur le visage de Jésus qui est aujourd'hui caché mais qui sera un jour reconnu. C'est à l'inverse d'une spiritualité de sang et de mort.

Thérèse s'est justement élevée, tout au long de sa vie, contre une telle spiritualité. On ne cessera pourtant de lui présenter un Dieu qui veut des victimes, un Jésus, Serviteur souffrant qui se trouve sous la colère de Dieu, une spiritualité de sacrifice qui est opposée, en son fond, à tout bonheur réel de l'homme. Quelques minutes avant sa mort, voici le dialogue qui s'engage entre mère Marie de Gonzague et Thérèse : « Ma Mère! n'est-ce pas encore l'agonie?... Ne vais-je pas mourir?... — Oui, ma pauvre petite, c'est l'agonie, mais le bon Dieu veut peut-être la prolonger de quelques heures. »

On lui présente, on nous présente, un Dieu qui voulait prolonger les souffrances d'une innocente enfant qui l'aimait intensément. Bien sûr, on comprend que le goût de l'échec et du malheur, goût qui est une pente naturelle de l'homme, ait conduit mère Agnès et ses porte-parole à exalter les souffrances et la mort d'une jeune fille de vingt-quatre ans. Et une certaine spiritualité y trouve aussitôt son compte. Mais Thérèse, elle, ne se plonge pas dans une agonie sans horizon, sans lumière pascale : au cœur le plus fort de sa nuit, elle dit que Dieu ne l'a jamais abandonnée et ne l'abandonnera jamais. Et elle récuse cette économie de marché selon laquelle le sang du Christ est échange et rançon entre Dieu et Satan. Le sang de cette jeune fille qui meurt à vingt-quatre ans, n'a jamais été exigé par Dieu; la phrase qui dit « ceux que les dieux aiment meurent jeunes » n'est pas une phrase chrétienne, mais païenne.

Il ne faut pas oublier que la carmélite Thérèse de Lisieux vit dans une époque précise et dans un courant précis : la spiritualité carmélitaine du xixe siècle. Au lieu de s'intéresser à l'essentiel de la vie et des écrits de la fondatrice Thérèse d'Avila, on insistait sur les aspects les plus secondaires et les plus contestables. C'est que cette deuxième moitié du xixe siècle recherche volontiers, dans son romantisme décadent, les phénomènes extraordinaires — le spiritisme naît à cette époque à Lyon. Et il y a, dans certains couvents, des aberrations, telles qu'on peut le voir dans la vie d'une prieure d'un Carmel, mère Élisabeth. Le biographe raconte:

« Elle eut une soif intense de confusions extérieures et de souffrances corporelles. Les pénitences excessives et inouïes qu'elle s'infligeait depuis très longtemps mais surtout depuis quelques mois ne lui suffisaient plus. Il fallait l'ignominie extérieure; il fallait à son ambition être foulée aux pieds et traitée avec mépris, rejetée à l'instar des bêtes de somme!

Mais comment arriver à cela? Le Saint-Esprit lui inspira de faire disparaître son titre de Supérieure pendant un temps limité qu'elle nomma des *séances*, pendant lesquelles séances, une de ses filles l'accablerait de reproches, même d'injures et de mauvais traitements, puis lui infligerait la discipline. » Elle continue pendant plusieurs années ces séances : « Il faut, disait-elle, détruire l'orgueil, ou bien je suis damnée pour l'éternité. » Elle écrit, le 17 mai 1868, montrant bien sa conception dualiste : « Séparation nette, distincte, des deux parties de mon être. Ce qui est moi, orgueil, néant, infamie, aussi bas que possible devant Dieu et sa créature. Ce qui est de Dieu en moi, immortel, dégagé, élevé, aussi uni à Dieu que possible (...). Deux fois aujourd'hui je me suis demandé si je n'allais pas mourir, tant était accentué le travail de séparation de mon âme avec mon corps. Notre-Seigneur m'a dit : « Je te veux dans la honte, dans la confusion, dans l'ignominie jusqu'à la mort. »

21 juin : « Parfum délicieux de la Sainte Hostie en communauté. Jésus-Christ me dit : " Goûte ma douceur et mon amour ". Je tombai saisie dans l'adoration la plus profonde. La saveur de la Sainte Hostie a été persévérante pendant plusieurs heures. » « Les tentations contre la foi minent ma vie spirituelle par son principe et mon âme se meurt! L'enfer est entrouvert sous mes pieds, *je le vois...* Suspendue audessus de cet abîme, j'entends les clameurs sataniques qui veulent m'y entraîner. »

Ses supérieurs sont convaincus de l'action du démon sur mère Élisabeth et le père Fessard, aumônier du monastère, l'exorcise plusieurs fois : « Dans l'après-midi, je vis le démon près de moi. Il me proposa *la paix si je me livrais à lui* par une donation sans *réserve...* Il me dit aussi que je m'étais privée de toute consolation et satisfaction et qu'il était prêt à me les donner. Cette vision fut intellectuelle... mais j'en suis plus certaine que de quoi que ce soit au monde... » « J'ai un calme froid et amer de mon état et de mon impuissance... par instants, surtout quand je sens les étreintes infernales, j'ai un frisson de peur qui me glace le sang dans les veines... Je suis fidèle aux pratiques de l'obéissance, mais c'est tout machinal... chaque acte m'apporte une recrudescence de souffrances! L'obsession tourne à la possession... et je suis Prieure!... et je suis seule : personne qui veuille me secourir, personne qui puisse me délivrer. »

L'aumônier pousse mère Élisabeth à poursuivre plus que jamais les *séances* et indique à deux religieuses comment les réaliser. Le biographe rapporte plusieurs de ces séances dont les récits ont été donnés par les deux religieuses elles-mêmes (appelées les « zélatrices »). Voici deux passages : « Elle me demanda de lui faire faire le chemin de croix au chœur à minuit, en lui donnant plus ou moins la discipline à chaque station et des soufflets en plus, une de ces deux fois. Elle s'était dépouillée du Saint habit : elle était donc en cotte, (en jupon) avec son voile de nuit; il me sembla bien qu'elle devait avoir des épines, sous son voile derrière la tête, au moins un petit faisceau; quoique j'y aie souvent pensé, j'ai respecté son secret. La deuxième fois, elle était dans le même costume, elle s'était en plus coiffée de son fameux grand bonnet d'âne. Elle fit le chemin de la croix à quatre pattes. Quand elle eut fini, je la conduisis par une corde, comme une bête de somme : sans doute elle attendait que je la ramenasse : ces deux séances provenant d'elle, je subissais plutôt son impulsion, quelque chose, ou pour mieux dire, je sentais la présence de N.S. me dominer : il me semblait satisfait, j'attendais immobile en haut du chœur, toujours la corde en main; lorsque la mère Élisabeth me dit d'un ton fort ému, presque effrayé : " Sortons, sortons d'ici " et à quatre pattes, elle marchait très vite. Qu'a-t-elle éprouvé? Jamais nous ne revenions sur le passé. » « La veille du 1er vendredi du mois, la dite sœur zélatrice devait entrer dans la cellule de la Mère Élisabeth qui lui léchait les pieds, non pas en partie : mais sur toutes leurs faces, et par une grâce spéciale, nous ajouterons que cette sœur remarque que celui de ses pieds ainsi léché, conserva longtemps une blancheur étonnante. La même sœur venait laver la langue de la mère Élisabeth, avec la lavette qui sert à laver la vaisselle; d'autres fois, elle lui apportait une jatte de fumier pour que l'humble mère y plongeât la figure. C'est ainsi qu'on pourrait lui appliquer cette parole des Saints livres : *Il a tiré l'humble de son fumier, pour le placer parmi les princes de son peuple*. La même sœur dit que dans les seances où elle humiliait la mère Élisabeth et où elle la flagellait, la mère s'anéantissait merveilleusement : en ces moments, son air imposant, sa dignité que rehaussait sa forte prestance semblaient disparaître; la femme supérieure, éclairée, capable en tout et née, en quelque sorte, pour le commandement, était anéantie. Il ne restait plus qu'une âme avide de suivre J.-C. réduit à l'état de ver de terre, et c'est pourquoi ses zélatrices ont été poussées alors à la fouler aux pieds comme un insecte, à couvrir son visage de crachats, comme un baptême d'amour, à la meurtrir de soufflets, soufflets d'honneur, car c'était pour elle comme un nouveau voile de Véronique. Couverte de haillons elle s'est fait flageller par cette sœur zélatrice, qui ne la ménageait pas davantage dans les humiliations morales. Cette sœur la massait avec des instrumentt de pénitence, puis elle lui écrivait chaque jour un billet où elle lui ordonnait une pénitence, accompagnant ce billet de quelques paroles méprisantes. »

On aperçoit à quel degré d'égarement une certaine spiritualité peut conduire. Or ce n'était pas si rare : de telles pratiques étaient en honneur à l'époque : « Cette Prieure hors ligne, que tant de Carmels nous enviaient » disent ses religieuses pour qui des mortifications de ce genre étaient signes de sainteté — elle est d'ailleurs réélue prieure en octobre 1869.

Pour Thérèse, de telles pratiques sont condamnables. La vie spirituelle, c'est un combat, c'est chercher, de toutes ses forces à reconnaître Jésus là où il se cache, par amour. Et non pas se dissoudre dans des souffrances morbides où l'on ne cherche, où l'on ne trouve que soi-même, où l'on s'attarde à la partie la plus trouble de soi-même.

QUESTIONS SUR LE MARIAGE.

Le 1er octobre, huit jours après la prise de voile de Thérèse, a lieu le mariage de sa cousine, Jeanne Guérin, avec un médecin, le docteur Francis La Néele. Thérèse s'amuse à composer, pour elle-même, une lettre d'invitation semblable au faire-part de mariage : « Lettre α invitation aux Noces de sœur Thérèse de l'Enfant-Jésus et de la Sainte Face. » Les jeunes mariés étaient venus la voir au parloir du Carmel et n'avaient pas caché, devant elle, leur affection et leur tendresse. Thérèse en retient l'attitude de Jeanne : « Son exemple m'instruisit sur les délicatesses qu'une épouse doit prodiguer à son Époux, écrit-elle dans son autobiographie; j'écoutais avidement tout ce que je pouvais en apprendre, car je ne voulais pas faire moins pour mon Jésus bien-aimé que Jeanne pour Francis. »

Céline est attirée par le mariage. A dix-neuf ans, elle a reçu une demande en mariage; le garçon est d'une très grande famille; Céline finit par le repousser, après beaucoup d'hésitations. Un peu plus tard, le 15 juin 1888, elle avoue à son père le désir de suivre ses sœurs; M. Martin transmet aussitôt la confidence à ses trois filles carmélites.

Thérèse en est infiniment heureuse et l'écrit à Céline. Mais celle-ci est reprise du désir de se marier. Elle a vingt ans le 28 avril 1889. Vive, pleine d'imagination, agréable et séduisante, elle exerce autour d'elle un attrait qui ne laisse pas insensible : « Elle fut pendant plus de deux ans, livrée à de furieuses tentations qui tenaillaient notamment l'imagination, l'esprit, et ne lui laissaient nul répit. Il lui arrivait de s'asseoir sur la commode de sa chambre et de saisir à bras-le-corps la statue de la Vierge qui avait souri à Thérèse. » Elle est à ce point tourmentée qu'elle éprouve des palpitations cardiaques et va consulter le docteur Notta. Le vœu de chasteté qu'elle a prononcé le 8 décembre 1888 — et qu'elle renouvellera chaque année — ne l'apaise pas, au contraire. Thérèse la pousse constamment à s'éloigner du mariage.

Le 20 avril 1892, Céline est invitée à une soirée de mariage. Thérèse s'alarme. Or, à cette soirée Céline est « littéralement emportée par un jeune cavalier », mais, surprise, impossible de commencer la moindre danse, de trouver la cadence; le jeune homme s'esquive, honteux. Thérèse voit là une réponse de Dieu à ses prières. On peut, certes, se poser des questions devant cet exclusivisme intempestif et cette mainmise de Thérèse sur sa sœur. Il est certain que Thérèse connaît peu et mal ce qu'est le mariage — on le voit encore à son avidité à recueillir sur cet état le témoignage de sa cousine Jeanne. — Mais le mariage, à cette époque, n'était guère présenté aux jeunes filles comme une réalité attrayante : on trouve par exemple dans le traité de vie conjugale qui était alors hautement recommandé par toutes les autorités pour son élévation morale, *la Vie à deux* du Dr Surbled (1896) : « Le mariage est un état de renoncement et de sacrifice, dit le docteur aux jeunes filles. Vous sortez des bras de votre mère, mais c'est pour tomber dans ceux de votre époux. Vous échappez à la tutelle des parents, mais c'est pour vous mettre sous la protection et dans la dépendance du mari. »

En 1891, paraît un livre qui connaît un grand succès *Du mariage au divorce* par l'abbé Bolo. Il s'agit d'une sorte de manuel pour fiancés, destiné à leur éviter, justement, d'aboutir au divorce. Le premier chapitre présente, à la fiancée, *le Futur* — entendez, le fiancé; c'est une suite d'avertissements « Au fond de lui vivent, comme des bêtes fauves, des passions irréductibles. Réveillez-les d'un signe ou d'un mot, vous les entendez gronder; irritez-les, vous verrez ce que deviendront les convenances. » Seul celui qui est chrétien réussit à dépasser un peu ses passions : « S'il est sans foi, repoussez-le comme on repousse un fléau », c'est alors un « sauvage qui écrase la femme trop faible pour se défendre ». Deuxième chapitre, *la Future*. Sans la foi, on ne peut guère la comprendre, « saisir à leur dose précise les divers éléments combinés dans cet être changeant et subtil, dans cette âme onduleuse et fugace (...), dans ce regard où l'on se demande parfois si c'est une âme ou une passion qui luit, un archange qui passe ou satan qui tisonne ». « La femme, par son état plus voisin de la nature, retourne plus facilement aux vices primitifs. » Un chapitre parle ensuite de la « vocation » au mariage, puis du mariage lui-même : « La beauté de la chair n'est qu'un appât, dont le charme s'évanouit dès qu'elle est possédée. »

On voit combien le livre fait peu d'estime de la condition terrestre — sans le sacrement, le mariage ne peut être qu'une « infamie : honteux échange, hideuse mixture de corruption et de néant. »

Y a-t-il, chez Thérèse, un certain mépris du mariage ? Aucunement : « *Les fleurs du chemin*, ce sont les *plaisirs purs* de la vie, il n'y a aucun mal à en jouir », et elle est très explicite : « Les fleurs qui croissent au bord du chemin », « nous les regardons, nous les aimons », « elles nous parlent de Jésus, de sa puissance, de son amour », « *Les fleurs du chemin* conduisent au Bien-Aimé. » Mais Thérèse, à l'appel de Jésus, n'a pas choisi cette voie-là, cette voie indirecte qui conduit au Bien-Aimé : elle a choisi la voie directe : non pas « le miroir qui reflète le Soleil » mais « le Soleil lui-même ».

On ne peut pas parler de cette insistance de Thérèse sur la virginité sans montrer que la virginité n'est pas prônée pour elle-même mais comme état d'épousailles de Jésus. Thérèse est une femme amoureuse passionnée, pour qui ne compte que le Bien-Aimé seul. On a pu se rendre compte du ton ardent qu'elle emploie pour parler de Jésus ; or cet amour n'est pas une effusion sentimentale : il se prouve par des actes qu'elle pose, par la manière de vivre l'amour auquel l'invite Celui qu'elle aime : une passion contenue, souterraine, voilée. Si l'amour courtois invitait le chevalier à rendre un hommage purement platonique à la dame de ses pensées, nous avons ici, à l'inverse, une femme ardemment amoureuse qui accepte d'attendre le Bien-Aimé, de se mettre longuement à sa recherche dans la nuit. Quand elle célèbre ses noces avec lui, le 24 septembre 1890, elle invite ses parents et ses amis, dans son faire-part de « mariage », à « se rendre au Retour de Noces qui aura lieu demain, Jour de l'Éternité » et elle ajoute : « L'heure étant encore incertaine, vous êtes invités à vous tenir prêts et à veiller. » Ce sont des noces réelles, mais des noces qui seront consommées en différé. Il faut être follement amoureuse pour accepter le mariage dans de telles conditions.

C'est dans ce contexte qu'il faut parler de Loyson, qui a occupé dans la vie de Thérèse une place comparable à celle de Pranzini. Le père Hyacinthe Loyson, né en 1827, entre au séminaire Saint-Sulpice au moment où Renan le quitte, est ordonné prêtre en 1851. Attiré par la vie religieuse, il devient novice chez les Carmes en 1859; il fait ses vœux le 22 avril 1860. Ses talents oratoires se découvrent pour la première fois à Lyon en avril 1862. En 1863, il prêche le Carême à la cathédrale de Bordeaux en prenant pour sujet *le mariage chrétien*. En 1864, il prêche à l'église de la Madeleine. Mgr Darboy, archevêque de Paris, l'invite alors à devenir prédicateur de Notre-Dame pour l'Avent. Dès cette époque, il parle en libéral, admettant les principes de la Révolution française et se fait dénoncer et attaquer. Le *Syllabus* le heurte profondément.

Il choisit comme sujet de ses conférences de Notre-Dame : *Dieu personnel et vivant*, estimant que cette question était « le nœud religieux du XIXe siècle ». Quatre mille hommes assistent à sa première conférence, le 3 décembre 1864. Pour les Avents de 1865, 1866, 1867, il fait ses conférences sur *La morale indépendante*, *La famille*, *La Société civile dans son rapport avec le christianisme*. Choisi par les Carmes en 1867 comme supérieur de la maison de Paris, les doutes sur la foi qu'il avait connus depuis son adolescence se manifestent de plus en plus à son esprit. Ses conférences de l'Avent 1866 et celles de 1867 ont un succès énorme. En 1868, il prêche le Carême en l'église Saint-Louis des Français à Rome. Le pape le reçoit et le félicite. Mais le père Hyacinthe est intérieurement très tourmenté; il écrit dans son journal le 9 mai 1868 : « Je me pose cette question : ne pourrait-il pas arriver un moment où, telles circonstances intérieures et extérieures étant données, je pourrais légitimement, peut-être même je devrais, sortir des limites visibles de l'Église catholique, telle que le Moyen Age l'a faite, et attendre, dans une communion libre, la réorganisation de la cité de Dieu, la réédification de l'Église catholique de l'avenir? » Et le 27 mars : « Il faut préparer dans l'étroitesse de l'Église présente, et sous les aspérités de la lettre, la largeur et la hauteur, les sublimes dimensions de l'Église future. Aux protestants comme aux catholiques, prêcher Jésus-Christ, comme saint Paul, et non le pape, comme les ultramontains d'aujourd'hui. »

Au nombre de ses auditeurs à Rome se trouve une américaine de trente-cinq ans, Mme Emilie Meriman, qui a perdu son mari en octobre précédent. Elle est protestante; très émue par les conférences du père Hyacinthe, elle lui confie ses « crises d'âme »; il l'invite à faire une retraite à Paris au couvent de l'Assomption, l'instruit et la reçoit dans l'Église catholique le 14 juillet. Elle retourne aux États-Unis après avoir longuement parlé avec le père Hyacinthe qui note dans son journal, le 29 juillet : « Nous avons conclu devant Dieu notre alliance mystique pour la vie : le signe en a été cet anneau sacré, qui porte la croix et le nom de Jésus. Elle me disait que notre amitié est le commencement du Millenium — commencement encore lointain, mais réel, et annonçant la disparition des affections impures en cette heureuse époque. Depuis hier soir, après ma visite qui lui a fait tant de bien (son meilleur jour ici), elle se sent comme vierge. »

Envoyé à Londres par son Ordre, il rencontre Newman. Il attend peu du Concile du Vatican qui vient d'être annoncé. Il écrit le 23 septembre 1868 en parlant de l'Ordre des Carmes : « On ne réforme pas les ordres religieux dans leur décadence. Que l'on ne m'objecte pas certaines réformes. Les réformateurs sortaient de l'ordre pour fonder à côté un autre ordre ou tout au moins une autre observance. Ils en sortaient incomplètement comme les carmes de la province de Touraine, ou complètement comme sainte Thérèse. Les premiers carmes et carmélites sont regardés comme des apostats et persécutés par leur ordre. C'est donc une loi. Je ne pense pas qu'on puisse réformer l'Église romaine en demeurant dans son sein. »

Il convertit une sociétaire de la Comédie-Française, amie de George Sand; celle-ci en est furieuse et écrit à son amie en regrettant qu'elle s'affilie à une Église qui présente un « Dieu qui se venge, qui se complaît dans le mal, qui prescrit l'abrutissement, l'avilissement ». Échange de lettres, ensuite, entre le père Hyacinthe et George Sand; celle-ci lui envoie ce mot, le 6 octobre 1868 : « Vous croyez en Dieu qui ne pardonne pas : vous êtes cruel (...) vous n'êtes que fanatique. »

Immense auditoire pour l'Avent de 1868. Mais un passage sur le pharisaïsme déchaîne les attaques des ultramontains qui se sentent visés : « Le pharisaïsme, sous son aspect profond, est donc l'aveuglement religieux, l'aveuglement des prêtres dépositaires de la lettre et croyant la garder d'autant mieux qu'ils l'expliquent moins; aveuglement dans le dogme, prédominance de la formule sur la vérité; aveuglement dans la morale, prédominance de l'œuvre extérieure sur la justice intérieure; aveuglement dans le culte, prédominance du rite extérieur sur le sentiment religieux. »

En juin 1869 se tient à Paris le congrès de la *Ligue internationale et permanente de la Paix* où le père Hyacinthe prend la parole et présente comme un fait historique l'action du catholicisme, du protestantisme et du judaïsme. Les ultramontains crient au scandale. Et Louis Veuillot déclare dans *l'Univers* du 26 juin : « On a plus tôt fait de rétablir un pont, de relever une maison, de replanter un verger, que d'abattre un lupanar. Quant aux hommes, cela repousse tout seul, et la guerre tue moins d'hommes que la paix. Dans le *Syllabus*, il n'y a point d'article positif contre la guerre. C'est surtout la paix qui fait la guerre à Dieu. » Les carmes, fervents ultramontains, attaquent le père Hyacinthe et celui-ci reçoit du général de son ordre la sommation de se rétracter. On songe « pour le tirer de ses difficultés avec le Carmel, à l'en faire sortir par la porte de l'Épiscopat ». Montalembert veut présenter la candidature de Loyson à l'Académie française. Le 20 septembre 1869, par une lettre publique, le père Hyacinthe annonce qu'il quitte son ordre. « Pourquoi donc faut-il que j'aie été condamné à assister deux fois dans ma trop longue vie, et de si près, à des catastrophes comme celle de Lamennais et la vôtre? » lui écrit Montalembert.

La lettre du père Hyacinthe fait en France une « explosion terrifiante ». On parle d'un nouveau Luther. Le 18 octobre, le Carmel le déclare sous le coup de l'excommunication majeure. Montalembert meurt le 13 mars 1870. Le 31 juillet paraît dans le journal *les Débats*, la protestation du père Hyacinthe « contre le prétendu dogme de l'infaillibilité du pape », dogme qui venait d'être défini au Concile. Il se marie à quarante-cinq ans, le 3 septembre 1872 en Angleterre, avec Mme Meriman, et ce mariage est jugé scandaleux par beaucoup de ses contemporains, même sceptiques ou incroyants. Il s'associe aux Vieux-Catholiques et va s'efforcer de faire exister une Église catholique non romaine. En 1873, lui naît un fils; il fait une tournée de conférences en Suisse, en Hollande, en Belgique, il établit un culte libre à Genève. Grand idéaliste, âme très religieuse, il était arrivé à Genève en disant : « La victoire sera à celui qui aura le moins de haine et le plus d'amour. » C'est un homme qui souffre, qui est écartelé. Après une rencontre avec Gambetta, il écrit : « La voilà donc cette terrible situation! D'un côté Rome, de l'autre la libre pensée (...) les deux forces aux deux extrémités. Entre elles, on est plus ou moins effacé, ou foulé, quelquefois même broyé. » Il est la cible et des catholiques et des libres penseurs. Il revient à Paris pour fonder une *Église catholique gallicane;* les points principaux de son programme : rejet de l'infaillibilité du pape; élection des évêques par le clergé et le peuple chrétien; célébration eucharistique dans la langue nationale; liberté du mariage des prêtres; entière gratuité du culte. Il fait des tournées en province : chaque fois, ce sont des triomphes et en même temps des manifestations de protestation.

Loyson dira, en 1902, qu'il se trouve « dans la dernière phase » de sa vie et que cette phase date de 1890. Le 9 avril 1893, Loyson a cessé son activité cultuelle. *Le Figaro* du 24 juin 1893 publie le *Testament* de Loyson : il ne prend pas sa retraite mais prépare la « religion nouvelle » : « L'Église, disait-il, pouvait sauver la France et le monde, parce qu'elle a l'Évangile, et par conséquent les promesses de la vie présente en même temps que celles de la vie à venir. Au lieu de cela qu'a-t-elle fait? Elle n'a cessé de rêver du pouvoir temporel et des réactions cléricales, y compris celle qu'elle dissimule assez maladroitement, à cette heure, sous le masque de la république catholique et du socialisme chrétien. Elle a étouffé dans les âmes l'adoration en esprit et en vérité que lui a léguée son divin fondateur, comme l'essence même de sa religion, et elle s'est ingéniée à substituer des pratiques puériles, des légendes grotesques, des pèlerinages d'autant plus populaires, hélas! qu'ils sont plus païens.

Sauvez Rome et la France,
Au nom du Sacré-Cœur!

« On n'a rien sauvé de la sorte, on a achevé de tout perdre, en développant dans des proportions véritablement inouïes les deux fléaux qui s'engendrent l'un l'autre et qui nous dévorent : le fanatisme et l'irréligion. » Le 2 décembre 1893, il écrit dans son journal : « C'est du reste, si je ne me trompe, du sein du catholicisme romain que surgira, pour une bonne part, la prochaine rénovation religieuse. » Le 7 mai 1895 : « Le plus sage est de demeurer dans l'isolement religieux, ou, pour mieux dire, *ecclésiastique*, en attendant que Dieu suscite par des hommes et par des événements encore à venir et que nous nous sentons impuissants à devancer, l'Église nouvelle, la grande communion religieuse dans laquelle nous nous sentons le besoin de vivre. »

Son fils Paul se marie en 1896; il ne parle plus de Dieu et c'est pour son père un grand déchirement; Loyson écrira en 1909 : « Mon pauvre cher fils est dans le camp des impies (...). Il ne pense pas et ne parle pas du Dieu vivant comme il faudrait le faire. Il connaît très mal le christianisme et n'aime pas l'Église. Moi, j'aime l'Église, même en la combattant, et je la combats parce que je l'aime. »

Le 28 juin 1896, au retour d'un voyage à Jérusalem il publie un *Codicille à mon testament* : « Personnellement, je demeure chrétien. Je pense que le christianisme vaut infiniment mieux que son état actuel et que son histoire passée. » Le 16 avril 1897, une tentative a lieu, à Rome, pour réconcilier Loyson en le faisant passer dans un rite oriental uni à Rome; les conversations échouent et Loyson quitte Rome le 10 mai. Il s'achemine vers la mort.

« Depuis quarante ans qu'il avait quitté son ordre, dit son biographe, les carmes et les carmélites n'avaient cessé de demander son retour à Dieu. Il n'y eut peut-être jamais d'apostat pour la conversion duquel on ait fait autant de prières, de jeûnes et de macérations »; Houtin parle de sœur Thérèse de l'Enfant-Jésus en disant qu'après sa mort, le Carmel avait envoyé à Loyson son autobiographie et que celui-ci la lut et la trouva « folle et touchante ». Il meurt le 9 février 1912. Sa dernière parole : « Mon doux Jésus. » Chaque année, le 16 juillet, il célébrait la fête de Notre-Dame du Mont-Carmel.

Il est prêtre et il est considéré comme pécheur public; c'est à ce double titre que Thérèse est attirée par Loyson. Il est pour elle une sorte de prototype de tous les prêtres qui refusent l'Église. Comme Pranzini avant sa mort était le prototype des hommes qui à la fois ont commis un meurtre d'homme et proclament la mort de Dieu.

Loyson, prototype donc du pécheur — et prêtre pécheur —, Loyson tiendra dans sa vie une très grande place — au point que la dernière communion de Thérèse le 19 août 1897 sera offerte pour lui. Et pourtant elle ne parle pas de lui dans son autobiographie. Aucune mention non plus dans les *Derniers Entretiens*. De même, nous voyons que dans les deux lettres où elle parle de lui à Céline, Thérèse ne le nomme pas. C'est que Loyson faisait tellement horreur aux carmélites que son nom même n'était pas prononcé et qu'il fallait garder le silence sur son cas. Thérèse ici, obtient des renseignements à tout prix, comme jadis elle avait voulu lire le journal *la Croix* pour connaître les réactions de Pranzini.

Démarche peu commune car les prêtres défroqués sont alors l'objet de la désapprobation quasi générale. Un Barbey d'Aurevilly avait publié en 1865, un roman qui avait fait beaucoup parler, *Un prêtre marié*. Son héros, Sombreval, est un prêtre qui s'est marié mais qui a perdu sa femme; il reste veuf avec une fille, Calixte, qui a une santé très délicate; dans le village où il habite, on le traite comme un excommunié et un maudit. Sombreval supporte tout pour sa fille. Celle-ci est un jour insultée et il tue l'insulteur. Alors qu'il est devenu athée, il feint pourtant le repentir et veut reprendre la soutane, espérant, grâce à ce sacrifice, sauver la vie de Calixte. Mais ce sacrilège est inutile : Calixte meurt et Sombreval se suicide. Tels sont les châtiments du prêtre marié : sa femme, sa fille mortes; tel est le destin du prêtre marié; il ne peut que se jeter enfin dans le suicide.

Ce que Barbey d'Aurevilly veut aussi montrer, c'est le caractère monstrueux du prêtre qui se marie : ce n'est pas seulement quelqu'un qui a commis une grande faute, mais quelqu'un qui a voulu consacrer sa faute par une loi. Un prêtre tombé, pécheur, concubinaire, peut se relever en s'appuyant sur la loi qu'il a méconnue; mais un prêtre marié a corrompu la notion même de la loi en s'appuyant sur une loi, celle du mariage, pour s'établir dans son péché comme dans une forteresse; ce ne sont pas les fautes de la chair, mais celles de l'esprit qui sont les vraies fautes, celles pour lesquelles le repentir lui-même est impossible, celles pour lesquelles la vengeance divine est impitoyable, dit le romancier.

6. *Famille de sang et famille spirituelle*

En octobre 1891, en faisant sa retraite d'année, Thérèse va réaliser un nouveau pas. Elle veut aimer et elle se sent terriblement à l'étroit dans les sentiers balisés qu'on lui propose ou qu'on suit autour d'elle. « Aimons Jésus à l'infini » écrit-elle à Céline. Mais surtout cette phrase vivante, réactive : « Hélas ! il n'est rien de si facile à ternir que le lys... eh ! bien, moi, je dis que si Jésus dit de Madeleine que " celui-là aime plus à qui on a remis davantage ", on peut le dire avec encore plus de raison lorsque Jésus a remis d'avance les péchés. » Les idées courantes donnaient le schéma suivant : on tombe dans la faute ; Jésus vous relève ; on retombe de nouveau, etc. Ce cercle infernal qui va du péché au péché en passant par l'entre-deux du pardon, Thérèse le brise. Déjà, elle avait montré que Dieu n'a pas besoin de faire traîner longuement un cœur dans ses efforts pour le transformer, mais qu'il lui suffit d'un « instant » : « Il me semble que le bon Dieu n'a pas besoin d'années pour faire son œuvre d'amour dans une âme, un rayon de son cœur peut en un instant faire épanouir sa fleur pour l'éternité » — et elle s'inscrivait là en faux contre les misérables volontarismes du rigorisme.

Mais ici elle va bien plus loin ; elle n'hésite pas, elle retourne la situation. D'habitude, le travail spirituel consistait à tout faire pour que ne soit pas ternie la robe blanche du baptême ; de là une attitude négative de « qui-vive », craintif comme un piètre soldat qui tremble en montant sa garde la nuit. Et la sainteté était vue comme l'estampille glorieuse d'avoir réussi à se préserver de la faute. Thérèse entre mal dans cette voie. Parce que ses désirs d'infini répugnent à cette comptabilisation médiocre ; elle est faite pour voler, non pour se traîner ainsi cahin-caha. Et, de toute façon, quelque chose l'inquiète : elle lit dans l'évangile que « celui-là aime plus à qui on a remis davantage »; ce qui la contrarie profondément car on lui a dit qu'elle n'a pas commis de péché mortel; or son but à elle c'est d'aimer le plus possible. Alors, en un raisonnement très logique, elle se dit que si elle aime beaucoup et veut aimer beaucoup, c'est que Jésus lui a remis ses péchés *à l'avance*, qu'elle est une pécheresse à qui il a beaucoup remis *à l'avance*.

Ainsi Thérèse ne s'appuie-t-elle pas sur son état de pureté mais sur son état de péché. Elle n'est pas une pure parmi les pécheurs, de celles — les religieuses de Port-Royal — dont parlait Sainte-Beuve : « Pures comme des anges, orgueilleuses comme des démons. » Elle est déjà — ce qu'elle exprimera longuement plus tard — « à la table des pécheurs ».

Ce renversement qu'opère Thérèse est comparable, sur le plan humain, à celui que montre Nietzsche dans les mêmes années quand il disait : « Celui qui se méprise s'honore du moins comme contempteur. » La voie de la non-souillure et du sentiment d'humilité est une voie bouchée : s'affirmer pur, se savoir humble, c'est ne plus l'être. L'innocence de l'enfant n'est pas pureté absolue mais inconscience. Thérèse possède une sagesse, un bon sens humain remarquables : cette petite normande de moins de vingt ans déjoue les pièges du purisme; elle rompt avec les voies habituelles que suivent l'homme et l'humanité : le regret du paradis perdu, de la pureté perdue. Combien de philosophes ont-ils été guidés — consciemment ou inconsciemment — par cette hantise de la pureté inaccessible à découvrir. Combien ont pensé qu'elle était là, ou là encore, cette pureté perdue, qu'elle était salie ou masquée et qu'il suffisait d'appliquer tel ou tel précepte pour la retrouver. Combien, depuis Platon jusqu'à Simone Weil ont-ils vu le corps comme un tombeau dont il faut s'échapper, et la philosophie comme l'ascèse pour se détacher de l'impur. Toujours cette quête de l'élément premier, de l'élément pur et simple, substantiel, qui serait dissimulé en nous, cette quête de ce quelque chose en nous, ultime point vierge inviolé qu'il s'agirait de dénicher à travers un ensemble corrompu. Le purisme, c'est une nostalgie et, en fin de compte, un refus de la condition humaine.

Il faut insister sur la « santé » de Thérèse. C'est une passionnée, oui. Mais justement, pour elle, il ne s'agit pas de détruire l'impur pour accéder à la pureté : cette violence que l'on se fait à soi-même et que l'on applique à autrui n'apporte rien, elle détruit; c'est une force qui n'est que faiblesse. Thérèse ne veut pas être de ces maniaques de la propreté, de l'astiquage continuel : car il y a des professionnelles de la pureté obsessionnelle comme il y a des professionnelles de l'amour vénal — et les unes et les autres se rejoignent peut-être.

Pour Thérèse, l'être humain n'est pas comme disait Lamartine, souvent cité par son père « un dieu tombé qui se souvient des cieux », un être pur accidentellement perdu dans l'histoire. Mais un être dans le temps, ce temps qui est le lieu de son accomplissement. On ne peut qu'admirer chez Thérèse son sens du temps, sa patience et son humilité, vertus de l'attente. Et admirer l'équilibre qui est le sien : la tension entre ses désirs infinis qui la brûlent et sa lucidité réaliste devant ses limites. Thérèse va recevoir confirmation de ses idées par le prédicateur de la retraite, à qui elle va se confesser et qui la lance « à pleines voiles sur les flots de la confiance et de l'amour ». Elle saisit alors que « Dieu est plus tendre qu'une mère ».

Elle raconte alors, dans la joie où elle en est, combien le père prédicateur est merveilleux qui lui a ainsi ouvert l'horizon et le large. Mère Marie de Gonzague l'apprend et, au mépris du droit le plus élémentaire, lui interdit de revoir le prédicateur.

Thérèse obéit en silence. Cela n'empêche pas les remous d'exister à l'intérieur! Mais bien peu de religieuses du Carmel de Lisieux se rendent compte de ce qui se passe. Il y a un immense décalage entre ce qui se vit à l'intérieur — cette « histoire des âmes » dont parle Thérèse — et ce qui paraît à l'extérieur. Thérèse, de toute façon, sait qu'il n'est pas possible de pouvoir s'exprimer en clair à toute la communauté : l'ensemble des sœurs ne comprendraient pas; la plupart seraient effrayées à la fois de l'extrême désert de Thérèse et de son extrême audace. Il faut donc se la représenter comme une jeune carmélite, la benjamine — et de loin —

de la communauté, qui a mené sa vie religieuse sans donner aucun signe extérieur de ce qui se passait en elle. Mais si les autres se trompaient sur son compte par médiocrité ou manque de discernement, elle, silencieusement, les dépassait toutes par une sorte d'acuité dans le regard et par le fait qu'elle était prête à tout : « Les *illusions*, le bon Dieu m'a fait la grâce de *n'en avoir* AUCUNE en entrant au Carmel; j'ai trouvé la vie religieuse *telle* que je me l'étais figurée. » Thérèse est devenue une adulte réaliste : « Les ailes ayant poussé au plus jeune des oiseaux, il s'est envolé loin du doux nid de son enfance, alors toutes les illusions se sont évanouies! L'été avait succédé au printemps, aux rêves de la jeunesse la réalité de la vie. »

Par ailleurs elle a une sorte de certitude secrète que sa voie est la bonne, ou au moins qu'elle est excellente. Là-dessus, elle n'a aucun scrupule et ne doute de rien, avec cette sorte d'impudence tranquille comme seuls des jeunes peuvent manifester — un Rimbaud dans son registre — « Jésus nous a attirées ensemble, écrit-elle à Céline, quoique par des voies différentes, ensemble il nous a élevées au-dessus de toutes les choses fragiles de *ce monde dont la figure passe*. Il a mis, pour ainsi dire, *toutes choses* sous nos pieds. Comme Zachée nous *sommes montées sur un arbre pour voir Jésus*... Alors nous pouvions dire avec saint Jean de la Croix : "Tout *est à moi, tout est pour moi; la terre est à moi, les Cieux à moi, Dieu est à moi et la Mère de mon Dieu est à moi* ". »

Thérèse est donc plus que jamais certaine de sa voie. Sa retraite d'octobre 1892 la confirme dans sa certitude; c'est juste après cette retraite qu'elle écrit à Céline les lignes jubilantes et triomphales où elle se référait à la prière, elle-même si joyeuse, de Jean de la Croix. La fin de sa lettre reprend le même thème : le paradoxe de la victoire et de la pauvreté : « Céline, quel mystère que notre grandeur en Jésus! Voilà tout ce que Jésus nous a montré en nous faisant monter à l'arbre symbolique dont je te parlais tout à l'heure! Et maintenant, quelle science va-t-il nous enseigner? Ne nous a-t-il pas tout appris? Écoutons ce qu'il nous dit : " *Hâtez-vous de descendre, il faut que je loge aujourd'hui chez vous* ". »

Le 2 janvier 1893, Thérèse a vingt ans. Le 30 décembre, elle avait écrit à son oncle et sa tante une lettre de souhaits de bonne année où elle rappelait des anecdotes d'enfance, ajoutant : « Vous voyez, mon cher Oncle et ma chère Tante, que le poids des années n'enlève pas encore la mémoire à votre petite fille, au contraire, elle est à un âge où les souvenirs de la jeunesse ont un charme particulier. » Et elle signe « Votre VIEILLE nièce qui vous aime de tout son cœur. »

Thérèse a maintenant une solide maturité. Elle a plus d'humour que jamais, une vue pénétrante des réalités de la vie, humaine et religieuse. Depuis le 1er janvier 1891, elle a affronté la mort, s'est beaucoup nourrie de saint Jean de la Croix et de l'Évangile, a reçu l'aide inattendue qui l'a confirmée dans sa voie. 1891 est un très bon cru.

L'incident de la retraite d'octobre 1891 où mère Marie de Gonzague empêche Thérèse de retourner voir le père prédicateur montre assez les abus d'autorité dont la prieure était coutumière. L'année 1892 est une année où, normalement, aurait dû avoir lieu l'élection de la nouvelle prieure. Mère Marie de Gonzague ayant été élue en 1886 et en 1889 ne pouvait plus être réélue. Or mère Marie de Gonzague va réussir, fin 1891, à avoir une prolongation d'une année — pour des raisons obscures. L'année 1892 est donc une année de tension dans la communauté, une année préélectorale : de toute façon, il faudra que, début 1893, mère Marie de Gonzague laisse la place. A moins qu'elle n'obtienne une nouvelle dérogation. Mais c'est peu probable. Thérèse sait donc bien que mère Marie de Gonzague devra bientôt se démettre et elle attend ce changement. Elle ne peut pas ne pas souhaiter en son cœur une nouvelle prieure. On se souvient des méthodes barbares employées par mère Marie de Gonzague à son égard : cette sorte d'indifférence, cette manière de rebuter qui avaient été si pénibles à Thérèse dans les premières années — au témoignage de la prieure elle-même. Là encore, Thérèse n'avait pas bronché : « Par la suite [donc à partir de cette année 1892] elle s'était absolument rendue maîtresse de ses impressions, dont elle faisait joyeusement une occasion de sacrifice. Au reste, même dans les premières années, la peine qu'elle ressentait ne l'a jamais détournée en quoi que ce soit de l'obéissance parfaite. » Aussi ne faut-il prendre qu'avec modération les sentiments qu'elle exprime envers sa prieure et ne pas dire qu'il est manifeste « qu'elle a beaucoup aimé mère Marie de Gonzague ». Et le père Philipon qui s'est attaché à défendre la prieure a bien été obligé d'écrire : « La vive sensibilité de Thérèse a souffert, sinon directement, au moins par répercussion, de la versatilité jalouse de mère Marie de Gonzague, des irrégularités et des coteries trop féminines provoquées par sa susceptibilité et son caractère fantasque. » Mais comment pourrait-on suivre le père Philipon quand il justifie la prieure en disant que ce n'étaient là que « de menus incidents d'une vie de couvent, qui paraissent énormes à des gens du dehors, mais, ramenés à leurs justes proportions, se réduisent à peu de chose en réalité ». Est-ce si « peu de chose » que de toucher à la liberté de conscience en empêchant une jeune religieuse de retourner voir un confesseur?

Plus tard, Marie de Gonzague dira : « S'il y avait à choisir une prieure, sans hésiter je choisirais sœur Thérèse de l'Enfant-Jésus, malgré son jeune âge. Elle est parfaite en tout; son seul défaut est d'avoir ses trois sœurs avec elle. » Mais ceci est écrit à la fin de la vie de Thérèse. Dans les premières années, mère Marie de Gonzague est plus particulièrement agacée par le fait du « parti Martin » et surtout par la manière indiscrète dont on pousse « la petite ». Estimant excessives les vexations de mère Marie de Gonzague envers Thérèse, sœur Agnès en avait fait la remarque à la prieure; celle-ci lui réplique : « Vous désirez sans doute que sœur Thérèse soit mise en avant; mais c'est tout le contraire que je dois faire. Elle est beaucoup plus orgueilleuse que vous ne pensez, elle a besoin d'être constamment humiliée. » Avec le temps, oui, mère Marie de Gonzague estimera de plus en plus Thérèse. Mais les débuts furent pénibles. Il faut pourtant dire, à la décharge de la prieure, qu'il y avait de quoi être indisposée par l'insistance de sœur Agnès.

Dans le Carmel, en ce début 1893, l'élection de la prieure se prépare. On nous dit que « très loyalement, à la veille de déposer la charge, le 20 février 1893, mère Marie de Gonzague prépara l'élection de mère Agnès de Jésus, qu'elle appréciait et aimait sincèrement ». Mais, en fait, l'élection a comporté des péripéties difficiles et on est obligé de nous avouer, bien discrètement — une petite note en bas de page : « Certaines circonstances avaient attristé l'élection de la Révérende Mère Agnès de Jésus. » Et Thérèse, écrivant à mère Agnès le jour même de son élection — car c'est elle qui a été finalement élue — parle du « voile que Jésus a jeté sur cette journée ». Quelles sont ces circonstances ? Nous n'avons pas pu les connaître. Mais nous avons la lecture que Thérèse donne de l'élection de sœur Agnès ; la lettre qu'elle lui écrit est vraiment une sorte de programme : Thérèse renvoie sœur Agnès à mère Geneviève.

L'abbé Delatroëtte, supérieur du monastère avait déjà, aussitôt après l'élection, indiqué à mère Agnès cette référence : « Votre sainte mère Geneviève vous aidera ; vous vous appliquerez à imiter les précieux exemples qu'elle vous a laissés. Je puis vous dire, sans manquer à la discrétion, que si la plupart de vos sœurs ont pensé à vous donner leur voix c'est qu'elles ont remarqué que vous essayez de retracer les vertus que vous lui avez vu pratiquer. » Thérèse, elle, ne se place pas à ce plan des vertus et des exemples.

Après le décès d'une religieuse, la coutume, on l'a dit, veut que soit établie une notice nécrologique sur celle qui vient de mourir, notice qui est transmise à tous les Carmels et aux personnes qui connaissaient la religieuse ou avaient des liens avec le monastère où elle vivait. C'est sœur Agnès qui avait été chargée par mère Marie de Gonzague d'établir la notice sur mère Geneviève et elle y fait expressément mention de la dévotion de la fondatrice envers la Sainte Face. Et durant l'année 1892, cette notice, faite par sœur Agnès mais signée par la prieure, sera envoyée « à tous les Carmels et à tant d'âmes pieuses ». Thérèse, dans sa lettre du 20 février, met l'accent sur ce fait : le mérite de sœur Agnès est d'avoir fait connaître la dévotion qu'avait mère Geneviève envers la Sainte Face. Elle dit alors son espoir : que mère Agnès, dans sa tâche de prieure, sera « l'apôtre » de cette dévotion. Elle veut aussi que mère Agnès fasse de son priorat une tâche humble : elle souhaite que le Christ répande sur elle un « voile » « que Lui seul pourra pénétrer ». Si elle éprouve une grande joie de l'élection de sœur Agnès, c'est dans cet espoir. Et dans l'espoir aussi que la voie qu'elle essaie, elle, Thérèse, de promouvoir, sera reconnue.

Ce dernier espoir semble très vite exaucé : dès la fin de février 1893, Thérèse est nommée par mère Agnès maîtresse des novices en second; mais il faut tout de suite ajouter que la maîtresse des novices en titre n'est autre que mère Marie de Gonzague. Et préciser aussi que Thérèse est toujours novice — et, à ce titre, elle n'a donc pas pu voter durant le chapitre d'élection de la prieure; les Constitutions prévoient qu'une sœur quitte le noviciat trois ans après sa profession : donc en septembre 1893 pour Thérèse. En fait, Thérèse restera « novice » jusqu'à sa mort : selon une interprétation courante des lois canoniques, on n'admettait pas au chapitre plus de deux sœurs de la même famille; et comme il y a déjà Marie et Pauline, Thérèse va demeurer jusqu'au bout en dehors du chapitre, elle n'aura jamais le droit d'y assister et jamais même le droit de voter. Elle restera vraiment la dernière — On a vu qu'en octobre 1895, elle se nommera avec humour « la *vieille* doyenne du noviciat ».

Humour, oui, à tout moment, d'être ainsi de nouveau la « petite dernière ». Car quand ses sœurs de sang l'appellent « la petite Thérèse » constamment, ce n'est pas en référence à une petite taille — elle est aussi grande qu'elles — mais à sa place dans la famille : elle est la « petite », la petite dernière. Demeurant novice, elle reste la petite dernière du couvent. Mais cette dernière place l'intéresse. Comme elle intéresse aussi l'explorateur Charles de Foucauld, converti en 1886 : il entendra l'abbé Huvelin prononcer dans son sermon une parole qui retentira à travers toute son existence : « Jésus a tellement pris la dernière place que personne n'a pu la lui ravir »; Charles de Foucauld fera de toute sa vie désormais la poursuite de cette dernière place.

Thérèse est parfaitement consciente de la nouveauté de sa voie qui rompt avec les voies doloristes et volontaristes et qui met l'amour au cœur de tout acte. Voie d'abandon comme une véritable amoureuse qui s'abandonne entre les bras du bien-aimé : « C'est facile de plaire à Jésus, de ravir son Cœur ! il n'y a qu'à l'aimer, sans se regarder soi-même, sans trop examiner ses défauts. » S'abandonner, laisser faire Jésus : à Lui de jouer. Elle, elle joue toute sa vie sur l'amour.

C'est ici que Thérèse se sépare de la grande dévotion du siècle ; ou plutôt qu'elle refuse l'orientation qu'on en avait donnée. Cette dévotion comportait, conformément au message d'une visitandine de Paray-le-Monial, sœur Marguerite-Marie, béatifiée en 1864, une expression de compensation pour les trahisons et les outrages des pécheurs ; et une volonté de participation au Christ Sauveur, de se sentir responsable avec lui du salut du monde. Les Instituts voués à la réparation et à l'apostolat du sacrifice se multiplient. On veut expier pour les fautes des hommes et consoler ainsi le cœur du Christ.

Ce courant « réparationniste » est alimenté par une lecture des événements qui ont lieu autour de 1870 : la fin des États pontificaux est ressentie par beaucoup de fidèles comme un très grand malheur et comme un geste de punition de la part de Dieu. Et les catholiques français voient aussi dans la défaite de 1870 un signe de Dieu, châtiant ceux qui se sont détournés de lui ; naît alors « un besoin d'expiation et de réparation nationales pour recouvrer les faveurs divines ». C'est alors qu'est mise en œuvre la basilique de Montmartre, dédiée au Sacré-Cœur.

En 1872, dans l'espoir d'une restauration imminente de la monarchie — restauration dont on attend le relèvement religieux du pays tombé aux mains des rationalistes —, on consacre la France au Sacré-Cœur. Il faut se souvenir qu'à cette époque, le Sacré-Cœur avait aussi une signification politique : Louis XVI, au Temple, avait pris l'engagement de consacrer la France au Sacré-Cœur et les Vendéens s'étaient battus avec l'emblème — le cœur surmonté de la croix — cousu sur leur poitrine. Or, en 1873, les royalistes occupent une place très importante dans la vie catholique ;

la plupart restent fidèles au « roi-martyr » et à l'esprit vendéen. Les pèlerinages à Paray-le-Monial et à Montmartre mobilisent les foules et politisent un peu plus la dévotion. Il faut lire la réaction du côté rationaliste, par exemple dans l'article *Sacré-Cœur*, publié en 1875, du *Grand Dictionnaire Larousse*. Après avoir insisté sur le fait que « le culte du Sacré-Cœur est une pratique toute nouvelle » et montré qu'il y avait eu beaucoup de réticences pour ce culte dans la hiérarchie catholique elle-même, l'article souligne le rôle des jésuites dans la naissance et la diffusion de cette dévotion. Pour lui, ce culte se serait éteint au début du XIXe siècle : « Mais la réaction religieuse de la restauration le sauva. » Et l'instrument décisif sera Marguerite-Marie Alacoque. Voici la fin de l'article : « Le culte du Sacré-Cœur a pris une nouvelle extension sous l'Assemblée de 1871. Le clergé organisa sur la plus large échelle, des pèlerinages à Paray-le-Monial, où Marguerite-Marie avait eu, disait-elle, avec Jésus-Christ ses " colloques amoureux ", où Jésus-Christ lui avait demandé son cœur et l'avait mis dans le sien, et où la bienheureuse avait eu une foule de visions de même nature. Ce n'est pas tout : l'Assemblée a déclaré d'utilité publique la construction, à Montmartre, d'une église en l'honneur de ce culte, que le pape Benoît XIV avait appelé idolâtrie. La première pierre de l'église du Sacré-Cœur, appelée par le peuple de Montmartre " église Notre-Dame de la Galette ", à cause de l'ancien Moulin de la Galette, vient d'être posée en grande cérémonie (16 juin 1875). A cette occasion, on a chanté naturellement le fameux cantique du Sacré-Cœur, que les pèlerins de Lourdes, de la Salette, du Puy, de Boulogne, etc, ont rendu célèbre depuis quelques années. Le salut de la France n'est que le second souci des cordicoles : Rome avant tout :

> Dieu de clémence
> O Dieu vainqueur!
> Sauvez Rome et la France
> Au nom du Sacré-Cœur. »

Quand Thérèse se rend à Rome en novembre 1887 avec son père et Céline, la cérémonie officielle d'ouverture du pèlerinage se déroule dans la crypte de la basilique du Sacré-Cœur de Montmartre : « Après nous être consacrés au Sacré-Cœur dans la basilique de Montmartre, nous partîmes », écrit Thérèse. Or c'est là la *seule* référence au nom du Sacré-Cœur à travers les manuscrits autobiographiques.

Et pourtant quelqu'un qui tenait une place importante dans sa vie spirituelle avait tout particulièrement ce culte en honneur : le père Pichon — il sera surnommé, au Canada, « l'apôtre du Sacré-Cœur ». Quant à Marie Martin, première fille spirituelle du père Pichon, elle avait pris pour nom de carmélite : sœur Marie du Sacré-Cœur.

En octobre 1890, quelques jours avant la profession de Thérèse, Céline et Léonie se rendent en pèlerinage à Paray-le-Monial pour le deuxième centenaire de la mort de la bien-heureuse Marguerite-Marie. Des cérémonies grandioses se déroulent dans un enthousiasme collectif débordant et Céline les raconte à Thérèse. Celle-ci lui donne cette réponse brève : « Tu sais, moi, je ne vois pas le Sacré-Cœur comme tout le monde. Je pense que le Cœur de mon Époux est à moi seule, comme le mien est à Lui seul, et je Lui parle alors dans la solitude de ce délicieux cœur à cœur, en attendant de le contempler un jour face à face. » Thérèse, qui entend se cacher dans un cœur à cœur avec le Christ, est allergique à ces manifestations de Paray-le-Monial, trop voyantes. L'amour, pour elle, comporte essentiellement l'intériorisation. Elle évoquera son entrée au Carmel en rappelant la colombe du *Cantique des Cantiques* : « Il m'a cachée (...) dans le creux du rocher. » Sa spiritualité du « cœur » ne s'inspire pas des révélations de Marguerite-Marie mais se nourrit surtout de deux textes : l'Évangile, nous le verrons; mais aussi un texte de l'Ancien Testament : justement ce chant d'amour qu'est le *Cantique des Cantiques*.

C'est surtout à partir de 1893 que Thérèse s'y réfère : sur les seize lettres écrites en 1893, nous trouvons neuf citations du *Cantique*. Il est manifeste que ce livre de l'Ancien Testament l'attire particulièrement, qu'elle le connaît quasiment par cœur et le médite souvent.

Dans cette référence, nous trouvons trois pôles : l'Amant, l'aimée, l'épreuve. L'Amant est celui qui paraît parfois silen-

cieux et endormi et pourtant « *son cœur veille* toujours ».
L'Amant a été pris au cœur par l'aimée : « Vous avez blessé
mon cœur, ma sœur, mon épouse, par un de vos yeux et
par un seul de vos cheveux qui volent sur votre cou ».
L'Amant est là qui l'appelle : « Déjà l'hiver est passé, les
pluies se sont écoulées. Lève-toi, ma bien-aimée, ma colombe
et viens... ». L'Amant est à la porte et mendie : « Voilà que
je suis à la porte, ouvre-moi ma sœur, mon amie, car ma
Face est pleine de rosée et mes cheveux des gouttes de la
nuit. »

L'aimée répond à l'appel de l'Amant, elle désire la rencontre : « Qui me donnera, mon Bien-Aimé, de vous trouver
seul dehors, afin que je puisse vous donner un baiser. » Pour
le trouver, elle se met en ardente recherche : « L'épouse des
Cantiques dit que, n'ayant pas trouvé son Bien-Aimé dans
son lit, elle se leva pour le chercher dans la ville, mais ce fut
en vain ; *après être sortie de la cité* elle trouva Celui que son
âme aimait !... Jésus ne veut pas que nous trouvions dans le
repos sa présence adorable, Il se cache, Il s'enveloppe de
ténèbres. » Cette recherche ardente est en même temps repos
car l'aimée se repose près de l'Amant qu'elle a trouvé :
« Le repos à l'ombre de celui que j'avais désiré. » L'aimée
a déjà rencontré l'Amant mais elle attend l'ultime rendez-
vous : « Les ombres déclinent » « bientôt nous serons dans
notre terre natale » « les ombres s'étant évanouies », « Il ne
se servira plus d'intermédiaires mais d'un Face à Face éternel ».

Mais le temps du Face à Face n'est pas encore arrivé et
l'épreuve préside encore, pour l'instant, aux rencontres entre
l'Amant et l'aimée. Notre pauvre cœur est un champ de
bataille : « *Que voyez-vous dans l'épouse, sinon des chœurs de
musique dans un camp d'armée ?* » L'ensemble de la situation
est décrit dans une lettre à Céline du 7 juillet 1894, lettre que
nous retrouverons plus loin : « Comme l'épouse nous savons
la cause de notre épreuve (...). Nous ne sommes pas encore
dans notre Patrie et l'*épreuve* doit nous purifier comme l'or
dans le creuset. » « L'épouse des Cantiques, elle aussi, dit
que " *son Bien-Aimé est un bouquet de myrrhe et qu'il repose
sur son sein* ". La myrrhe, c'est *la souffrance.* » « Le matin de

notre vie est passé, écrit-elle à Céline, nous avons joui des brises embaumées de l'aurore, alors tout nous souriait, Jésus nous faisait sentir sa douce présence; mais, quand le soleil a pris de la force, le Bien-Aimé " nous a conduites dans son jardin, il nous a fait recueillir la *myrrhe* " de l'épreuve en nous séparant de *tout* et de Lui-même. La colline de la myrrhe nous a fortifiées par ses parfums amers, aussi Jésus nous en a-t-il fait redescendre et maintenant nous sommes dans la vallée. »

« Car, dit-elle encore, s'Il les conduit sur le Thabor c'est pour peu d'instants, les vallées sont le plus souvent le lieu de son repos, " *c'est là qu'il prend son repos à midi* ". » Midi, soleil torride, épreuve de la soif pour l'aimée. Quatre mois avant sa mort, Thérèse donnera encore à travers un texte du *Cantique*, le sens de l'épreuve, épreuve qui permet de continuer à vivre sinon le cœur éclaterait : « Jésus fait bien de se cacher, de ne me parler que de temps en temps et encore, *à travers les barreaux* (Cant. des Cant.), car je sens bien que je ne pourrais en supporter davantage, mon cœur se briserait, impuissant à contenir tant de bonheur. »

LE JEU DE CACHE-CACHE DU BIEN-AIMÉ.

Mais comment de telles intuitions se traduisent-elles dans la vie quotidienne d'un Carmel? « J'en ai fait l'expérience; quand je ne *sens rien*, que je suis INCAPABLE de prier, de pratiquer la vertu, c'est alors le moment de chercher de petites occasions, des *riens* qui font plus de plaisir à Jésus que l'empire du monde, ou même que le martyre souffert généreusement. Par exemple, un sourire, une parole aimable alors que j'aurais envie de ne rien dire ou d'avoir l'air ennuyé, etc., etc. Ma Céline chérie, comprends-tu ?Ce n'est pas pour faire ma couronne, pour gagner des mérites, c'est afin de faire plaisir à Jésus. » Et Thérèse ne se vante pas : « Céline, j'ai peur de n'avoir pas dit ce qu'il faut; peut-être vas-tu croire que je fais toujours ce que je dis, oh! non, je ne suis pas toujours fidèle, mais je ne me décourage jamais, je m'abandonne dans les bras de Jésus. » C'est pour elle un principe d'échange : « Si toujours tu restes fidèle à Lui faire plaisir dans les petites choses, Lui se trouvera OBLIGÉ de t'aider dans les GRANDES. »

On est donc ici à cent lieues des fameuses « pratiques » enseignées par Mme Martin à ses filles, acquisition tourmentée de récompenses; à cent lieues aussi des habitudes ascétiques de la vie spirituelle en usage à cette époque. On dira que l'attitude de Thérèse est vraiment trop facile. Est-il si facile de vivre ainsi en entremêlant insouciance et ténacité? d'être sans cesse à l'affût des « riens » tout en s'abandonnant? Le piquant, dans cette vie quotidienne de carmélite qu'elle mène, c'est que Thérèse, elle qui est très loin des pratiques ascétiques comptabilisées, doit s'insérer dans ce domaine parce qu'elle est sous-maîtresse des novices et qu'une de ses compagnes de noviciat, Marthe de Jésus, souhaite être aidée par de telles méthodes : « Je suis même obligée d'avoir un chapelet de pratiques. Je l'ai fait par charité pour une de mes compagnes, je te dirai cela en détails, c'est assez amusant... Je suis prise dans des filets qui ne me plaisent guère, mais qui me sont très utiles dans l'état d'âme où je suis. »

Cette fille de vingt ans a une puissance de contestation radicale : « Tous les plus beaux discours des plus grands saints seraient incapables de faire sortir *un seul* acte d'amour d'un cœur dont Jésus n'aurait pas la possession. » « Sans l'amour, dira-t-elle, toutes les œuvres ne sont que néant même les plus éclatantes comme de ressusciter les morts ou de convertir les peuples. » Où se nourrit une telle contestation? Dans une certaine représentation précise de ce qu'est Jésus. Il est plus que jamais pour elle celui qui « se cache », qui « s'enveloppe de ténèbres », qui se tait (« quelle mélodie pour mon cœur que ce silence de Jésus! »), qui « ne veut pas que nous l'aimions pour ses dons », qui « se fait pauvre », qui « se met pour ainsi dire à notre merci », qui « ne veut rien prendre sans que nous le lui donnions ». Beaucoup passent à côté de Jésus parce qu'il est « un trésor *caché*, un bien inestimable que peu d'âmes savent trouver car il est *caché* et le monde aime ce qui brille ». Thérèse déteste ce qui brille, tous les clinquants, même et surtout s'ils sont spirituels. Toute pacotille. Ce qui l'intéresse, c'est l'essentiel : c'est de trouver Celui qui s'est caché — « mais Il ne se cache pas tellement qu'Il ne se laisse deviner ». C'est un jeu d'amour que de se cacher, c'est un jeu d'amour de trouver l'autre qui s'est caché — et qui ne s'est pas caché au point de ne pas pouvoir être trouvé. C'est un bonheur d'amour de savoir que, plus l'autre se cache, plus il est près. C'est un bonheur d'amour de savoir que pour les autres notre visage est caché et qu'il est vu par le seul Bien-Aimé.

Dans la correspondance, nous voyons clairement que les années 1892-1893-1894 sont les années où Thérèse, plus qu'en toute autre, scrute assidûment les évangiles : 14 citations évangéliques entre 1888 et 1891 incluse (28 lettres); 37 citations pour 1892-1894 (17 lettres). Soit en 1892-1894, quatre fois plus de citations qu'auparavant. « 1892 marque un tournant de sa vie spirituelle par une fréquentation plus assidue de l'Écriture. » Deux remarques de J. Courtès; l'une sur le contenu : « Il apparaît, en effet, que c'est dans les lettres les plus intimement spirituelles, comme il nous a été donné de nous en rendre compte dans une lecture attentive, que la fréquence des citations d'évangile est la plus forte. » L'autre remarque sur les citations elles-mêmes : « Des quatre évangiles, la tempête apaisée exceptée — et encore utilisée à titre symbolique — nous ne rencontrons aucune citation de miracle. Voilà qui peut paraître curieux, en tout cas éclairant : la spiritualité de Thérèse n'est pas une spiritualité de l'extraordinaire, mais du quotidien sanctifié. »

A partir de 1892, il y a donc chez Thérèse une référence primordiale à l'évangile qui devient la source habituelle de l'oraison. Et parallèlement, elle parle à ses correspondants de ses découvertes, dans l'oraison, des textes évangéliques; textes qu'elle cite alors, la plupart du temps, de mémoire.

Nous voudrions insister ici sur cette manière de scruter l'évangile que Thérèse utilise comme d'emblée, sans être exégète, avec une sorte de bon sens surgi de l'intuition d'un cœur amoureux. Il y a chez elle une même manière de scruter le visage de Jésus endormi, que ce soit Jésus enfant ou Jésus adulte ; dans la barque avec les apôtres — ou Jésus endormi dans la mort : la Sainte Face —, et de scruter le visage externe des évangiles, la lettre des textes pour y découvrir ce qui est caché derrière : « C'est par-dessus tout *l'Évangile* qui m'entretient pendant mes oraisons, en lui je trouve tout ce qui est nécessaire à ma pauvre petite âme. J'y découvre toujours de nouvelles lumières, des sens cachés et mystérieux. »

Thérèse découvre : l'attitude de Thérèse par rapport à l'évangile est celle d'un explorateur ; mais d'un explorateur pas ordinaire : à qui tout est comme donné, qui découvre comme par mégarde : « Lui qui s'écriait aux jours de sa vie mortelle dans un transport de joie : " Mon Père, je vous bénis de ce que vous avez caché ces choses aux sages et aux prudents et que vous les avez révélées aux plus petits " voulait faire éclater en moi sa miséricorde ; parce que j'étais petite et faible il s'abaissait vers moi, il m'instruisait en secret des *choses* de son *amour*. » Si, comme on l'a montré, le premier thème qui transparait dans le choix des citations évangéliques est le thème de l'humilité, c'est que Thérèse a le sens extrême de la donation que Dieu fait lui-même de lui-même. Que la foi est reçue et non pas conquise ou possédée, Thérèse s'en souvient à tout moment. Dieu lui a donné, lui donne donc de découvrir qui il est : et c'est Jésus qui est le guide en ce cheminement : « Mon cœur se tourna bien vite vers le Directeur des directeurs et ce fut Lui qui m'instruisit de cette science cachée aux savants et aux sages qu'Il daigne révéler aux *plus petits*. » Découverte sans cesse renouvelée qui l'instaure dans une humilité joyeuse de tous les instants.

Cette découverte, faite dès aujourd'hui, promet la découverte finale : thème de la lumière de gloire qui revient souvent et s'articule avec celui de la nuit de l'épreuve : ceux qui acquiescent à la nuit verront la lumière. Mais cette découverte est surtout une découverte quotidienne comme le pain donné par Dieu suffit pour chaque jour : « Je découvre juste au moment où j'en ai besoin des Lumières que je n'avais pas encore vues, ce n'est pas le plus souvent pendant mes oraisons qu'elles sont le plus abondantes, c'est plutôt au milieu des occupations de ma journée. » Thérèse

découvre « des sens cachés et mystérieux » dit-elle. Ce terme
« caché » revient si souvent chez Thérèse qu'il faut l'examiner ici.

A la mort de sa mère, Thérèse essaie de saisir ce qu'on
veut lui cacher : « Je ne me souviens plus d'avoir beaucoup
pleuré, je ne parlais à personne des sentiments profonds que
je ressentais... Je regardais et j'écoutais en silence... personne
n'avait le temps de s'occuper de moi; aussi je voyais bien
des choses qu'on aurait voulu me cacher; une fois, je me trouvai en face du couvercle du cercueil... je m'arrêtai longtemps
à le considérer, jamais je n'en avais vu, cependant je comprenais. » Dieu veut qu'elle aille se cacher au Carmel : « Je
sentis que le Carmel était le *désert* où le bon Dieu voulait que
j'aille aussi me cacher. » « Jésus savait combien j'étais faible
et c'est pour cela qu'Il m'a cachée la première dans le creux
du rocher. » Il veut lui faire aimer « la vie cachée ».

Elle veut être intensément fidèle à cette invitation de Dieu
et à cette grâce de Jésus. D'ailleurs, le bonheur se trouve,
non pas dans la possession mais dans la désappropriation :
« J'ai connu par EXPÉRIENCE que le bonheur ne consiste qu'à
se cacher. »

Cette volonté de se cacher lui vient du regard qu'elle porte
sur Jésus qui, lui aussi, s'est caché : « Ah! comme celui de
Jésus, je voulais que " Mon visage soit vraiment caché ". »
Au ciel, « nous ne le verrons plus caché sous l'apparence
d'un enfant ou d'une blanche hostie », mais ici-bas c'est là
qu'il faut le chercher, là où il se cache.

De même, Jésus se cache derrière une Face « voilée » : il
s'agit de sonder « la profondeur des trésors cachés dans la
Sainte Face », « les mystères d'amour cachés dans le Visage
de notre Époux ».

Jésus consent même à se cacher au cœur de notre cœur et
d'y agir au jour le jour : « J'ai remarqué bien des fois que
Jésus ne veut pas me donner de *provisions*, il me nourrit à
chaque instant d'une nourriture toute nouvelle, je la trouve
en moi sans savoir comment elle y est... Je crois tout simplement que c'est Jésus Lui-même caché au fond de mon pauvre
petit cœur qui me fait la grâce d'agir en moi et me fait penser tout ce qu'Il veut que je fasse au moment présent. »

Il y eut donc un temps où Thérèse n'avait « pas encore trouvé les trésors cachés dans l'Évangile » de la même manière qu'à un moment elle n'avait pas « sondé la profondeur des trésors cachés dans la Sainte Face. »

A partir de la fin 1893 surtout, elle scrute l'Évangile, l'Enfance et la Sainte Face de Jésus : « Oui, depuis deux ans, j'ai compris bien des mystères jusque-là cachés pour moi. » Il s'agit toujours, apercevant le mode d'être de Jésus : voilé, caché, de tout faire pour décrypter, pour découvrir. Une amoureuse veut connaître ce qui se cache derrière le visage, les yeux, les paroles du Bien-Aimé; elle ne peut pas en rester à l'apparence; elle se met en chemin pour comprendre; et toujours, au fur et à mesure même de la marche et des découvertes, le Bien-Aimé se fait plus caché, mystère inépuisable.

LES QUATRE FILLES MARTIN.

Le 29 juillet 1894, M. Martin meurt à Lisieux où il a été ramené deux ans auparavant; et c'est une grande tristesse pour Thérèse, même s'il n'avait plus guère sa tête à lui, même si, comme elle le dit, il était comme déjà mort.

Céline, qui était la garde-malade de M. Martin, est désormais libre d'entrer au Carmel. Mais il y a un obstacle : le fait qu'il y a déjà trois filles Martin au Carmel de Lisieux. Et le supérieur ecclésiastique, M. Delatroëtte, met son veto formel. Certaines religieuses aussi. Alors, Céline rend visite au chanoine pour le convaincre de sa réelle vocation et de son désir ferme d'entrer au Carmel de Lisieux; le supérieur du monastère se rend à ses arguments, soumet le cas à Mgr Hugonin qui donne son consentement.

Céline, Thérèse sont bien du même sang, de la même intrépidité. Quand une décision est prise, on agit de telle manière que rien ne résiste. On comprend que certaines religieuses aient pu craindre l'arrivée d'une quatrième Martin au Carmel; en voyant la puissance active d'une sœur Agnès, et la vitalité de Thérèse, en sachant qui était Céline, elles donnaient comme arguments, pour s'opposer à l'entrée de

Céline, que le Carmel n'avait pas besoin d'artistes; mais sans doute avaient-elles, plus ou moins consciemment, une autre raison d'être réservées ou opposées. En tout cas, le chanoine Delatroëtte lui, avait toujours ouvertement redouté, avec sagesse, que la famille Martin ne prenne une trop grande place dans le monastère dont il avait la charge. Et sa position était établie en connaissance de cause.

Au moment où leur père est mort, où les quatre sœurs se retrouvent au Carmel et reconstituent leur famille, il semble que quelqu'un est, plus que jamais, l'oubliée : Léonie. On se souvient que Mme Martin avait été particulièrement agacée par le caractère instable de Léonie, elle la voyait dépourvue d'intelligence; elle pensait que Léonie ne lui ferait pas honneur. En un mot, Léonie avait été la croix de Mme Martin.

Après la mort de Mme Martin, on met Léonie comme pensionnaire chez les bénédictines de l'Abbaye à Lisieux. Elle reste fermée, emmurée en elle-même, avec de brusques explosions. Quand Pauline entre au Carmel, le 2 octobre 1882, Léonie, qui vient d'avoir dix-neuf ans, voudrait l'y suivre. Mais on lui fait comprendre que ce n'est pas sa place; de même lorsque Marie entre au Carmel, le 15 octobre 1886.

M. Martin, accompagné de Marie, Léonie, Céline et Thérèse, se rend à Alençon, début octobre 1886, pour que Marie puisse prier une dernière fois sur la tombe de sa mère. La famille fait une visite aux clarisses d'Alençon, rue de la Demi-Lune, et Léonie déclare qu'elle veut parler personnellement à l'abbesse; on la laisse au parloir. Mais quand M. Martin et ses filles reviennent, stupéfaction : Léonie est de l'autre côté de la grille, déjà en postulante. Marie se met en colère. Mais l'abbesse a décidé d'accueillir Léonie et M. Martin s'incline. Au bout de quelques semaines, Léonie connaît une crise d'eczéma comme elle en éprouvait périodiquement; et le 9 décembre elle rentre à Lisieux.

Aux Buissonnets, après le départ de Marie, c'est Léonie

qui, plus âgée que Céline, aurait dû prendre en main la maison. Mais on ne l'en juge pas capable et c'est donc Céline qui reçoit la responsabilité. Léonie aide au ménage, se retire souvent dans sa chambre — on l'appelle « la solitaire » —, fait la sieste et s'adonne aussi à des œuvres de charité comme d' « ensevelir les morts chez les familles pauvres du voisinage ».

Quand le 29 mai 1887, M. Martin donne à Thérèse l'autorisation d'entrer elle aussi au Carmel, c'est une nouvelle flambée chez Léonie : elle veut à tout prix devenir religieuse. Elle pense alors à sa tante qui avait été visitandine au Mans, à la bienheureuse Marguerite-Marie, visitandine à Paray-le-Monial. Et fin juin 1887, Léonie rend visite aux visitandines de Caen; elle y entre le 16 juillet 1887 à vingt-quatre ans. Elle a une nouvelle crise d'eczéma, est agitée de tremblements frileux. Le 6 janvier 1888, elle sort du monastère, épuisée.

Quand un an plus tard, le 12 février 1889, M. Martin, gravement atteint, est conduit à la maison de santé du Bon-Sauveur, à Caen, Céline et Léonie vont habiter tout près de l'hôpital. Léonie se rend de temps à autre au couvent de la Visitation de Caen.

Au retour à Lisieux commence une série de voyages avec les Guérin : à l'Exposition universelle de Paris, à Tours, à Lourdes où Léonie demande la guérison de son eczéma, à Paray-le-Monial. Séjour aussi au château de la Musse, où elle se sent très dépaysée et de là fait des échappées à la Visitation de Caen : « Chacun prend son plaisir où il le trouve, écrivait Céline à Jeanne Guérin; moi je le trouve à la Musse, Léonie à la Visitation. »

La famille — c'est-à-dire essentiellement sœur Agnès, qui est le vrai chef de famille, surtout depuis qu'elle est devenue prieure du Carmel — s'oppose au départ de Léonie tant que vivra M. Martin. Léonie passe outre; et le 24 juin 1893, à trente ans, elle entre de nouveau à la Visitation de Caen. Elle prendra l'habit le 6 avril 1894 et devient sœur Thérèse-Dosithée, exprimant là son affection toute spéciale envers Thérèse et le souvenir de sa tante. Mais les difficultés recommencent; crise d'eczéma : la coiffe, portée jour et nuit, lui devient insupportable; la récitation de l'office lui pèse; elle connaît des doutes sur la Présence réelle.

L'annonce de l'entrée de Céline au Carmel est pour elle un nouveau choc. Les quatre sœurs ensemble et elle, seule à Caen! Thérèse comprend ce choc et elle écrit aussitôt à Léonie : « Chère petite sœur, ne sommes-nous pas plus unies encore, maintenant que nous regardons les Cieux pour y découvrir un Père et une Mère qui nous ont offertes à Jésus?... Bientôt leurs désirs seront accomplis et tous les enfants que le bon Dieu leur a donnés vont Lui être unis pour jamais... Je comprends le vide que va te causer le départ de Céline, mais je sais combien tu es généreuse pour Notre-Seigneur, et puis la vie passera si vite... après nous serons réunies pour ne plus nous séparer et nous serons heureuses d'avoir souffert pour Jésus... Chère petite sœur, pardonne-moi cette vilaine lettre, ne regarde que le cœur de ta Thérèse qui voudrait te dire tant de choses qu'elle ne peut traduire... » Elle est très proche d'elle dans ses difficultés : « J'ai une grande confiance que ma chère petite visitandine sortira victorieuse de toutes ses *grandes épreuves* et qu'elle sera, un jour, une religieuse modèle. Le bon Dieu lui a déjà accordé tant de grâces; pourrait-il l'abandonner maintenant qu'elle semble être arrivée au port? Non, Jésus sommeille pendant que sa pauvre épouse lutte contre les flots de la tentation, mais nous allons L'appeler si tendrement " *qu'Il se réveillera bientôt, commandant au vent et à la tempête, et le calme se rétablira...* " Petite sœur chérie, tu verras que la joie succédera à l'épreuve. » Surtout, Thérèse sait ce que c'est d'être considérée comme la petite dernière; elle fait sentir à Léonie qu'elle est à ses côtés; elle lui écrit début janvier 1895 : « O ma petite sœur chérie, n'oublie pas la dernière, la plus *pauvre* de tes sœurs, demande à Jésus qu'elle soit *bien fidèle;* qu'elle soit, comme toi, heureuse d'être partout la plus petite, la dernière!... »

Léonie aurait dû normalement faire profession le 6 avril 1895, mais on la retarde. Elle demande alors d'être transférée au monastère du Mans. Thérèse lui écrit le 28 avril : « Je suis intimement persuadée que tu es dans ta vocation, non seulement comme visitandine, mais encore comme

visitandine de *Caen*. Le bon Dieu nous en a donné tant de
preuves qu'il n'est pas permis d'en douter. Je regarde cette
pensée d'aller au Mans comme une tentation et je prie Jésus
de t'en délivrer. Oh! comme je comprends que le retard
de ta Profession doit être une épreuve pour toi. » Et elle
lui rappelle sa propre expérience : « Je me rappelle avec
plaisir ce qui s'est passé dans mon âme, quelques mois avant
ma Profession. Je voyais mon année de noviciat écoulée
et personne ne s'occupait de moi (à cause de notre Père
Supérieur qui me trouvait trop jeune), je t'assure que j'avais
bien de la peine, mais un jour, le bon Dieu m'a fait comprendre qu'il y avait dans ce désir de prononcer mes saints
Vœux, une grande recherche de moi-même, alors je me suis
dit : Pour la Prise d'habit, on m'a revêtue d'une belle robe
blanche garnie de dentelles et de fleurs, qui donc a songé
à m'en donner une pour mes noces? Cette robe, c'est moi
qui dois la préparer *toute seule*. Jésus veut que personne
ne m'aide excepté *Lui*, donc avec son secours, je vais me
mettre à l'ouvrage, travailler avec ardeur. Les créatures
ne verront pas mes efforts qui seront cachés dans mon cœur. »
Le 18 juillet, M. Guérin adjure sa nièce d'essayer encore
trois mois; et il écrit avec brutalité à mère Agnès, qui
d'ailleurs partage bien son opinion : « C'est une pauvre
nature, incapable de réagir. » Le 20, Léonie rentre à Lisieux.
Thérèse ne perdra jamais confiance en Léonie. Dix semaines
avant sa mort, elle écrira à sa sœur : « Tu veux qu'au Ciel
je prie pour toi le Sacré-Cœur, sois sûre que je n'oublierai
pas de lui faire tes commissions et de réclamer tout ce qui
te sera nécessaire pour devenir une *grande sainte*. »

Sur le faire-part qui annoncera à la famille et aux amis
la mort de Thérèse, Léonie — Léonie l'oubliée, la dernière —
figurera en tête. Et en l'absence de M. Guérin, malade,
quand on conduira, le 4 octobre 1897, le corps de Thérèse
au cimetière de Lisieux, c'est Léonie qui sera en tête du
cortège de deuil.

Au moment où Léonie se retrouve seule, voici donc
Marie, Pauline, Céline et Thérèse ensemble au Carmel.
Et l'une des quatre filles Martin, Pauline est la prieure du
couvent. Pauline a, pour le moins, l'esprit de famille, et

elle veut exalter cette famille dont elle se sent d'autant plus le chef spirituel qu'elle est prieure du Carmel; en même temps, elle est aidée, pour renflouer les finances du monastère et le faire vivre, par l'oncle Guérin, qui devient ainsi le bienfaiteur du Carmel et qui peut donner ses avis.

C'est dans ce désir que soit gardée la trace de la famille Martin que Pauline donne à Thérèse, un soir de janvier 1895, l'ordre d'écrire ses souvenirs d'enfance. C'était précis aux yeux de la Prieure : Thérèse devait raconter l'histoire merveilleuse de M. et M\ume Martin, l'histoire de leur famille. M. Martin vient de mourir, les quatre filles Martin sont réunies au Carmel : écrivons les faits et gestes de cette famille, effaçons les calomnies qui ont entouré la maladie de M. Martin.

Le premier manuscrit de Thérèse, ce que sœur Agnès appellera ensuite *Histoire d'une âme*, est donc d'abord, aux yeux de la Prieure, tout autre chose qu'une autobiographie religieuse. Dans ce microcosme qu'est un Carmel, un autre microcosme — composé de quatre sœurs religieuses dont l'une est prieure du monastère — entreprend une petite histoire de la famille et un récit des événements familiaux qui ont conduit ces quatre sœurs à être réunies et à reconstituer cette nouvelle petite cellule familiale. La destination du document est, en fin de compte, ce petit groupe qui se penche sur son histoire ancienne et nouvelle. C'est une histoire de famille. Au point que M. Guérin a droit de regard : mère Agnès lui envoie la première partie du manuscrit pour qu'il donne ses critiques et son approbation. Et il y a des transformations pour faire plaisir à la famille : « La note du folio 29 r° : " La seule visite que j'aimais était celle de mon oncle et de ma tante... " avec le supplément en bas de la page, est certainement postérieure à l'ensemble du manuscrit, du jugement des experts. Elle a été écrite de la main de Thérèse et avait pour but de satisfaire l'oncle et la tante en faisant mémoire de leur dévouement durant la maladie d'enfance. Aux folios 51 v° et 52 r°, une autre note était destinée à compenser l'impression un peu pénible qu'avait laissée le refus catégorique opposé à la vocation de Thérèse par son oncle. »

Thérèse va comme déjouer le désir trop familial de ses trois sœurs. D'abord, elle ne va pas célébrer les gloires de la famille mais la tendresse de Dieu envers elle-même et les siens telle que cette tendresse s'est manifestée, sans mérite de leur part. Ce sont vraiment tous des êtres quotidiens, tous ces êtres de la famille Martin, Thérèse ne les prend pas pour des génies. Ce qui intéresse Thérèse, c'est que, justement, Dieu est entré dans l'histoire d'une famille comme les autres, des gens du commun, qui n'ont rien d'exceptionnel.

Ensuite, elle va, sans hésiter, écrire son histoire spirituelle à elle bien plus que l'histoire de sa famille; car il s'agit d'une histoire *spirituelle* : « Ce n'est (...) pas ma vie proprement dite que je vais écrire, ce sont mes *pensées* sur les grâces que le bon Dieu a daigné m'accorder. » Il s'agit d'une « lecture » des événements, très consciente, et non pas une simple description.

Au moment même où elle commence à écrire, Thérèse est parvenue à un degré de maturité qui lui permet de scruter avec suffisamment de hauteur de vue ce qui lui est arrivé depuis huit ans, surtout depuis sa conversion de Noël 1886; elle a bien conscience d'être devenue une femme spirituellement adulte : « Je me trouve à une époque de mon existence où je puis jeter un regard sur le passé; mon âme s'est mûrie dans le creuset des épreuves extérieures et intérieures; maintenant comme la fleur fortifiée par l'orage je relève la tête. »

En même temps, elle est parvenue à un haut degré de ce qu'on pourrait appeler l'insouciance. Nous l'avons vue depuis 1893 devenir de plus en plus amoureuse et par là même de plus en plus libre, dégagée, décontractée, presque désinvolte. Parler d' « obéissance » au sens étroit est signe dans un tel climat, d'une certaine méconnaissance de Thérèse : elle n'a aucune peine à suivre ce que lui demande mère Agnès. Elle n'y aurait certes pas songé de soi-même, comme sœur Marie de la Trinité, jeune novice naïve qui estimait que sa vocation avait quelque chose d'assez exceptionnel et qu'il lui fallait en faire le récit par écrit : Thérèse l'en dissuade, et l'invite même à ne pas en demander la permission : « Les grandes grâces de la vie, comme celle de la vocation, ne peuvent s'oublier, lui répond Thérèse; elles vous feront plus de bien en les repassant dans votre mémoire qu'en les relisant sur le papier. »

Mère Agnès lui a dit « d'écrire sans contrainte » et Thérèse suivra cette méthode : « Je vais parler avec abandon, sans m'inquiéter ni du style ni des nombreuses digressions que je vais faire. » Thérèse écrira donc ses souvenirs au fil de la plume, sans souci de composition. Par ailleurs, elle a une excellente mémoire de type affectif, si bien qu'elle a gardé d'une manière très vivante, la trace des événements qui ont eu lieu. Quand elle dit : « Le bon Dieu m'a fait la grâce d'ouvrir mon intelligence de très bonne heure et de graver si profondément en ma mémoire les souvenirs de mon enfance qu'il me semble que les choses que je vais raconter se passaient hier », elle a tout à fait raison. En voici un test : quand elle écrit à cette religieuse de la Visitation du Mans, le 3 avril précédent, elle dit : « Je me souviens parfaitement de mon voyage à la Visitation du Mans à l'âge de trois ans », en réalité, vérification faite, elle n'avait que deux ans et trois mois — le voyage a eu lieu le lundi de Pâques 1875, 29 mars.

Voici donc Thérèse qui se met à écrire ses souvenirs d'enfance, mais surtout « *l'amour* » dont « Dieu s'est plu à [l'] entourer ». Nous pensons qu'au début, il n'était question que de quelques pages à réaliser entre l'épisode de la récréation au « chauffoir » et la sainte Agnès 1895, mais que faute de temps de la part de Thérèse, ou à cause de l'ampleur que prenait la relation qu'elle avait commencé à écrire, mère Agnès lui a permis de poursuivre. Thérèse écrit tout au long de l'année 1895, en général le soir : elle est assise sur son petit banc, avec, sur les genoux, une écritoire qu'elle a trouvée dans le grenier; elle écrit donc par bribes et morceaux, sans jamais avoir un long temps pour harmoniser un ensemble. En tout, quatre-vingt-cinq folios recto verso en un an; soit, si elle a écrit chaque jour, environ cent quatre-vingts mots quotidiennement.

Elle écrit tout à la suite, comme simplement et sans

difficulté. Mais il ne faudrait pourtant pas oublier qu'elle écrit, non pas comme quelqu'un qui ferait ses mémoires à la fin de sa vie, dans un hors-circuit des luttes, mais dans un contexte précis où il y a des combats dans lesquels elle est engagée très personnellement — elle est, n'oublions pas, maîtresse des novices en second, sous la tutelle de mère Marie de Gonzague. Aura-t-elle voix au chapitre dans le Carmel de Lisieux? Thérèse vit un combat spirituel, un drame, et son « histoire d'une âme » est exprimée en drame.

Les acteurs de ce drame — de cette « action » — sont en position triangulaire : il y a d'abord Thérèse; il y a ensuite celui qui aide Thérèse, qui est à ses côtés; il y a enfin elle, à sa recherche de Dieu, que ce soit un être personnifié ou non. Celui qui aide, c'est Dieu seul et Thérèse prend soin de montrer que les autres aidants sont des instruments entre ses mains. L'Aidant, c'est Dieu ou Jésus; mais Thérèse ne parle pas en termes équivalents : « Souvent Thérèse s'adresse à Jésus : celui-ci entre alors en opposition contrastante avec la narratrice, dans la relation ʽ je ʼ/ʽ tu ʼ. Il est frappant de constater que si Jésus devient ainsi un ʽ tu ʼ dans la surface textuelle, il n'en va point de même pour le " bon Dieu " qui, lui, demeure toujours dans la catégorie du " il ", de l'absent, de la non-personne... Dieu, elle ne le connaît pas; toute " connaissance " spirituelle prenant corps dans une imagerie donnée. » C'est Jésus qui est le médiateur, c'est lui qui fait connaître Dieu.

Dans ce combat, il y a trois pôles en interrelation : affrontement/victoire/défaite. La défaite n'est jamais exclue. Le père Pichon lui a dit qu'elle aurait pu être un démon, cette éventualité reste toujours possible. S'il n'y avait pas l'Aidant, « avec une nature comme la mienne (...) je serais devenue bien méchante et peut-être me serais perdue » dit-elle en parlant de son enfance. Si elle a une connivence intérieure avec les pécheurs comme Pranzini et Loyson, c'est qu'elle sait avec beaucoup de réalisme que la défaite est une donnée toujours présente.

La victoire, dans sa composante ultime, « est le fait d'un autre, et donc Thérèse se situe ici dans le champ de la passivité ».

Mais nous voudrions insister sur le pôle « affrontement » qui nous paraît typiquement thérésien. Il y a l'affrontement de nuit quand tout l'être connaît « l'amertume » ou « l'angoisse », se trouve dans « la sécheresse ». Mais il y a surtout l'affrontement de lumière — comme pour saint Paul qui parle des « armes de lumière » —. Thérèse a le sens, on l'a vu, du retournement des situations parce qu'elle affronte en clair les difficultés, qu'elle sait les prendre à bras-le-corps.

Lire ce manuscrit dédié à mère Agnès et écrit entre janvier 1895 et janvier 1896, ce n'est pas entrer dans une narration linéaire mais participer à un « secret ». Nous retrouvons ici le décalage fondamental entre les deux sœurs de Thérèse, Pauline et Marie, lors de leur demande à toutes deux en janvier 1895, et Thérèse elle-même. Les deux premières veulent garder sur papier le souvenir de leur enfance. Thérèse dès qu'elle se met à écrire, ne peut pas ne pas vouloir transmettre un « secret ». « Secret » qu'elle résume dès le début de son manuscrit et reprend ensuite inlassablement, broderies sur le même thème. « Secret » imperceptible à première lecture, si l'on peut dire; et en fait, la première lecture qui en a été réalisée, par mère Agnès, a été une lecture où le message n'a pas été aperçu par la lectrice. La preuve? le témoignage de mère Agnès lui-même. Témoignage qu'il faut d'abord placer dans le contexte : Thérèse remet son manuscrit à mère Agnès, prieure, le 20 janvier 1896; deux mois plus tard, le 21 mars, mère Marie de Gonzague redevient prieure. Mère Agnès ne lui parle pas du manuscrit de Thérèse, ce qu'elle aurait dû faire, normalement; elle ne lui en parlera que quatorze mois plus tard, le 2 juin 1897. Voici maintenant le témoignage de mère Agnès comme première lectrice du manuscrit : « Je trouvai ses récits incomplets. Sœur Thérèse de l'Enfant-Jésus avait insisté particulièrement sur son enfance et sa première jeunesse, comme je le lui avais demandé; sa vie religieuse y était à peine esquissée (...). Je pensais que c'était bien dommage qu'elle n'eût pas rédigé avec le même développement ce qui avait trait à sa vie au Carmel, mais sur ces entrefaites j'avais cessé d'être prieure et la mère Marie de Gonzague était rentrée dans cette charge. Je craignais qu'elle n'attachât pas à cette composition le même intérêt que moi et je n'osais rien lui en dire. Mais enfin, voyant sœur Thérèse de l'Enfant-Jésus devenir très malade, je voulus tenter l'impossible. Le soir du 2 juin 1897, quatre mois avant la mort de sœur Thérèse, vers minuit, j'allai trouver notre mère prieure : « Ma mère, lui dis-je, il m'est impossible de dormir avant de vous avoir confié un secret : pendant que j'étais prieure, sœur Thérèse m'écrivit pour me faire plaisir et par obéissance, quelques souvenirs de son enfance. J'ai relu cela l'autre jour; c'est gentil, mais vous ne pourrez pas en tirer grand-chose pour vous aider à faire sa circulaire après sa mort, car il n'y a presque rien sur sa vie religieuse. Si vous le lui commandiez, elle pourrait écrire quelque chose de plus sérieux, et je ne doute pas que ce que vous auriez ne soit incomparablement mieux que ce que j'ai. »

« C'est gentil », il faudrait « quelque chose de plus sérieux », « il n'y a presque rien sur sa vie religieuse », ces termes montrent bien que mère Agnès a lu le récit sans voir que celui-ci contenait déjà le message de Thérèse.

Mais Thérèse n'a-t-elle pas, inconsciemment, brouillé elle-même les cartes? Voilà un manuscrit qui paraît extraordinairement limpide, c'est clair comme de l'eau de roche, lisible comme un roman ou une petite histoire — et des millions de gens vont le lire aisément sans problème, très vite après la mort de Thérèse. Ah! cet adjectif de « gentil » dans la bouche de Pauline : Thérèse est la gentille petite fille qui a griffonné quelques gentilles petites choses. Comment peut-on ne pas penser que Thérèse a comme inconsciemment tout fait pour abuser sa première lectrice? Il y a d'abord les nombreuses protestations d'affection filiale envers mère Agnès qui est doublement sa mère : selon la chair, car elle est celle qui a remplacé Mme Martin après sa mort; selon la vie religieuse, car sœur Agnès est la « Mère Prieure » de Thérèse. « C'est à vous, ma Mère chérie, à vous qui êtes deux fois ma Mère, que je viens confier l'histoire de mon âme », ainsi commence le manuscrit... Mais ce terme de « mère » elle l'emploie aussi avec Mme Guérin ou avec sa sœur Marie; et ces protestations semblent trop fréquentes et appuyées pour ne pas cacher quelque chose. Pourquoi donc Pauline est-elle à ce point couverte de roses?

Une insistance vient nous confirmer dans notre hésitation : nous voyons Thérèse protester fréquemment, envers mère Agnès, de ceci que sa relation est inutile et insignifiante puisque mère Agnès connaît déjà tous ces faits qu'elle raconte. Combien de fois Thérèse répétera-t-elle l'incidente : « Vous le savez, ma Mère... » Si mère Agnès sait déjà, pourquoi écrire? par obéissance? mais alors pourquoi écrire de cette façon, pourquoi ne pas employer un ton neutre et sobre, ne faire qu'un récit? Nous pensons que Thérèse, au fond, fait scrupuleusement attention à donner un récit exact de ce qui s'est déroulé, mais que si justement elle attire l'attention sur cette fidélité littérale, c'est pour cacher ce qu'il y avait de profondément original dans sa lecture des événements qu'elle relate en désirant qu'on l'y découvre. Elle sentait qu'elle ne pouvait pas, dans le cadre du Carmel traditionnel qu'était le Carmel de Lisieux, exprimer autrement que d'une manière cachée le message spirituel révolutionnaire qu'elle portait en elle. Et quand mère Agnès, en lui demandant les souvenirs d'enfance, lui offre une issue : un terrain pour transmettre son message, elle balise d'autant plus méticuleusement le terrain qu'elle veut qu'on n'aperçoive pas du premier coup qu'elle retourne ce terrain de fond en comble et qu'elle l'interprète sens dessus dessous de la manière habituelle, celle de ses mères. Fille infidèle à ses mères parce qu'elle rompt avec leur lecture à elles des événements, elle proteste d'autant plus de ses sentiments filiaux. Elle montre là le génie qui est le sien de réussir à inscrire dans la trame de la tradition, sans révolte brutale et inefficace, la nouveauté de son message.

Mais il y a une autre raison à cette manière d'agir. Nous avons vu que Thérèse est celle qui découvre, derrière le visage endormi de Jésus enfant ou le visage mort de la Sainte Face, à travers le sommeil de Jésus dans la barque ou à travers la lettre des textes évangéliques, une signification *cachée*. Avec la même cohérence, elle écrit des pages extrêmement lisses, et demande qu'on découvre ce qu'il y a de caché derrière elles :

ce que Jésus a fait en elle. Toute la vie de Thérèse — et ses écrits — est la parabole de quelque chose de tellement simple qu'on ne pense pas qu'une réalité étonnante puisse s'y trouver cachée.

LA TENDRESSE DE DIEU.

Cette réalité cachée, c'est, nous l'avons vu, nous le verrons, la tendresse de Dieu en acte. Thérèse sait à quel point il y a décalage entre ce qu'elle peut dire et ce qu'elle voudrait dire là-dessus. Si déjà quand il s'agit des « tendresses » de son père envers elle, elle exprime son impuissance à les «rendre » — « il est des choses que le cœur sent, mais que la parole et même la pensée ne peuvent arriver à rendre », à plus forte raison pour la tendresse de Dieu!

Pour exprimer celle-ci, Thérèse utilise un registre bien précis. Il ne s'agit pas, pour elle — ce n'est pas son charisme — de parler de la transcendance de Dieu en termes conceptuels. Mais de parler de la tendresse de Dieu qui s'est manifestée dans sa vie, telle quelle; et, pour le faire, elle use à fond de son registre à elle : un don d'observer et de raconter ce qui s'est passé, les événements qu'elle rapporte. Seulement — il y a un seulement — ce récit est trompeur en ce sens qu'il paraît toujours lisse et facile à première lecture, mais qu'il apparaît, dans un second temps, porteur d'un mystère caché qui déconcerte. Dans chaque récit, il y a, à un détour, à un moment donné, un détail qui vient en rompre le cours, détail de style ou remarque anodine. Thérèse a, par exemple, le don de faire saisir la disproportion qu'il y a entre l'insignifiance extérieure de l'épisode Noël 1886 et la signification stupéfiante que cet épisode a eu pour le reste de sa vie; on se dit : il s'en est fallu d'un rien pour que cet événement n'ait pas eu lieu; si elle était restée un peu plus dans la pièce du bas où se trouvait son père, celui-ci, la voyant, n'aurait pas eu les mots qui lui « percèrent le cœur »; si elle était arrivée quelques secondes plus tôt dans sa chambre, elle n'aurait pas entendu ces paroles de son père. Mais il y a ce rien, cet entre-deux, ce milieu de l'escalier : la petite fille avait à retirer son chapeau dans sa chambre; elle était en train de monter l'escalier : « Je montais alors l'escalier pour aller défaire mon chapeau », dit-elle.

Thérèse sait raconter, oui, mais surtout elle sait amener dans son récit le « rien » qui introduit un décalage : c'est une petite note originale qui, d'un seul coup, déroute l'auditeur d'un récitatif souple et simple, le déconcerte littéralement, l'interroge. Or c'est ce décalage qui est typique de Thérèse : elle ne nous donne pas un discours mièvre et insignifiant sur la tendresse de Dieu, mais elle nous fait participer à la tendresse de Dieu qui a existé en acte dans sa vie, au détour d'un geste quotidien, d'un « rien » justement.

Ce décalage, nous le retrouvons par exemple dans le récit d'un rêve qu'elle a eu, à l'âge de six ans, et dont elle se souvient au cours d'une conversation, au Carmel, avec sa sœur Marie en juillet 1894 : son père au visage voilé qu'elle a vu en songe. Il y a un va-et-vient antinomique entre deux vraisemblables : le visage voilé de son père et la Face cachée de Dieu. Ainsi va Thérèse : ce qu'elle dit résonne avec de l'indicible et nous ne pouvons pas réduire le dit et l'indicible à l'un ou à l'autre de ces deux pôles; ils coexistent, nous interpellent l'un par l'autre, déchirent le cercle étroit des explications où nous aurions enfermé le réel, renouvellent constamment la communication.

Cette tendresse de Dieu, Thérèse la chante sans cesse dans les poésies qu'elle compose. Car, avant d'écrire ces souvenirs, Thérèse a déjà commencé à écrire : on lui connaît, au couvent, un certain talent de poésie. Poésie? Il ne faut pas chercher dans les vers de Thérèse de la poésie en tant que telle; Thérèse disait elle-même qu'il s'agissait pour elle de « faire des poésies » : « En les composant j'ai regardé plus au fond qu'à la forme, aussi les règles de la versification ne sont pas toujours respectées. Mon but était de traduire mes sentiments (ou plutôt les sentiments de la carmélite) afin de répondre aux désirs de mes Sœurs. » Ces poésies sont donc, pour la plupart, des œuvres de circonstance. Et elles s'appuient toujours sur la musique, qui est première : la plupart des vers sont destinés à être chantés; un exemple : le 5 février 1895, dans la chapelle du Carmel où se déroule la prise d'habit de Céline, Marie Guérin chante le cantique : « Il est à moi »; trois semaines plus tard, Thérèse compose une poésie sur cet air. On sait que Thérèse entremêle allégrement les airs sacrés et les airs profanes : *la Plainte du Mousse*, *Mignon* d'Ambroise Thomas voisinent avec *Pitié, mon Dieu*.

Pièces banales, écrites pour faire plaisir à des sœurs et exprimer leurs sentiments de carmélites, ces aimables bluettes de couvent paraissent à première vue sans conséquence. Or il se produit fréquemment un dépaysement, une interrogation : au détour d'un quatrain, tel vers a un accent qui ressemble à tel ou tel cri que nous avons trouvé dans les lettres à Céline, ou qui résonne plus profond encore. Ceux qui veulent bien essayer de dépasser la mièvrerie de la grisaille de ces vers assez plats y découvriront, cachée, une spiritualité révolutionnaire. Par exemple, dans une pièce composée pour Noël 1894, une pièce de 300 vers, intitulée *les Anges à la Crèche*. Il s'agit d'une sorte de poème dialogué où l'Enfant-Jésus apparaît entouré de différents anges qui parlent tour à tour — ou plutôt qui chantent, chaque fois sur un air différent; il y a l'ange de la Sainte Face, celui de la Résurrection, celui de l'Eucharistie, celui du Jugement. Et l'Enfant-Jésus leur répond. L'essentiel, dans cette composition est l'opposition entre la représentation d'un Dieu de courroux et la représentation d'un Dieu de paix. Thérèse récuse le premier et insiste sur le second. Cette orientation n'était guère dans la tradition des Carmels de cette époque.

Ce que l'on considérait comme la générosité la plus haute pour une carmélite consistait à apaiser la justice de Dieu en s'offrant en victime volontaire aux châtiments divins mérités par les pécheurs. Ce qui se traduisait par d'intenses mortifications, spirituelles et corporelles; et comme les mortifications spirituelles échappaient aux regards et aux évaluations, on insistait sur les mortifications corporelles. « Tel était l'idéal du Carmel de Lisieux sous le gouvernement de mère Marie de Gonzague. Croix de fer et flagellations aux orties y étaient en grand honneur. On pensait offrir ainsi à Dieu les sacrifices nécessaires. » Thérèse, elle, ne met pas en compte pour la justice divine, une somme énorme de mortifications dans lesquelles les religieuses se tendent et s'angoissent. A ses yeux, il suffit, pour contrebalancer cette justice, d'un « simple regard d'amour ». Et cela, tout le monde peut le faire : des religieuses, oui, mais aussi des laïcs; ne dit-elle pas, un mois plus tôt, à Mme Guérin, le 17 novembre 1894, en parlant de Jeanne Guérin et de son mari, qu'ils sont « deux roses » telles que « Dieu puisse encore rencontrer ici-bas quelques fleurs qui le charment et retiennent son bras qui voudrait punir les méchants ». Un rien suffit pour arrêter la justice de Dieu et apaiser la blessure du Christ.

Alors, quand Thérèse, à Noël 1894, présente l'ange du jugement dernier à la communauté, on peut être certain que bon nombre de religieuses du Carmel de Lisieux — et mère Marie de Gonzague en tête — se reconnaissent en lui. Car si les pécheurs endurcis ne sont pas punis, la carmélite perdrait son temps à s'offrir en holocauste à la main vengeresse de Dieu. Semblant de rien, en retournant une fois de plus les données habituelles et en proposant, à l'inverse de la punition divine, la transformation des pécheurs, Thérèse touche ses sœurs religieuses au plus vif d'elles-mêmes : sur la motivation même de leur vocation. Elle, la petite dernière, de loin la plus jeune de la communauté, conteste ouvertement une certaine tradition du Carmel, remet en cause la vocation des carmélites, met en question leur bonne conscience selon laquelle, à la faveur de leurs efforts et mortifications, elles se jugeraient parmi les « justes » à la manière du pharisien de la parabole et se placeraient au-dessus des pécheurs.

Une fois de plus, on aperçoit la manière de Thérèse : ces pauvres vers sur des airs connus ont dû ne pas trop effaroucher les sœurs qui ne se sont pas senties dépaysées par cette « pastorale ». Or celle-ci avait tout, au profond d'elle-même, d'un chant spirituel vraiment nouveau. Nouveau comme le Magnificat de Marie où l'on voit que les faibles sont exaltés et les puissants dépossédés de leurs pouvoirs.

Dieu d'amour et de paix, et non pas Dieu de colère et de vengeance, tel est le Dieu que Thérèse présente à ses sœurs carmélites. Et, par cohérence interne, ce Dieu, puisqu'il est de paix, ne veut pas des cœurs tourmentés et déchirés mais des cœurs confiants; puisqu'il est d'amour, c'est l'amour qu'il demande. Non pas des gestes héroïques mais de simples regards d'amour vers Lui — quoi de plus simple qu'un regard, c'est même moins qu'une parole. La preuve de cette non-exigence de Dieu, la preuve qu'il n'est pas un justicier avec sa balance de comptes? Ce sont des pauvres, des silencieux, des humbles, des filles fragiles qui manifestent sa puissance : « Jeanne, questionnaient les juges de Rouen, lorsque saint Michel vous apparut, était-il nu? — Croyez-vous Dieu si pauvre qu'il ne puisse vêtir ses anges? » répondait Jeanne. Thérèse, ici, crie que c'est dans la faiblesse et la nudité de l'Enfant que Dieu montre sa force et sa beauté.

> Mon Bien-Aimé! ma faiblesse est extrême...

dit-elle dans la poésie *Vivre d'Amour* qu'elle compose trois semaines après la prise d'habit de Céline, le 26 février 1895. Cette poésie, qu'elle fait pour elle-même, sans la dédier à personne, est composée de quinze couplets de huit vers. C'est un commentaire du « Si quelqu'un m'aime... » de saint Jean, c'est un grand cri d'amour, d'expression trinitaire, comme la fameuse lettre du 7 juillet 1894 à Céline :

> Ah! tu le sais, divin Jésus, je t'aime
> L'Esprit d'amour m'embrase de son feu.
> C'est en t'aimant que j'attire le Père,
> Mon faible cœur le garde sans retour;
> O Trinité, vous êtes prisonnière
>   De mon amour.

Vivre d'amour c'est donc d'abord attirer et garder en soi-même, aussi faible qu'on soit, la Trinité elle-même. C'est aussi, comme le Christ eucharistique, se cacher :

> Je veux pour toi me cacher, ô Jésus!
> A des amants il faut la solitude.

C'est non plus vivre au Thabor mais au Golgotha, connaître l'épreuve :

> Je veux dans la souffrance
> Vivre d'amour!

C'est être gratuit, « donner sans mesure » :

> J'ai tout donné ! légèrement je cours...
> Je n'ai plus rien que ma seule richesse :
> Aimer toujours !

C'est :

> Bannir toute crainte
> Tout souvenir des fautes du passé.
> De mes péchés je ne vois nulle empreinte,
> Au feu divin chacun s'est effacé.

La poésie se poursuit, sorte de synthèse du projet d'amour de Thérèse : si je tombe, Dieu me relève et m'embrasse ; il s'agit de semer « la joie et la paix dans les cœurs » ; ne pas faire comme les apôtres qui ont réveillé Jésus dans la tempête, le laisser dormir : « j'attends en paix » ; supplier Jésus de sanctifier les prêtres ; obtenir la conversion des pécheurs.

Le douzième couplet introduit une insistance sur le récit évangélique de Marie de Magdala ; les quatre premiers vers décrivent ce qui s'est passé selon saint Jean : le parfum répandu sur les pieds de Jésus ; mais les quatre suivants reprennent Matthieu et Marc : le parfum répandu sur la tête de Jésus. Et c'est là qu'elle, Thérèse, si attirée par la Sainte Face, entre elle-même en scène :

> Puis, se levant, dans une sainte audace,
> Ton doux Visage elle embaume à son tour :
> Moi, le parfum dont j'embaume ta Face,
> C'est mon amour !

Le couplet suivant reprend le thème du parfum répandu avec la réaction, en arrière-plan, de ceux qui estiment qu'une telle perte est dommageable, que cette existence est inutile : « Ne perdez pas vos parfums, votre vie. » Thérèse réplique en disant :

> T'aimer, Jésus, quelle perte féconde !

et elle introduit, en paradoxe, avec le *Vivre d'amour*, qui est le titre de la poésie et qui a été répété vingt fois jusqu'à cette strophe, elle introduit l'expression « Mourir d'amour » qui est le cœur des deux derniers couplets. Thème qui, on s'en souvient, a été plusieurs fois approché dans les poésies de 1894 : il s'agissait de mourir pour le Bien-Aimé :

> Jésus, mon Bien-Aimé, pour vous je veux mourir!
> Je désire mourir pour commencer à vivre,
> Je désire mourir pour m'unir à Jésus.

Mais ici le thème est clairement exprimé :

> Je veux chanter en sortant de ce monde :
> *Je meurs d'amour!*

Le désir en éclate :

> Mourir d'amour, c'est un bien doux martyre,
> Et c'est celui que je voudrais souffrir.

Elle a un pressentiment : « Je le sens, mon exil va finir. » Que si elle meurt, que ce soit d'amour :

> *Divin Jésus, réalise mon rêve :*
> *Mourir d'amour!*

Le dernier couplet :

> Mourir d'amour, voilà mon espérance!
> Quand je verrai se briser mes liens,
> Mon Dieu sera ma grande récompense,
> Je ne veux point posséder d'autres biens.
> De son amour, je suis passionnée;
> Qu'il vienne enfin m'embrasser sans retour!
> Voilà mon ciel, voilà ma destinée :
> *Vivre d'amour!*

Ce dernier couplet, si l'on y fait attention, a quelque chose d'extraordinaire : vingt fois Thérèse a dit « Vivre d'amour »; et voici que, face à l'amour, elle met en scène la mort et qu'elle entremêle l'amour et la mort, comme indissolublement. Mais le dernier mot ne revient pas à la mort. « Mort, où est ta victoire? » disait l'apôtre Paul. Thérèse défie la mort dans la mort d'amour; et si elle meurt d'amour, c'est pour vivre éternellement d'amour : le dernier vers est, non pas « mourir d'amour », mais « vivre d'amour ». Au cri de

Thérèse d'Avila : « Je me meurs de ne pas mourir » répond, en contrepoint, le cri de Thérèse de Lisieux : Je veux mourir d'amour pour vivre d'amour.

On se rappelle que, le 18 juillet 1894, Thérèse avait écrit à Céline une lettre où se faisait jour le pressentiment de la mort : « Et puis, Jésus viendra, il prendra l'une d'entre nous et les autres resteront pour un peu de temps dans l'exil (...). Si je meurs avant toi, ne crois pas que je m'éloignerai de ton âme (...). Mais surtout, ne te fais pas de peine, je ne suis pas malade, au contraire j'ai une santé de fer, seulement le bon Dieu peut briser le fer comme l'argile. Tout cela, c'est de l'enfantillage, ne pensons pas à l'avenir. »

L'idée de la mort revient ici : « Je le sens, mon exil va finir. » Or, ce qu'on trouve ici, c'est le désir, non pas de la mort, mais, ce qui est très différent, de « mourir d'amour ».

C'est la première fois que ce désir est ainsi exprimé; le jour de sa profession — 8 septembre 1890 — elle avait écrit une prière : « Jésus, pour toi que je meure martyre, le martyre du cœur ou du corps, ou plutôt tous les deux », prière qu'elle avait aussi exprimée dans son voyage de Rome, au Colisée.

Le 28 avril, une autre poésie, composée à la demande de Céline — et sans doute pour son anniversaire : Céline a vingt-six ans ce jour-là; et c'est la première fois qu'elle fête son anniversaire au Carmel. La poésie a pour titre *Ce que j'aimais*, se chante sur la romance de Chateaubriand, air que fredonnait souvent M. Martin, *Combien j'ai douce souvenance*.

Comme pour un passage d'une poésie de Jeanne d'Arc, Thérèse reprend le texte de saint Jean de la Croix mais elle le place cette fois-ci en exergue de sa poésie :

> J'ai en mon Bien-Aimé les montagnes
> Les vallées solitaires et boisées, etc.

Cinquante-cinq strophes de cinq vers où Thérèse met dans la bouche de Céline une sorte de relation de la vie de celle-ci : son enfance, les Buissonnets, le voyage à Rome, son amour des fleurs et des étoiles. Dans une seconde partie, Thérèse développe *maintenant*, sa vie de carmélite, et c'est là que se trouve le commentaire de saint Jean de la Croix. Alors qu'elle est *maintenant* « pri-sonnière », en fait elle a tout par son Bien-Aimé :

> En toi j'ai tout, la terre et le ciel même
> . . . .
> En toi j'ai les bois, la campagne,
> J'ai les roseaux, la lointaine montagne.

Et toujours le cri de l'amoureuse :

> J'ai ton Cœur, ta Face adorée
> *De ta flèche, je suis blessée...*
> J'ai le baiser de ta bouche sacrée.
> Je t'aime et ne veux rien de plus
> Jésus!

7. *Dieu, la liberté et l'incroyance*

Pendant la messe du 9 juin 1895, dimanche de la Trinité, Thérèse est intérieurement poussée à se donner de tout son cœur à Dieu, au Dieu de Tendresse. C'est très précis, ce que Thérèse veut accomplir : elle se place par rapport aux religieuses et âmes d'élite qui s'offrent comme victimes d'holocauste à la Justice de Dieu, et se démarque par rapport à elles. Thérèse dira, à la fin de cette année 1895 : « Je pensais aux âmes qui s'offrent comme victimes à la Justice de Dieu afin de détourner et d'attirer sur elles les châtiments réservés aux coupables, cette offrande me semblait grande et généreuse, mais j'étais loin de me sentir portée à la faire. »

Pour mieux saisir la radicale différence d'esprit qui sépare cet acte de Thérèse de l'offrande habituelle de nombreuses âmes religieuses à cette époque, le mieux est de rechercher un texte contemporain.

En octobre 1897, une carmélite de quarante-deux ans, sœur Marie-Thérèse, apprenant qu'elle venait d'être élue prieure du Carmel d'Épernay fait à Dieu « une consécration de victime » :

« Seigneur, vous voulez que toute l'horreur de l'appréhension pèse sur mon âme. Oh! Je vous en bénis avec Jésus et j'apprends là aussi les angoisses de la " maternité spirituelle ".

« Jésus, je ratifie la profession de victime que Vous me fîtes faire quand j'étais malade, au mois de mars 1881 et j'écris les paroles que vous me dîtes alors : " Je te choisis pour mon épouse et victime avec moi; je te veux si soumise que, lorsque j'aurai besoin d'une âme qui souffre et qui prie, je puisse m'adresser à toi, sans crainte d'être refusé et que tu veuilles savoir pourquoi. "

« En ce jour, Seigneur, je ratifie mon offrande, je vous supplie *de l'offrir pour la destruction de la franc-maçonnerie.* A cette intention, j'accepte toutes les immolations, et surtout je vous promets de travailler de tout mon pouvoir à ce que vous m'avez demandé : *la purification de la racine pourrie d'orgueil de notre pauvre France, par la pratique constante des vertus de Nazareth.*

« O Saint Joseph! Vous m'avez dit, quand je vous suppliais d'éloigner cette charge : " J'ai été supérieur, vous le serez à mon imitation. " Dès lors, j'ai vu qu'il fallait courber la tête, car c'était de vous que j'espérais l'éloignement du calice amer.

« O Jésus, Marie, Joseph, aidez ma faiblesse; mon père Jean de la Croix, sainte Thérèse, mon Ange gardien, aidez-moi, quand il le faudra, à partir pour l'Égypte, à être courageuse et vraiment victime d'amour. »

Thérèse ne méconnaît pas la voie spirituelle que suivent ces âmes héroïques, elle les admire, mais propose tout autre chose. On aperçoit, dans le texte de la prieure d'Épernay — et d'autres textes qui vont beaucoup plus loin dans le même sens — que de telles âmes se proposent en médiatrices pour purifier et réparer l'outrage qui a été fait à la Justice absolue. Ce n'est pas le dessein de Thérèse.

Au cœur de cet *Acte d'offrande*, il y a le feu. Thérèse avait chanté en janvier Jeanne la Lorraine dont le corps avait été embrasé au bûcher de Rouen :

« Mais plus ardent est l'amour de ton Dieu », disait-elle. Et Jésus accueillait Jeanne en lui affirmant :

> En toi, toujours...
> J'ai vu briller la flamme de l'amour.

C'est Dieu qui avait donné à Jeanne « un cœur de feu », des « paroles de flammes ». Et Thérèse demandait à Jeanne de donner aux carmélites

> ... Tes flammes
> D'apôtre et de martyr.

Comme Jeanne, Thérèse désire le feu, veut un holocauste. Ce terme d'holocauste a une résonance fascinante dans l'esprit des hommes; n'exprime-t-il pas le don absolu — car la victime est entièrement brûlée, et non pas utilisée pour la nourriture des prêtres : le feu est le signe que les chairs consumées peuvent être nourriture pour le dieu —, don absolu au dieu qui a l'absolue souveraineté sur l'homme de par sa transcendance de feu; ainsi, de nos jours, l'acte des bonzes qui se font brûler ne produit-il pas un choc sur les foules?

La donation comme victimes à la Justice de Dieu, faisait planer la mort sur ceux et celles qui s'y engageaient : les âmes qui s'offraient en victimes à la Justice se devaient d'accumuler les mortifications et d'attendre d'être frappées par les accidents ou les maladies les plus atroces : c'est là un thème fréquent dans la littérature des cloîtres au XIXe siècle.

Thérèse quitte ce terrain de la terreur sacrée. Elle ne parle pas de *victime* dans le titre, mais dans le seul sous-titre — mis là pour que la prieure et d'autres puissent s'y reconnaître : l'essentiel pour elle n'est pas l'état de victime, mais la force du feu de Dieu qui consume un cœur; et quand elle reprend le terme de *victime d'holocauste* c'est pour l'accoler à l'*Amour miséricordieux* et non à la Justice; et elle ajoute aussitôt s'adressant au Père : « Vous suppliant de me consumer sans cesse. »

Le 28 avril 1895, cinq semaines plus tôt, dans la poésie qu'elle avait écrite pour Céline, il y avait ces vers qui disaient à Jésus :

> Attiré par sa transparence,
> Vers le feu l'insecte s'élance;
> Ainsi ton amour est mon espérance,
> C'est en lui que je veux voler,
> Brûler.

Et le 25 février dans *Vivre d'amour*, parlant de Dieu :

> Qu'il vienne enfin m'embraser sans retour!

Thérèse amoureuse désire être totalement prise, brûlée, consumée par l'Amant. L'image du feu qui purifie et transforme en lui-même tout ce qu'il touche enchante une amoureuse. Ce qu'elle demande, c'est, littéralement « mourir d'amour ».

Un être qui aime est un être unifié mais en même temps un être qui regarde les autres dans leur unité ou qui unifie ceux qu'il rencontre, les réconciliant avec eux-mêmes.

Thérèse, qui sait bien que sa puissance d'amour à elle vient de Dieu — Thérèse a sur Dieu un regard d'unité; elle parle aussitôt de la Trinité : « O mon Dieu! Trinité Bienheureuse. » Et non pas Dieu comme seule Justice : mais comme Bonheur. Elle s'en explique fort bien dans le commentaire qu'elle fait de son *Acte*, à la fin de 1895, à l'intention de sœur Agnès, en des termes que celle-ci puisse comprendre :

« O mon Dieu! m'écriai-je au fond de mon cœur, n'y aurat-il que votre Justice qui recevra des âmes s'immolant en victimes?... Votre *Amour* Miséricordieux n'en a-t-il pas besoin lui aussi? »... Elle constate donc, à cause de son regard unificateur, qu'on réduit Dieu à sa seule Justice et que pendant ce temps, ceux qui désireraient rencontrer Dieu comme Amour sont heurtés par la représentation univoque de Dieu comme Justice; « L'Amour miséricordieux (...) de toutes parts est méconnu, rejeté; les cœurs auxquels vous désirez le prodiguer se tournent vers les créatures leur demandant le bonheur avec leur misérable affection, au lieu de se jeter dans vos bras et d'accepter votre *Amour* infini... »

Or, pour elle, l'Amour est supérieur à la Justice; et le fond de la révélation chrétienne est que Dieu est, non pas d'abord Justice mais Amour : Dieu est juste mais il est Amour. Pour elle, la Justice de Dieu en effet « ne s'étend que sur la terre » tandis que sa « Miséricore *s'élève jusqu'aux cieux* ». La Justice de Dieu s'exerce face au pécheur elle est donc d'application limitée; son Amour se vit sur la terre et dans les cieux. Le dessein premier de Dieu est l'Amour.

Thérèse va-t-elle oublier la Justice de Dieu? Elle l'inclut mais à sa place : dépendante de l'Amour; et l'unification parfaitement théologique qu'elle opère est claire et simple : la Justice de Dieu s'est réalisée une fois pour toutes en Jésus, le Sauveur; il s'agit donc, non pas de traiter avec la Justice de Dieu et selon nos mérites et nos justifications; mais de traiter avec l'Amour en se couvrant des mérites de Jésus. Elle dit avec une audace étonnante, balayant les habitudes de pensée des âmes héroïques qui prônent la Justice : « Au soir de cette vie, je paraîtrai devant vous les mains vides, car je ne vous demande pas, Seigneur, de compter mes œuvres. Toutes nos justices ont des taches à vos yeux. Je veux donc me revêtir de votre propre *Justice* et recevoir de votre *Amour* la possession éternelle de *Vous-même*. » Thérèse ne veut pas recevoir de Dieu, selon la Justice, un trésor, une propriété, un *avoir;* elle veut, de Dieu, recevoir Son *être :* « Je désire être Sainte, mais je sens mon impuissance et je vous demande ô mon Dieu, d'être vous-même ma Sainteté. »

Par là même, Thérèse brise le dualisme qui avait trop tendance à s'imposer parmi les chrétiens : d'un côté le Dieu implacable qui attend son dû, et de l'autre les pauvres fidèles cherchant la perfection, usant leurs forces, s'exténuant littéralement à la manière des sages de l'Inde, ou proposant, comme Simone Weil, une doctrine de dé-création, en un mot se tuant pour enfin rejoindre Dieu. Dans cette perspective, Dieu et l'homme sont inconciliables; Sartre alors a raison : si Dieu existe, l'homme n'existe pas; et si l'homme existe, Dieu n'existe pas. Thérèse rejette cette conception de l'anéantissement de l'homme et de l'humain. Et c'est ce qu'elle a vécu elle-même : « Bien loin de ressembler aux belles âmes qui dès leur enfance pratiquaient toute espèce de mortification, je ne sentais pour elles aucun attrait. »

Mais alors, comment unifier? Ici, l'intuition géniale continue de s'exercer. Pour elle, l'avoir divise; et c'est l'être qui communique et unifie : le propre d'un grand amour est de demander à l'autre, non pas quelque chose, mais son être; et le propre d'un grand amour est de savoir qu'on ne peut pas s'approprier l'autre mais seulement lui demander humblement de bien vouloir communiquer son être. Reconnaître son « impuissance » à prendre l'autre est le premier pas; le second est de demander à l'autre de bien vouloir se donner lui-même à son gré.

La question qui se pose alors est déchirante : l'autre veut-il se communiquer? Ici, pour Thérèse, la réponse ne fait aucun doute : elle est aimée de Dieu. Dieu le lui a-t-il dit? Comment le lui aurait-il affirmé? Non, aucunement. C'est Jésus qui en est la preuve, Jésus son Fils que Dieu a donné aux hommes et à elle, Thérèse, Jésus qui est son « Époux ».

Alors, le coup d'audace de l'amoureuse qu'est Thérèse, c'est de mettre dans la balance, d'y jeter, avec l'inconscience d'un cœur d'enfant qui ne doute de rien et la supraconscience de l'amoureuse, d'y jeter non pas ses mérites à elle — elle est assez réaliste pour savoir leur peu de poids — mais tous les mérites du Christ et des saints, c'est-à-dire « leurs actes d'Amour ». C'est une sorte de défi à Dieu, lui disant : qu'est-ce que j'ai à offrir ? mon pauvre cœur tout seul ? non, mais le cœur même du Christ et de tous ceux qui ont aimé. Et on voit là que Thérèse se place tout à l'inverse des faux mystiques qui s'isolent avec Dieu et veulent se fondre en lui selon leurs forces dans un face à face individuel. Thérèse met ici en avant l'amour du Christ et de tous : elle se fait la petite dernière qui présente à Dieu l'amour de ceux qui l'ont précédée. Surtout, Thérèse a, d'une manière extrême, le sens du Christ, de sa place de médiateur unique. Mais ce rôle du Christ, au lieu de lui faire peur, elle en tire les conséquences : puisque le Christ s'est donné, « les trésors infinis de ses mérites sont à moi ». Non pas pour se les approprier mais pour se cacher derrière eux, derrière le Christ : que Dieu la voie à travers le seul visage de son Fils ; « Vous suppliant de ne me regarder qu'à travers la Face de Jésus ».

Ainsi unifie-t-elle l'Église, corps du Christ. Elle se plonge dans tout l'ensemble des « actes d'Amour » du Christ et des saints, les offre à Dieu « avec bonheur ». Toute cette démarche, elle ne peut l'accomplir qu'à partir d'un acte extraordinaire d'espérance : elle fait confiance au Père qui l'a délivrée à Noël 1886 ; elle ose tout lui demander. La seule parole de l'Évangile qui est citée dans l'*Acte*, c'est justement : « Tout ce que vous demanderez à mon Père en mon nom il vous le donnera ! » Thérèse est certaine du Père, à cause de Jésus, bien sûr, mais c'est de lui qu'elle sait pouvoir tout attendre, c'est de lui, le Père, qu'elle attend tout. L'*Acte* est un intense acte d'espérance.

CONTRE LE RACISME SPIRITUEL.

« Faire aimer » l'Amour : à partir de cette perspective, on ne peut plus, comme dans la spiritualité de victimes à la

Justice de Dieu, séparer les hommes en purs et impurs : d'un côté les âmes assez saintes pour avoir droit à s'offrir en holo-causte et de l'autre les pécheurs trop vils pour le faire. Thérèse veut se laisser consumer par le feu de l'Amour, et elle pense que les pécheurs, eux aussi, peuvent être consumés par ce feu. Ce qui veut dire qu'elle renverse les barrières établies entre les hommes, les barrières spirituelles, c'est-à-dire les barrières les plus subtiles, selon lesquelles certains seraient prédestinés par Dieu et les autres rejetés. Pour Thérèse, tous sont appelés, destinés à pouvoir se laisser consumer dans le brasier de l'Amour. Elle balaye le racisme spirituel. Il ne peut plus y avoir de bien-pensants. Sur ce point, elle ira plus loin encore, à Pâques 1896.

« La grâce » qu'elle a reçue le 9 juin 1895, elle la définira « la grâce de comprendre plus que jamais combien Jésus dé-sire être aimé ». Il ne s'agit pas des désirs subjectifs de Thé-rèse : tout l'*Acte* parle de Jésus. C'est une amoureuse qui parle de l'Amant, comme dans *le Cantique des Cantiques*, une amoureuse qui proclame ses « trésors infinis », qui souffre de ce qu'on n'aperçoit pas les « flots de tendresse infinie qui sont renfermés » en lui, qui souhaite qu'au moins son âme à elle soit submergée par ces flots : elle supplie Dieu de laisser « déborder » en son âme ces flots de « *tendresse infinie* ». Il est donc l'eau qui submerge et baigne, ce Bien-Aimé; et il est « le feu qui transforme toute chose en lui-même ». Elle désire ne rien faire d'autre que de se laisser envahir par l'eau et le feu.

Thérèse est un être de désir : dans le seul premier paragra-phe, neuf lignes, de l'*Acte*, on trouve trois fois « Je désire ». Tout son désir s'est cristallisé sur Jésus, Jésus seul. Mais ce n'est pas une fusion passive, un immergement flou : l'*Acte* est le début d'une série d'*actes*. Des deux côtés : que Dieu, pour sa part, la brûle sans arrêt : « Vous suppliant de me consumer sans cesse » et elle est exaucée, à chaque instant : « Depuis cet heureux jour, il me semble que l'*Amour* me pénètre et m'environne, il me semble qu'à chaque instant cet *Amour miséricordieux* me renouvelle, purifie mon âme et n'y laisse aucune trace de péché, aussi je ne puis craindre le pur-gatoire... Je sais que par moi-même je ne mériterais pas même d'entrer dans ce lieu d'expiation, puisque les âmes saintes peuvent seules y avoir accès, mais je sais aussi que le Feu de l'Amour est plus sanctifiant que celui du purgatoire, je sais que Jésus ne peut désirer pour nous de souffrances inutiles et qu'Il ne m'inspirerait pas les désirs que je ressens, s'Il ne voulait les combler... Oh ! qu'elle est douce la voie de l'Amour!... » Et qu'elle, de son côté, réitère constamment son amour : « Je veux ô mon *Bien-Aimé*, à chaque battement de mon cœur vous renouveler cette offrande un nombre infini de fois. » Texte que sœur Agnès arrangera de cette manière dans l'*Histoire d'une âme* (p. 144) : « Ah, depuis ce jour (elle supprime *heureux!*) l'amour me pénètre et m'environne, à chaque instant cet amour miséricordieux me renouvelle, me purifie et ne laisse en mon cœur aucune trace de péché. Non, je ne puis craindre le purgatoire; je sais que je ne mériterais même pas d'entrer avec les âmes saintes dans ce lieu d'expiation, mais je sais aussi que le feu de l'amour est plus puissant et plus sanctifiant que celui du purgatoire, je sais que Jésus ne peut vouloir pour nous de souffrances inutiles, et qu'il ne m'inspirerait pas les désirs que je ressens s'il ne voulait les combler... » Sœur Agnès avait vraiment à cœur de présenter Thérèse comme modèle de vertu : le passage de l'*Acte* qui dit : « Si par faiblesse je tombe quelquefois, qu'aussitôt votre *Divin Regard*... », a été transformé par sœur Agnès en « Si par faiblesse je viens à tomber... »

Nous retrouverons le mot *infini* : pour exprimer son amour Thérèse va le monnayer en une multitude, une infinité d'instants d'actes d'amour, elle va « infiniser » le temps en le faisant exploser en mille actes infimes d'amour. Loin de la perdre en Dieu d'une manière subjective, cet *Acte* va la rendre infiniment plus humaine : nous la verrons mettant tout son amour dans la quotidienneté de l'existence et le parcellaire des rencontres du Carmel. Cette femme de vingt-deux ans qui demande à Dieu : « Que je devienne *Martyre* de votre *Amour* » vivra un martyre à petit feu : une suite d'actes d'amour simples et cachés.

Le deuxième événement essentiel de l'itinéraire spirituel — le premier étant la conversion de Noël 1886 — vient donc de se passer. Dans le premier, elle avait rencontré un Dieu qui délivre de dix années de nuit et qui réalise cette libération en un moment. Ici, elle reçoit l'impulsion décisive de se donner à l'Amour. A Noël 1886, la parole de son père avait été l'instrument pour la sortir d'elle-même; ici la confiance au Père est la clé de voûte de sa donation d'elle-même. Extérieurement il n'y a aucun phénomène extraordinaire, ni d'un côté, ni de l'autre : événements aussi ténus l'un que l'autre, qui auraient pu, autant l'un que l'autre, passer inaperçus, et qui n'ont été connus que parce que Thérèse en a parlé et surtout parce qu'ils ont été suivis d'effets constatables. Il faut redire, une fois de plus, que face à la biographie des saints d'autrefois qui était d'abord le récit de phénomènes extraordinaires qu'ils avaient vécus, la biographie de Thérèse ne comporte aucun miracle pendant sa vie, aucune vision proprement dite, aucune extase. Et Dieu sait si certaines religieuses de Lisieux ont espéré, dans les derniers mois de sa vie, qu'elle connaisse des phénomènes de ce genre! Mais rien. Au lieu d'une vie ponctuée par les grands coups de gong des choses extraordinaires, nous nous trouvons devant une vie tout ordinaire, marquée par deux grands événements cachés et pleins de silence.

Le 15 octobre 1895, un jeune séminariste — il a vingt et un ans, un an de moins que Thérèse, du diocèse de Bayeux, qui voulait devenir missionnaire, écrit à la prieure du Carmel de Lisieux : « Je demanderai qu'une religieuse s'attache particulièrement au salut de mon âme et obtienne que je sois fidèle à la vocation que Dieu m'a donnée : prêtre et missionnaire. » Sœur Agnès choisit aussitôt Thérèse qui compose une prière à l'intention de l'abbé Bellière. Sœur Agnès répond à l'abbé en joignant cette prière à sa lettre. Le 23 octobre, l'abbé remercie : « Je serais heureux aussi de dire à ma sœur Thérèse de l'Enfant-Jésus combien m'a touché sa charité, son dévouement, puisés à la plus pure source de l'amour divin (...). Dites-lui bien, ma bonne Mère, que j'ai remercié avec attendrissement la bonté divine qui m'a choisi cette sœur pour m'aider à faire l'œuvre de Jésus-Christ —, que j'ai lu avec une profonde émotion cette prière inspirée qu'elle a composée. » Cette prière se trouve dans l'*Histoire d'une âme*, édition de 1953. Le 12 novembre, l'abbé, entrant à la caserne, envoie une carte laconique à « la Mère du Carmel et sa sœur Thérèse de Jésus ». Il ne redonnera signe de vie qu'en juillet suivant et commencera alors, à partir d'octobre 1896, une correspondance importante entre Thérèse et lui. L'abbé Bellière s'embarquera à Marseille pour rejoindre le noviciat des pères blancs à Alger, le 29 septembre 1897, veille de la mort de Thérèse.

C'est dans les poésies et les gestes quotidiens les plus simples que Thérèse exprime son *Acte*. Le 9 novembre 1895 meurt, à l'âge de soixante-quinze ans, sœur Saint-Pierre. Cette religieuse est une sœur au voile blanc — une sœur converse — qui avait mené au Carmel une vie de dévouement infatigable. Dans les dernières années de sa vie, elle avait été atteinte de rhumatismes déformants très pénibles; d'une volonté rude, elle se traînait avec des béquilles jusqu'au chœur où elle s'asseyait sur un banc; il fallait l'aider; mais elle n'était pas commode. Thérèse a raconté :

« A l'oraison du soir elle était placée devant moi : dix minutes avant 6 heures, il fallait qu'une sœur se dérange pour la conduire au réfectoire, car les infirmières avaient alors trop de malades pour venir la chercher. Cela me coûtait beaucoup de me proposer pour rendre ce petit service, car je savais que ce n'était pas facile de contenter cette pauvre sœur Saint-Pierre qui souffrait tant qu'elle n'aimait pas à changer de conductrice. Cependant je ne voulais pas manquer une si belle occasion d'exercer la charité, me souvenant que Jésus avait dit : *Ce que vous ferez au plus petit des miens c'est à moi que vous l'aurez fait* (Matt. 25, 40). Je m'offris donc bien humblement pour la conduire : ce ne fut pas sans mal que je parvins à faire accepter mes services! Enfin je me mis à l'œuvre et j'avais tant de bonne volonté que je réussis parfaitement.

« Chaque soir quand je voyais ma sœur Saint-Pierre secouer son sablier, je savais que cela voulait dire : partons! C'est incroyable comme cela me coûtait de me déranger surtout dans le commencement; je le faisais pourtant immédiatement, et puis, toute une cérémonie commençait. Il fallait remuer et porter le banc d'une certaine manière, surtout ne pas se presser, ensuite la promenade avait lieu. Il s'agissait de suivre la pauvre infirme en la soutenant par sa ceinture, je le faisais avec le plus de douceur qu'il m'était possible; mais si, par malheur, elle faisait un faux pas, aussitôt il lui semblait que je la tenais mal et qu'elle allait tomber. — " Ah! mon Dieu! vous allez trop vite, j' vais m' briser. " Si j'essayais d'aller encore plus doucement — " Mais suivez-moi donc! je n' sens pus vot' main, vous m'avez lâchée, j' vais tomber; ah! j'avais bien dit qu' vous étiez trop jeune pour me conduire. " Enfin nous arrivions sans accident au réfectoire; là survenaient d'autres difficultés, il s'agissait de faire asseoir sœur Saint-Pierre et d'agir adroitement pour ne pas la blesser, ensuite il fallait relever ses manches (encore d'une certaine manière) puis j'étais libre de m'en aller. Avec ses pauvres mains estropiées, elle arrangeait son pain dans son godet, comme elle pouvait. Je m'en aperçus bientôt et, chaque soir, je ne la quittais qu'après lui avoir encore rendu ce petit service. Comme elle ne me l'avait pas demandé, elle fut très touchée de mon attention et ce fut par ce moyen que je n'avais pas cherché exprès, que je gagnai tout à fait ses bonnes grâces et surtout (je l'ai su plus tard) parce que, après avoir coupé son pain, je lui faisais avant de m'en aller mon plus beau sourire. »

Le mardi 17 mars au matin, Céline prend le voile. L'après-midi, Marie Guérin en toilette de mariée, au bras de son père, s'avance à la porte de la clôture : c'est le jour où elle reçoit l'habit. Jour de joie pour Thérèse : Céline et Marie lui sont si proches et ce sont ses novices. Jour de joie qui sera aussitôt suivi de mois d'épreuves, jusqu'à la mort.

Isidore Guérin, lui, relate dans *le Normand* dont il est devenu le rédacteur en chef, la double cérémonie :

Lisieux. Au Carmel.
Deux rares et bien touchantes cérémonies ont lieu aujourd'hui dans la pieuse et attrayante chapelle du Carmel. Deux

aimables jeunes filles, que rapprochent de près des liens du sang, deux cousines, prennent avec Dieu un nouvel engagement de se consacrer entièrement à lui, de lui appartenir sans réserve. Et là, près d'elles, un père, une mère, oncle et tante en même temps, des sœurs, font avec la plus admirable abnégation le douloureux sacrifice que le ciel leur demande. Pour eux, la séparation est cruelle, le déchirement est profond ; mais leur âme, s'élevant au-dessus des aspirations et des affections purement terrestres, se soumet généreusement à la volonté divine. Désormais, d'ailleurs, une bonne partie de leur cœur sera pour cette sainte maison du Carmel qui va se refermer sur ce qu'ils ont de plus cher au monde.

Ce matin, à 8 heures et demie, Mlle Céline Martin, entourée de trois de ses sœurs qui l'ont précédée dans la vie monastique, a prononcé ses derniers vœux et pris le voile des professes.

Monseigneur de Bayeux et Lisieux a daigné présider cette imposante cérémonie dont M. l'abbé Ducellier, doyen de Trivière, a dans une émouvante et éloquente allocution retracé la haute et religieuse signification.

Ce soir, à 3 heures, Mlle Marie Guérin, accomplit la première partie de son noviciat et revêt l'habit du Carmel. Dans quelques mois, elle aussi viendra prendre, au même lieu, les plus définitifs et solennels engagements.

Monseigneur préside encore cette seconde cérémonie, à laquelle un ami de M. Guérin, M. l'abbé Levasseur, curé de Saint-Germain de Navarre-lès-Évreux, prête le concours de sa pieuse et savante parole.

Matin et soir, la chapelle a été remplie d'une foule de personnes qui sont venues témoigner de leurs vives sympathies pour ces jeunes filles, pour cette famille honorée sur laquelle Dieu se plaît à répandre de si grandes et nombreuses bénédictions.

Aucun des assistants ne peut dissimuler sa profonde émotion. Comment en effet ne serait-on pas ému, au milieu de toutes les tristesses de l'heure présente, en voyant ce que la Religion nous réserve encore de nobles exemples, de douces consolations ! Et comment ne se prendrait-on pas à espérer que Dieu aura pitié un jour de cette France où, malgré tant de révoltes et de blasphèmes, on voit encore se produire, sublimes dans leur calme et leur simplicité, de si généreux et héroïques renoncements.

ÉLECTIONS AU COUVENT.

Janvier-février 1896 ont été marqués, dans la Communauté, par des difficultés pénibles. Deux novices devaient normalement faire ensemble leur profession le 24 février : sœur Geneviève de Sainte-Thérèse (Céline) et sœur Marie de la Trinité. Or mère Marie de Gonzague, prévoyant sa réélection prochaine comme prieure — les élections devaient se faire le 21 mars — veut que la profession des deux novices soit différée : de cette manière, ce n'est pas l'actuelle prieure, sœur Agnès, mais elle, Marie de Gonzague, qui aura l'honneur de recevoir leurs vœux. Étant maîtresse des novices, mère Marie de Gonzague peut toujours trouver des raisons de différer la profession d'une novice et elle a le droit de le faire. Mais il y a des abus d'autorité et cette manière d'agir, ici, en l'occurrence, en est un. La Communauté se divise en deux camps : les unes criant au scandale devant la prétention de la maîtresse des novices, les autres arguant de ses droits. Plusieurs témoignages disent que Thérèse, sous-maîtresse des novices, prit position de manière très ferme dans le débat : « Il y a des épreuves qu'une maîtresse n'a pas le droit d'imposer à ses novices. » Finalement on choisit une solution moyenne : Céline, la sœur de la prieure, fera profession à la date prévue, le 24 février; la profession de sœur Marie de la Trinité est reportée à une date qui sera choisie par la prochaine prieure.

Le 21 mars le chapitre se réunit pour l'élection de la prieure. Le climat est extrêmement tendu entre les partisans de mère Marie de Gonzague et ceux de mère Agnès. Ce n'est qu'au septième tour de scrutin qu'une majorité s'exprime enfin sur mère Marie de Gonzague. Celle-ci sort ulcérée de cette élection. Et au lieu de confier à la prieure précédente, comme c'était la tradition, la charge du noviciat, elle cumule les fonctions : elle garde pour elle-même la responsabilité des novices. Si elle confirme Thérèse dans son rôle de sous-maîtresse des novices, en fait, ce titre est purement nominal; Thérèse, toujours au noviciat, est simplement la doyenne des novices et une sorte de conseillère mais sans mandat ni fonctions officiels.

Thérèse, étant novice, n'assiste pas à ce chapitre houleux. Mère Agnès a raconté : « Sœur Thérèse de l'Enfant-Jésus attendait au dehors, anxieuse et dans la prière, le résultat. Quand la cloche appela les Sœurs n'ayant pas voix ni séance, au Chœur, pour rendre obéissance à la Prieure nommée, et qu'elle vit que c'était Mère Marie de Gonzague, elle fut comme frappée de stupeur. »

Que cette élection ait fait un coup à Thérèse, comment peut-on en douter, ou minimiser le fait ? Voici le Carmel de nouveau entre les mains d'une prieure qui n'a aucune hésitation à user et abuser de son autorité.

La réaction de Thérèse est pourtant une réaction de patience, d'accueil par rapport à la nouvelle prieure. Elle est témoin de l'amertume et des larmes de mère Marie de Gonzague qui souffre d'avoir vu, dans l'élection, que l'ensemble des carmélites de Lisieux ne la suivaient plus de façon unanime : elle qui a tant besoin d'affection se voit délaissée. Le 29 juin, trois mois après l'élection, Thérèse écrit à sa prieure *la Légende du tout petit agneau*, qui est un chef-d'œuvre de délicatesse et de netteté en même temps qu'un véritable psychodrame. La *Légende* présente d'abord une Bergère — mère Marie de Gonzague — qui aime son troupeau et qui est aimée de lui. Viennent des nuages : la Bergère « ne trouva plus de joie à garder son troupeau et, faut-il le dire ? la pensée de s'éloigner de lui pour toujours vint à son esprit ». Dans cette souffrance, la Bergère se confie à « un tout petit agneau » — Thérèse. Cet « agneau », « voyant pleurer sa Bergère » « cherchait en vain, dans son tout petit cœur, le moyen de consoler celle qu'il aimait *plus que lui-même* ». On peut, ici, s'étonner de cette protestation d'amour de Thérèse envers la prieure, mais Thérèse a peu à peu appris — et elle est maintenant arrivée à la perfection de ce cheminement — à distinguer l'amour affectif et l'amour effectif : même si elle n'éprouvait guère d'amour affectif envers une

sœur Saint-Pierre, l'infirme jamais contente, elle avait envers
elle un amour effectif, on l'a vu. De même envers la prieure.
Encore que Thérèse connaisse une attirance envers mère
Marie de Gonzague.

L'agneau, qui cherche à apaiser la Bergère, connaît alors
un rêve. Il se trouve dans une merveilleuse prairie et aperçoit
un Pasteur radieux — Jésus, bien sûr. L'agneau lui raconte
la raison des larmes de la Bergère : « Autrefois elle se croyait
aimée de son cher troupeau, elle aurait donné sa vie pour le
rendre heureux; mais, par votre ordre elle fut obligée de
s'absenter pendant quelques années; à son retour, il lui
sembla ne plus reconnaître le même esprit qu'elle avait tant
aimé dans ses brebis. Vous le savez, Seigneur, c'est au troupeau que vous avez donné le pouvoir et la liberté de choisir
sa Bergère. Eh bien, au lieu de se voir, comme autrefois,
choisie unanimement, ce ne fut qu'après avoir délibéré sept
fois, que la houlette fut placée dans ses mains... »

Le fait de l'élection est donc rapporté, à la faveur d'un rêve,
de façon très réaliste et précise. Avec une incidente importante : c'est sur « l'ordre » de Jésus que mère Marie de
Gonzague, en février 1893, a dû laisser la place à une autre,
puisque l'Église ne permet pas une troisième réélection à la
suite.

On attend la réponse du Pasteur : « C'est moi qui ai, *non
pas permis*, mais *voulu* la grande épreuve qui la fait tant
souffrir. »

Cet argument a déjà dû être proposé par Thérèse à mère
Marie de Gonzague, mais sans succès. Car Thérèse, par la
bouche de l'agneau, développe les objections de la prieure :
« Je croyais que vous étiez si bon, si doux... n'auriez-vous
donc pas pu donner la houlette à une autre, comme le dési-
rait ma Mère chérie, ou bien, si vous vouliez absolument la
remettre entre ses mains, pourquoi ne pas l'avoir fait après
la *première* délibération? »

Mère Marie de Gonzague aurait voulu que le choix se
fasse dès la première délibération : ou elle-même ou une
autre; elle éprouve un intolérable dépit à avoir été ainsi
mise en balance six tours de suite.

Le Pasteur répond que l'épreuve envoyée à la prieure est

« l'*épreuve de choix* » qu'il lui a préparée. Et la *Légende* pourrait se terminer là. Mais elle se poursuit par une question de l'agneau qui revient à la charge en expliquant au Pasteur les raisons profondes de la souffrance de la Bergère : « Ah! Seigneur, je vois bien maintenant que vous ne savez pas le plus grand chagrin de ma Bergère... ou bien vous ne voulez pas me le confier! Vous pensez aussi que l'esprit primitif de notre troupeau s'en va... Hélas! comment ma Bergère ne le penserait-elle pas? Il est un si grand nombre de Bergères qui déplorent les mêmes désastres dans leurs bergeries... »

Nous avons ici l'argument essentiel que mère Marie de Gonzague développait en faveur de son élection : elle estimait que la tradition était entamée et qu'elle devait être de nouveau prieure pour rétablir la situation. Un fait, par exemple : mère Agnès a permis, comme prieure, l'introduction dans le Carmel d'un appareil de photo — une chambre 13 × 18, objectif Darlot — avec tout l'attirail nécessaire pour le développement. Cet appareil est celui de Céline qui s'était passionnée pour la photo; et on doit à cette permission les clichés de Thérèse au Carmel. Mais les règlements du Carmel alors en vigueur interdisaient au nom de l'esprit de clôture, d'avoir un appareil de photo. C'est pour mère Marie de Gonzague un relâchement et aussi une faiblesse commise par excessif esprit de famille.

Le Pasteur — et Thérèse par lui — conteste cette position de mère Marie de Gonzague : bien sûr « l'esprit du monde se glisse même au milieu des meilleures prairies, mais il est facile de se tromper dans le discernement des intentions ». On comprend que là, Thérèse défend mère Agnès : admettre l'argument de mère Marie de Gonzague c'est admettre que mère Agnès n'a pas suffisamment soutenu la Règle pendant son priorat et qu'elle a contribué à une certaine décadence de la tradition : c'est ce que pense la nouvelle prieure qui a même retiré à l'ancienne la charge de maîtresse des novices. Thérèse refuse ce point de vue et dit qu'on peut facilement se tromper sur les intentions.

Mais à peine Thérèse a-t-elle défendu sa sœur qu'elle défend, par un mouvement très subtil de balancier, mère Marie de Gonzague elle-même : elle la défend face aux carmélites « qui font beaucoup de mal à ma Bergère avec leurs raisonnements *terre à terre* ». Autrement dit, l'argument déployé par mère Marie de Gonzague, la défense de la tradition, s'est heurté à des arguments *terre à terre*, lesquels? Sans doute est-ce par goût de l'autorité que mère Marie de Gonzague a voulu être prieure. Le Pasteur répète alors que la croix de la Bergère « lui vient du *Ciel* et non pas de la terre ». Réponse de l'agneau : « Jésus, je le ferai, mais j'aimerais mieux que vous donniez la commission à l'une des brebis dont le raisonnement est *terre à terre*... je suis si petit... ma voix est si faible, comment ma Bergère me croira-t-elle?... »

« Elle te croira », répond le Pasteur. Mais l'agneau poursuit, va jusqu'au fond de l'abcès : « Je vous comprends, Jésus, mais il est encore un mystère que je voudrais approfondir : Dites-moi, je vous supplie, pourquoi vous avez choisi les *brebis chéries* de ma Bergère pour l'éprouver. Si vous aviez pris des étrangères, l'épreuve aurait été plus douce. »

Quelles sont ces « brebis chéries »? Nous ne le savons pas. Mais nous savons que mère Marie de Gonzague a souffert, plus que de toute autre attaque, d'avoir été lâchée par des carmélites qu'elle aimait particulièrement.

Ultime argument du Pasteur, l'argument personnel : « Alors, montrant à l'agneau ses pieds, ses mains et son cœur, embellis de lumineuses blessures, le Bon Pasteur répondit : " Regarde ces plaies, ce sont celles que j'ai reçues dans la *maison de ceux qui m'aimaient!* " (Zacharie XIII, 6)... C'est pour cela qu'elles sont si belles, si glorieuses, et que pendant toute l'éternité leur éclat ravira de joie les anges et les saints.

« Ta Bergère se demande ce qu'elle a fait pour éloigner ses Brebis, et *moi, qu'avais-je fait à mon peuple! En quoi l'avais-je contristé?* Il faut donc que ta Mère chérie se réjouisse d'avoir part à mes douleurs... Si je lui enlève les appuis humains, c'est pour remplir seul son cœur si *aimant!* »

L'agneau a-t-il réussi à apaiser la Bergère? La réponse est bien difficile à donner. En tout cas, voici Thérèse, une religieuse de vingt-trois ans, toujours novice, aux prises avec une religieuse de soixante-deux ans qui a déjà été deux fois sous-prieure — en 1866 et 1869 — et qui vient d'être élue prieure pour la cinquième fois. Thérèse voit cette prieure pleurer de dépit devant quelques contestations de sa personne — il est vrai que mère Marie de Gonzague avait aussi identifié la Règle à sa personne! Elle ne se scandalise ni ne s'étonne. Elle l'apaise calmement, sans pourtant entrer dans ses vues. Thérèse nous paraît là, dans son mélange de douceur et de fermeté, humaine au plus haut point : digne et forte, lucide, réaliste et pleine de cœur. Et humaine — peut-être en ceci qu'elle saisit en quel cercle étouffant le cœur de mère Marie de Gonzague se trouve enserré : cette femme qui a un si haut sens de ses responsabilités est comme enfermée dans le pouvoir. Thérèse a dû connaître une réelle compassion en face de la souffrance de cette femme qui, comme dit Thérèse, vient de recevoir « de nouveau le fardeau de la supériorité ». Elle, Thérèse, qui s'est désappropriée et préfère sa place, la dernière, ne donnerait pas cette place pour celle de la prieure. Mais elle comprend les goûts et les détours du cœur humain, ses amertumes et ses attraits.

Thérèse vit au plus profond d'elle-même ces conflits qui atteignent la communauté; elle les vit dans sa chair à tel point qu'ils retentissent sur sa santé pour une part qu'on ne saurait négliger.

On se souvient que Thérèse avait écrit le 18 juillet 1894 à Céline : « J'ai une santé de fer. » Pourtant, Thérèse avait été prise en juin 1894 d'un mal de gorge persistant. Le médecin, consulté, ordonne des cautérisations au nitrate d'argent. Et quand Céline arrive au Carmel en septembre, c'est elle qui fait ces cautérisations. Certaines pensent, dans la Communauté, que ce mal de gorge a été provoqué par les trop nombreuses conversations de Thérèse avec les novices. Le médecin ordonne, pour l'hiver 1894-1895, de soigner Thérèse et on met une chaufferette à sa disposition.

On continue les cautérisations. Au Carême de 1896,

Thérèse qui observe le jeûne du Carmel dans toute sa rigueur, se sent plus forte que jamais. Or, à la fin du Carême, événement dramatique : « Jamais je ne m'étais sentie aussi forte, et cette force se maintint jusqu'à Pâques. Cependant le jour du Vendredi saint, Jésus voulut me donner l'espoir d'aller bientôt le voir au Ciel... Oh! qu'il m'est doux, ce souvenir!... Après être restée au Tombeau jusqu'à minuit, je rentrai dans notre cellule, mais à peine avais-je eu le temps de poser ma tête sur l'oreiller que je sentis comme un flot qui montait, montait en bouillonnant jusqu'à mes lèvres. Je ne savais pas ce que c'était, mais je pensais que peut-être j'allais mourir et mon âme était inondée de joie... Cependant comme notre lampe était soufflée, je me dis qu'il fallait attendre au matin pour m'assurer de mon bonheur, car il me semblait que c'était du sang que j'avais vomi. Le matin ne se fit pas longtemps attendre, en m'éveillant, je pensai tout de suite que j'avais quelque chose de gai à apprendre et en m'approchant de la fenêtre je pus constater que je ne m'étais pas trompée... Ah! mon âme fut remplie d'une grande consolation, j'étais intimement persuadée que Jésus au jour anniversaire de sa mort voulait me faire entendre un premier appel. »

Donc le Jeudi saint 2 avril, Thérèse, après avoir prié devant le Saint Sacrement exposé — le Tombeau ou reposoir du Jeudi saint, regagne à minuit sa cellule. Et, aussitôt, dans la première heure du Vendredi saint, elle connaît sa première hémoptysie, qu'elle constate effectivement au réveil, à cinq heures du matin.

Dans la nuit du Vendredi au Samedi saints, nouvelle hémoptysie. Cette fois, la prieure appelle le docteur La Néele, cousin de Thérèse et la fait ausculter. Mère Agnès racontera, en 1909 — treize ans après — qu'on ne permit au cousin « de l'ausculter qu'en passant la tête par la petite grille de l'oratoire ». Bien sûr, l'examen fait dans de telles conditions n'a pas dû être commode. Mais comment le docteur La Néele peut-il négliger le fait de ces deux hémoptysies et estimer que celles-ci peuvent être venues du nez? Mère Agnès veut disculper le cousin; reste qu'il n'a pas posé un bon diagnostic. Un autre médecin, le docteur de

Cornière visitera souvent Thérèse : « Si son diagnostic fut longtemps erroné, a-t-on écrit et si les traitements qu'il adopta pour la sainte furent tardifs, douloureux et peu efficaces, c'est la science médicale du temps qui est la seule en cause. » On nous dit aussi que ce docteur était « un homme de haute conscience, un chrétien exemplaire et un bon médecin. Il était tout dévoué aux carmélites qu'il soignait sans accepter d'honoraires ». Reste que le bon docteur a fait lui aussi erreur et gravement : tous les manuels de médecine de l'époque disent que l'hémoptysie est le symptôme habituel de la phtisie pulmonaire. Pourquoi avoir tant tardé à déceler le véritable mal?

Les remèdes qu'ordonne le médecin montrent d'ailleurs son erreur : de la créosote pure, à prendre à la cuillère; des pulvérisations, des frictions à l'alcool camphré et à l'essence de térébenthine, de la teinture d'iode, des vésicatoires camphrés, des ventouses, des pointes de feu. La créosote est une huile incolore, d'une saveur brûlante et désagréable, d'une odeur pénible; on l'emploie habituellement alors contre les rages de dents. Le camphre est employé, lui, dans les inflammations, comme la pleurésie.

Voilà donc Thérèse aux mains de la médecine. Chaque matin, au réveil, Céline va lui frictionner tout le corps avec une ceinture de crin : « Loin de lui faire du bien, cette opération achevait de l'épuiser. » Elle rappelle pourtant à Céline qu'elle doit lui faire ces frictions : « Demain, venez étriller ce pauvre Monsieur. » « J'ai peur que notre mère ne soit pas contente : elle tient beaucoup aux frictions, surtout dans le dos. » Les pointes de feu la font beaucoup souffrir. « Je la vois encore, raconte Céline, après une séance du médecin où on venait de lui faire plus de cinq cents pointes de feu sur le côté (c'est moi qui les ai comptées), monter dans sa cellule et prendre du repos sur sa dure paillasse. »

Les ventouses et surtout les vésicatoires sont pénibles. Thérèse supporte tant bien que mal tous ces remèdes. La prieure l'a relevée de l'emploi de sacristine, elle est devenue lingère adjointe; mais elle continue de vaquer aux activités habituelles de la communauté. En juin-juillet 1896, elle est prise d'une petite toux sèche. Le docteur de Cornière l'examine le 15 juillet et conclut qu'il n'y a rien de grave; il prescrit des fortifiants et en août Thérèse prend des aliments gras et des vins fortifiants... Mais pourquoi Thérèse a-t-elle écrit à Léonie, le 12 juillet : « Je ne tousse plus du tout », sinon pour la rassurer ? Et le 16, à sa tante, elle affirme qu'elle se « porte à merveille ». Mais il faut dire que la veille, elle a été « présentée » au docteur de Cornière. « Cet illustre personnage, après m'avoir *honorée* d'un regard a déclaré que " J'avais bonne mine ! " » On comprend que cette manière d'examiner les malades pouvait induire en erreur. La toux reprendra, plus violente que jamais, en septembre.

LE DIABLE AU XIXᵉ SIÈCLE.

Quelques jours avant la *Légende d'un tout petit agneau*, avait lieu, le 21 juin 1896, jour de la Saint-Louis de Gonzague, la fête de la mère prieure. Thérèse y était allée, comme pour sœur Agnès, de sa petite « récréation pieuse ». La pièce, en prose et en vers, a pour titre le *Triomphe de l'humilité;* la scène se passe dans la salle de récréation où trois novices, Thérèse elle-même et deux autres, sont réunies. Il y a dans le texte la présence de saint Michel et des anges d'un côté, et la présence de trois diables de l'autre : Lucifer, Asmodée, Baal-Zéboub. Au nombre des triomphes de l'humilité — et des triomphes de saint Michel sur Lucifer —, Thérèse présente la conversion de Diana Vaughan « nouvelle Jeanne d'Arc ».

Un an plus tôt exactement, le 21 juin 1895, *la Croix* avait en effet annoncé la conversion de Diana Vaughan. Qui est Diana Vaughan ? Une jeune fille dont le père est américain et la mère française. Elle s'est affiliée au « palladisme », c'est-à-dire à une société secrète fondée par un certain Albert Pike en 1870 et destinée « à préparer le règne de l'anté-Christ ». Le « palladisme » se définit comme une franc-maçonnerie luciférienne qui pratique le culte de Satan. Diana Vaughan arrive en France début mars 1885, elle a vingt et un ans et devient, le 25 mars, jour de l'Annonciation,

« maîtresse templière » dans une cérémonie où ont lieu une suite de sacrilèges et où se manifestent des présences diaboliques telles celles d'Asmodée, Baal-Zeboub, Astaroth. Diana Vaughan retourne ensuite aux États-Unis.

C'est à la fin de 1892 que le bruit se répand dans le monde catholique, qu'un adepte d'une religion de Satan poussé par le remords, a fait des révélations sur sa secte inconnue jusqu'alors. A cette époque, on parlait beaucoup de possession diabolique et de complots tramés dans l'ombre contre l'Église, de satanisme et de maçonnerie; on dénonçait les idées modernes comme des inventions du démon. Par ailleurs, l'époque s'intéresse aux mystères et à l'occultisme — il suffit de se rappeler Léon Bloy, Huysmans. Lassé par le positivisme, on se tourne vers « l'inconnu » — 1886 est l'année du *Manifeste symboliste*.

Mais dans l'opinion catholique, une conjonction va se faire entre l'antisatanisme et l'antisémitisme. En mars 1892, un journal annonce un meurtre rituel commis par les Juifs à Châtellerault. En avril, Drumont fonde la *Libre Parole* et le journal, en décembre 1894, fera tout pour effrayer les mères chrétiennes dont les enfants, d'après lui, risquent d'être enlevés pour servir à ces sacrifices. Au commencement de 1894, un abbé Garnier avait fondé une feuille antisémite, *le Peuple français*. Le capitaine Dreyfus est arrêté le 1er novembre 1894. En 1891, dans son livre, Georges Romain dénonce *le Péril franc-maçon et le Péril juif* comme sataniques.

On comprend, dès lors, le succès des révélations de celui qui se cachait sous le pseudonyme du docteur Bataille et qui annonce la parution des mémoires, *le Diable au XIXe siècle*, à la fin de 1892. Les révélations paraissent pendant deux ans, en fascicules mensuels, publiés par un ancien franc-maçon, Léo Taxil; elles sont stupéfiantes; des démons partout, des phénomènes étranges, des talismans de toutes sortes, des laboratoires secrets où l'on prépare drogues et poisons. Elles atteignent l'ensemble du public catholique; des religieux commencent à faire des conférences sur le culte de Satan en s'appuyant sur les faits relatés par Bataille. Le 5 janvier 1894, la *Revue catholique de Coutances* par exemple, dirigée par le chanoine Mustel, prend position pour le docteur Bataille et cite une déclaration que vient de faire l'*Osservatore romano :* « La franc-maçonnerie est *satanique* de tout point : dans son origine, dans son organisation, dans son action, dans son but, dans ses moyens, dans son code et dans son gouvernement. Elle est satanique, faisant aujourd'hui cause commune avec le judaïsme. La franc-maçonnerie est, en effet, la force principale et l'arme indispensable dont se sert le judaïsme pour bannir de ce monde le règne de Jésus-Christ et y substituer le règne de Satan. » Et, dans une lettre circulaire du 5 septembre 1894, Mgr Germain, évêque de Coutances, disait en parlant des révélations de Bataille, que ces choses « font frissonner d'horreur les âmes vraiment chrétiennes ». Il s'exclamait : « Et l'on oserait, en présence de ces faits, nier la réalité de Satan! »

Or la même *Revue catholique de Coutances* annonce que Diana Vaughan n'est pas l'adepte inconditionnelle du « palladisme » telle que l'a dépeinte Bataille. Va-t-elle se convertir? Pendant un an, on prie partout pour cette conversion. Et la conversion a lieu, de façon miraculeuse, par l'intervention directe d'une statuette de Jeanne d'Arc qui vient combattre les quatre démons avec lesquels Diana se trouvait aux prises : Baal-Zeboub, Astaroth, Moloch et Asmodée, et délivre la jeune fille. « Événement immense dans l'ordre de la grâce », disent des journaux catholiques. Dans l'*Univers* du 27 avril 1896, un théologien éminent, le père Pègues, écrira : « Il faut lire dans le texte même de miss Diana le récit du drame de délivrance de la pauvre victime de Satan; il faut aussi y lire l'explosion de reconnaissance, les transports de joie de la nouvelle convertie revenue de si loin. Il y a là des accents d'une fraîcheur et d'une vivacité touchantes dont la sincérité ne saurait être mise en doute par aucun lecteur de bonne foi »; et, pour lui, c'est là « un fait qui prend les proportions d'un véritable événement et qui entraîne au triple point de vue philosophique, historique et politique les plus graves conséquences ».

Le 24 août 1895, Diana Vaughan fait sa première communion; et elle commence bientôt à publier ses *Mémoires d'une ex-palladiste* et aussi une *Neuvaine eucharistique*. Un livre fait fureur : *la Vérité sur la conversion de miss Diana Vaughan* par Viator (1896) qui confie (p. 24) la pensée d'un prêtre, directeur spirituel de plusieurs congrégations religieuses, au sujet du livre de piété écrit par Diana Vaughan : « Si toutes les bonnes âmes placées sous ma direction lisaient attentivement la précieuse Neuvaine de Miss Diana Vaughan, je n'aurais plus à leur faire d'instructions religieuses. » Le 26 juin 1896, le chanoine Mustel, toujours dans la *Revue catholique de Coutances* affirme, à propos du livre de Diana Vaughan : « Toute l'histoire contemporaine est là, condensée, expliquée, éclairée dans ses profondeurs les plus mystérieuses. » *La Croix* du 8 juillet : « C'est une œuvre de marque (...), un document historique d'une incontestable valeur (...). Il faut lire cette conclusion saisissante qui montre le but auquel tendent tous les efforts de l'enfer en Italie : l'établissement de la République Ausonienne, l'expulsion du souverain pontife et la Révolution triomphante. Ce livre est un acte et un avertissement : l'acte est excellent, il démasque le mal et contribuera à le paralyser; l'avertissement est précieux, puisse-t-on en profiter! » Le père Monsabré suit le feuilleton *le Diable au XIXe siècle* avec passion et il en tire son discours sur l'*Empire du diable* qu'il prononce pour le huitième centenaire de la première Croisade.

Pourtant, quelques catholiques mettent en doute les révélations du docteur Bataille et de Diana Vaughan. Tel le père Portalié, jésuite, dans les *Études* de novembre 1896 qui parle de « colossale mystification » et le démontre. Mais ces doutes ne font qu'enflammer les partisans de Diana Vaughan. L'évêque de Grenoble est parmi ces derniers, il met ses fidèles en garde contre ceux qui veulent supprimer ce bel acte de conversion de Diana Vaughan; elle-même d'ailleurs vient de lui écrire une longue lettre de six pages, admirable. Pour couper court aux polémiques, le journaliste, Léo Taxil, qui a toujours défendu Bataille et miss Vaughan fera paraître Diana Vaughan elle-même au cours d'une conférence où il retracera toute l'histoire.

La conférence a lieu le lundi de Pâques 19 avril 1897 à la salle de la Société de géographie à Paris devant un public composé de religieux, de prêtres, de catholiques très convaincus. Léo Taxil alors se dévoile : tout a été mystification, il est resté franc-maçon, il s'est joué de ses adversaires trop crédules. Et il explique longuement comment il a construit ce qu'il appelle « la plus grandiose fumisterie de (son) existence », « à la fois amusante et instructive ».

Le Temps du 21 avril a donné un commentaire fort intelligent de l'événement : « Abuser de la naïveté des âmes simples, ce n'est pas une entreprise très reluisante, mais nous n'apprenons rien en sachant qu'elle a réussi. Au contraire, on reste confondu de découvrir que des hommes ont été joués parmi ceux-là même qui ont la charge de mettre le public en garde contre les imposteurs. Se figure-t-on Bossuet prenant au sérieux pareilles diableries? » Et le journal donne à cette aventure deux explications qui se complètent : « D'abord, avant ce siècle, la raison et la foi étaient deux puissances alliées et dont on ne concevait même point la séparation. La raison était le soutien nécessaire de la foi; elle démontrait, sinon précisément la religion même, du moins l'obligation d'accepter les témoignages établissant la vérité de la religion. Aussi, toutes les nouveautés religieuses étaient soumises à un redoutable examen. Aujourd'hui, le « fidéisme » est plus en faveur que l'intellectualisme de saint Thomas. Et cette nouvelle tendance, en affaiblissant l'esprit critique, a probablement contribué à favoriser chez les âmes croyantes, cet épanouissement de sciences plus ou moins occultes qui rappelle la floraison de thaumaturgie dont s'accompagna, dans la décadence du monde antique, l'agonie du paganisme. »

« La seconde explication est plus psycho-sociologique. Elle montre que Léo Taxil a toujours fondé la prospérité de ses affaires sur des passions partisanes. Dans un premier temps, « il attaque de façon grossièrement obscène les catholiques et le catholicisme »; dans le deuxième temps, à l'inverse, « il démasque les " horreurs " de la franc-maçonnerie » : « Le cléricalisme et l'anticléricalisme ont l'un et l'autre leurs fanatiques; ils se ressemblent en ceci qu'il n'est point de mensonge si manifeste ni de si grossière injure qu'ils n'accueillent avec la foi du charbonnier et dont ils ne se délectent sans jamais se lasser pourvu qu'elles chagrinent leurs adversaires. C'est moins encore sur la crédulité que sur la férocité publiques qu'a spéculé M. Léo Taxil. Il a compris admirablement pour quelle espèce de polémique il y a aujourd'hui le plus de lecteurs ».

Incorrigible, le chanoine Mustel soutient le 7 mai, dans la *Revue catholique de Coutances*, que cela n'infirmait pas la certitude du satanisme maçon et des loges androgynes « surabondamment prouvés par des documents authentiques aussi nombreux qu'incontestables ».

Le Carmel de Lisieux avait été particulièrement mêlé à cette affaire Diana Vaughan : il avait pris très à cœur de prier pour la conversion de Diana. Et quelqu'un avait même eu la permission d'écrire à Diana Vaughan et avait reçu une réponse : sœur Thérèse de l'Enfant-Jésus! Quand celle-ci apprit, en avril 1897, que Diana Vaughan était un personnage inventé de toutes pièces par Léo Taxil et que tout avait été supercherie, elle en fut fortement impressionnée et humiliée; elle fit aussitôt disparaître de son texte « Le triomphe de l'humilité » les deux passages qui avaient trait à Diana Vaughan. Mais les trois démons repris du *Diable au XIXe siècle* : Lucifer, Baal-Zeboub, Asmodée, demeurèrent. L'autographe montre en tout cas que le grattage des deux passages a été effectué de manière vigoureuse : le papier est emporté et a fait disparaître une partie du texte au verso.

Mais quelqu'un porte en cette affaire une lourde responsabilité : si le Carmel de Lisieux — et Thérèse en particulier — ont été abusés, c'est parce qu'ils ont fait confiance à quelqu'un qui, comme le chanoine Mustel, s'est engagé à fond pour ces « diableries » : l'oncle Guérin. Cinq ans plus tôt, en 1891, Céline avait poussé celui-ci à renflouer le journal monarchiste de Lisieux *le Normand* qui périclitait. Ce journal, paraissant deux fois par semaine, défendait les idées catholiques en face de l'autre journal de Lisieux, *le Progrès lexovien*, anticlérical et républicain. M. Guérin ne s'était pas contenté d'aider le journal de ses deniers : il s'était senti une vocation de journaliste. Et combatif comme il est, il se fait polémiste. Il poursuit tout particulièrement les Juifs et les Francs-maçons, responsables, à ses yeux, de tous les maux de la France.

L'oncle Guérin, qui pourfend les ennemis de l'Église, est

considéré au Carmel comme un grand homme; Thérèse elle-même est dans l'admiration de celui qui « ne cesse de se fatiguer à écrire des pages admirables qui doivent sauver les âmes et faire trembler les démons ». M. Guérin n'a pas son pareil pour faire se lever le spectre de la révolution et des persécutions anticléricales — en octobre 1894 par exemple; ou encore en 1896. Mais il n'est pas le seul : en juillet 1896, un certain abbé Lechêne vient parler au Carmel, à la chapelle : « Après nous avoir montré les illustres origines de notre saint ordre, après nous avoir comparées au prophète Élie luttant contre les prêtres de Baal, il a *déclaré* " que des temps semblables à ceux de la persécution d'Achab allaient recommencer ". Il nous semblait déjà voler au martyre... Quel bonheur, ma petite Tante chérie, si toute notre famille allait au Ciel le même jour. Il me semble que je vous vois sourire, peut-être pensez-vous que cet honneur ne nous est pas réservé... »

On peut dire aussi, à la défense d'Isidore Guérin qu'il est loin d'être le seul à s'être laissé abuser et qu'il était lui-même victime du climat qui avait été créé par Drumont, *la Croix* et bien d'autres. Le plus important est, pour nous, de voir que Thérèse, tout en se laissant tromper elle-même, n'a jamais manifesté l'esprit combatif qui était celui d'Isidore Guérin, que loin d'estimer qu'il fallait terrasser les adversaires, vrais ou faux, de l'Église, elle a parlé du seul « triomphe de l'humilité » et que surtout elle a considéré ces adversaires comme des frères, non comme des ennemis.

L'EXIL DU CŒUR.

Autre événement pour Thérèse, en ce second trimestre de 1896. Le samedi 30 mai, mère Marie de Gonzague fait appeler Thérèse : « Le cœur me battait bien fort lorsque j'entrai chez vous, ma Mère chérie; je me demandais ce que vous pouviez avoir à me dire, car c'était la première fois que vous me faisiez demander ainsi. Après m'avoir dit de m'asseoir, voici la proposition que vous m'avez faite : " Voulez-vous vous charger des intérêts spirituels d'un mission-

naire qui doit être ordonné prêtre et partir prochainement? "
Et puis, ma Mère, vous m'avez lu la lettre de ce jeune Père
afin que je sache au juste ce qu'il demandait. Mon premier
sentiment fut un sentiment de joie qui fit aussitôt place à la
crainte. Je vous expliquai, ma Mère bien-aimée, qu'ayant
déjà offert mes pauvres mérites pour un futur apôtre, je
croyais ne pouvoir le faire encore aux intentions d'un autre
et que, d'ailleurs, il y avait beaucoup de sœurs meilleures que
moi qui pourraient répondre à son désir. Toutes mes objections furent inutiles, vous m'avez répondu qu'on pouvait
avoir plusieurs frères. Alors je vous ai demandé si l'obéissance ne pourrait pas doubler mes mérites. Vous m'avez
répondu que oui, en me disant plusieurs choses qui me faisaient voir qu'il me fallait accepter sans scrupule un nouveau
frère. Dans le fond, ma Mère, je pensais comme vous, et
même, puisque " *Le zèle d'une carmélite doit embrasser le
monde* ", j'espère avec la grâce du bon Dieu être utile à plus
de *deux* missionnaires et je ne pourrais oublier de prier pour
tous, sans laisser de côté les simples prêtres dont la mission
parfois est aussi difficile à remplir que celle des apôtres prê-
chant les infidèles. »

Voici donc Thérèse recevant de la prieure un nouveau
frère spirituel. Il s'appelle le père Roulland, il est normand
comme l'abbé Bellière; il a vingt-cinq ans, appartient à la
Société des Missions étrangères de Paris; il sera ordonné
prêtre quelques semaines plus tard, le 28 juin 1896 et s'embarquera le 2 août suivant pour la Chine.

Mère Marie de Gonzague donne à Thérèse un frère spirituel, comme sœur Agnès l'avait fait avant elle. Et, ce qui est
curieux, c'est que la prieure intime à Thérèse l'ordre de garder le silence sur ce nouveau frère spirituel et ce, particulièrement envers sœur Agnès. La prieure lui dit de peindre
une image sur parchemin pour l'envoyer au père Roulland;
Thérèse s'exécute, mais elle a besoin des pinceaux, des couleurs et du brunissoir de sœur Agnès; par obéissance, elle
va, pour peindre son image, se cacher à la bibliothèque dans
les moments d'absence de mère Agnès qui se demande pour
quelles raisons Thérèse a besoin de ses instruments. Et quand
la prieure lira, en récréation, des extraits de lettres du père

Roulland à Thérèse, elle ne dira pas à qui elles sont adressées. On sent la volonté de mère Marie de Gonzague de tenir à tout prix mère Agnès à l'écart de ce qui se passait dans la Communauté, de ce qu'elle y ordonnait. Thérèse, elle, se tait, mais souffre beaucoup de cette situation.

Le 23 juin, Thérèse écrit pour la première fois au père Roulland; elle a fait, avec une pale, un corporal et un purificatoire qu'elle a offerts le 21 juin à mère Marie de Gonzague pour sa fête : celle-ci veut les envoyer au père Roulland pour son ordination, le 29. Thérèse dit au père Roulland son souhait : « Je serai vraiment heureuse de travailler avec vous au salut des âmes, c'est dans ce but que je me suis faite carmélite, ne pouvant être missionnaire d'action, j'ai voulu l'être par l'amour et la pénitence comme sainte Thérèse. »

Elle est extrêmement heureuse le 29 juin : « Depuis longtemps je désirais connaître un *Apôtre* qui voulût bien *prononcer mon nom au saint Autel, le jour de sa première Messe.* » Elle lui fait une prière pour ce jour-là : « Demandez pour moi à Jésus (...), demandez-lui de m'embraser du *feu de son amour*, afin que je puisse ensuite vous aider à l'allumer dans les cœurs. »

Le 3 juillet, il vient célébrer la messe au Carmel. Le 30 juillet, elle lui écrit, juste avant son départ — le 2 août, à Marseille — pour la Chine, que mère Marie de Gonzague lui a donné sa photo avec la permission de la garder. Et Thérèse lui cite de longs passages d'Isaïe sur l'universalité du message annoncé; elle ajoute : « Si je vais bientôt dans le Ciel, je demanderai à Jésus la permission d'aller vous visiter au Su-Tchuen et nous continuerons ensemble notre apostolat. »

Ce même dimanche 2 août où le père Roulland part pour la Chine, Thérèse connaît un très vif crève-cœur : ce jour-là — et c'est elle-même qui fait le rapprochement de date — « il fut sérieusement question » du départ de mère Agnès pour Saigon. Le Carmel de Saigon, on l'a dit, avait été fondé par une religieuse de Lisieux. Quand Thérèse était entrée au monastère, une professe du Carmel de Saigon s'y trouvait, sœur Anne du Sacré-Cœur; née en Indochine, en 1850, d'un père portugais et d'une mère annamite elle avait fait profession au Carmel de Saigon en 1876 mais avait désiré faire partie du Carmel de Lisieux où elle avait été reçue en 1883. Mais en 1895, l'année précédente, sœur Anne avait dû repartir à Saigon parce que ce Carmel avait lui-même fait une fondation à Hanoï et se trouvait démuni. Saigon continuait de demander à Lisieux de l'aider en envoyant quelques religieuses.

L'éventualité d'un départ de mère Agnès crée en Thérèse une « tempête » : « Ah! je n'aurais pas voulu faire un mouvement pour l'empêcher de partir : je sentais cependant une grande tristesse dans mon cœur, je trouvais que son âme si sensible, si délicate n'était pas faite pour vivre au milieu d'âmes qui ne sauraient la comprendre, mille autres pensées se pressaient en foule dans mon esprit et Jésus se taisait, il ne commandait pas à la tempête... Et moi je lui disais : Mon Dieu, pour votre amour j'accepte tout : si vous le voulez, je veux bien souffrir jusqu'à mourir de chagrin. Jésus se contenta de l'acceptation, mais quelques mois après, on parla du départ de Sʳ Geneviève et de Sʳ Marie de la Trinité; alors ce fut un autre genre de souffrance, bien intime, bien profonde, je me représentais toutes les épreuves, les déceptions qu'elles auraient à souffrir, enfin mon ciel était chargé de nuages... seul le fond de mon cœur restait dans le calme et la paix. »

Il faut séparer la question du départ de mère Agnès de celle des deux novices. Pas seulement parce qu'il y a « quelques mois » entre les deux. Mais parce que mère Marie de Gonzague s'est très vite opposée à la *demande* faite par les novices elles-mêmes.

Mais pour mère Agnès? Est-ce elle-même qui a désiré ce départ? Ou est-ce mère Marie de Gonzague qui a désiré — les élections sont encore très proches : quatre mois — le départ de l'ancienne prieure? Ou est-ce mère Agnès qui, profondément meurtrie par le fait d'être écartée de tout, n'en peut plus et souhaite s'insérer dans un autre monastère? Nous ne pouvons répondre à cette question n'ayant pas les données pour le faire. La biographie sur *Mère Agnès*, publiée par le Carmel de Lisieux en 1953 ne souffle mot de cette éventualité de départ. De toute façon, que ce soit une volonté de la prieure ou une demande de mère Agnès, cette éventualité ne fait que confirmer que la coexistence entre les deux prieures était difficile; et qu'un départ à Saigon paraissait une solution pour éviter les frictions.

Sœur Marie du Sacré-Cœur a elle-même témoigné de l'attitude de Thérèse en cette occasion : « En 1896, mère Agnès de Jésus et sœur Geneviève furent sur le point de partir pour Saigon, sœur Thérèse de l'Enfant-Jésus m'avoua que ce départ lui était bien pénible " parce que, me dit-elle, ce n'est pas la volonté du bon Dieu, j'en suis sûre ". Pourtant, elle ne dit pas un mot pour les détourner de ce projet. »

LA NUIT DE PAQUES.

Il y a trois événements fondamentaux dans l'itinéraire spirituel de Thérèse de Lisieux : Noël 1886 ou l'entrée dans l'âge adulte; 9 juin 1895, fête de la Trinité ou l'entière donation de soi au Dieu de Tendresse. Le troisième est sans doute le plus important : sa nuit de Pâques 1896 qu'il faut maintenant essayer de décrire. Et c'est un événement qui n'est pas seulement limité à un moment précis qui se serait situé dans les jours de la Semaine sainte 1896; l'événement a duré dix-huit mois, de Pâques 1896 à sa mort plus tard, sans interruption. Le premier événement, c'est l'Incarnation; le second, la Trinité; le troisième, Pâques. Mais dans un paradoxe : la rencontre de Jésus, à Noël 1886, la rend humainement et spirituellement, adulte et d'autant plus enfant du Père, librement; la rencontre de Jésus, en la fête de la Trinité, la fait entrer dans le feu de l'amour trinitaire. Le troisième événement, celui de Jésus ressuscité, est vécu, ultime paradoxe, dans la nuit. Les derniers dix-huit mois de la vie de Thérèse de Lisieux sont, littéralement, une nuit de Pâques.

La plupart des biographes et des théologiens ont passé sous silence — ou travesti — cet événement. Pourquoi? Parce que cet événement apparaît, à première vue, comme scandaleux : comment peut-il se faire, en effet, que l'ultime période de l'existence d'une des plus grandes mystiques soit une période de nuit, de crise, de difficultés immenses? N'aurait-elle pas mérité, cette jeune fille de vingt-quatre ans qui allait mourir, cette enfant si pure, d'avoir une fin paisible et heureuse? Le Dieu de douceur et de paix dont elle s'était faite le héraut passionné ne pouvait-il pas la mettre, justement, dans un état de calme certitude, au lieu de donner l'impression de la tourmenter?

On a donc souvent étouffé ou minimisé cet événement capital. Mais, d'ailleurs, c'était vrai du temps même de Thérèse. Elle s'interdisait d'en parler, de peur de scandaliser ses sœurs — et elle voyait juste : la plupart des carmélites de Lisieux auraient été incapables de supporter la révélation de ce qu'elle vivait et l'en auraient jugée rejetée par Dieu, damnée. Il aura fallu l'obéissance pour que Thérèse s'ouvre sur ce qu'elle vivait au profond d'elle-même : de manière allusive, en septembre 1896 dans une lettre à sa sœur Marie, lettre que sa prieure lui donne la permission d'écrire; et de manière claire, le 9 juin 1897, seize semaines avant sa mort. Cet événement capital n'apparaissait donc pas au-dehors : Thérèse de Lisieux n'a pas connu ni voulu d'extases; elle n'a pas non plus, de manière plus ou moins hystérique, fait des états d'âme qui se seraient manifestés par des cris et des crises extérieurs et voyants. Il nous faut donc être d'autant plus attentif pour apercevoir ce qui s'est passé et qui a été aussi ténu et caché que les deux autres grands moments spirituels, la conversion de Noël 1886 et la donation, à l'Amour, le 9 juin 1895.

Jusque Pâques 1896, quelle est la vie de foi de Thérèse? C'est une vie d'où le sentiment est vraiment très absent : souvent Thérèse répète qu'elle ne « sent » pas la présence aimante de Jésus, qu'il est « caché »; mais elle comprend cette absence en disant que si le Bien-Aimé agit ainsi, c'est pour qu'elle le cherche, le trouve et l'aime davantage. Elle admet tout à fait que la vie de foi est une marche au désert. Charles de Foucauld, de la même façon, reconnaîtra, six mois avant sa mort, dans une lettre à L. Massignon (15 juillet 1916) : « Quant à l'amour que Jésus a pour nous, Il nous l'a assez prouvé pour que nous le croyions sans le sentir; sentir que nous L'aimons et qu'Il nous aime, ce serait le Ciel : le Ciel n'est, sauf rares moments et rares exceptions, pas pour ici-bas. »

Mais si le sentiment est une rive douce qu'elle a accepté de quitter, il y a chez Thérèse, jusqu'à Pâques 1896, une réelle perception de la foi, perception qu'elle exprime par l'image de la vive luminosité : « Je jouissais alors d'une *foi* si vive, si claire, que la pensée du Ciel faisait tout mon bonheur. » Ce mot « ciel » est avant tout employé par Thérèse pour exprimer son espérance. Pour elle, en effet, l'homme est un être inachevé, qui n'est pas à lui seul son propre sens; il est ouverture vers quelqu'un d'autre — qui lui donnera un sens nouveau. Elle qui a une vitalité extraordinaire, qui a une immense confiance en les ressources humaines, elle montrera avec ses novices combien elle croit que chaque être peut sans cesse faire un pas de plus —, elle qui est réaliste et pleine de bon sens, elle qui refuse les idées trop souvent reçues au Carmel selon lesquelles la souffrance et la résignation seules font acquérir des mérites et gagner le ciel, elle regarde le ciel comme vision de la pure gratuité de Dieu, manifestation lumineuse de la tendresse de Dieu. L'essentiel de la spiritualité de Thérèse de Lisieux est le « ciel », c'est-à-dire non pas le souhait puéril d'une récompense plus tard, mais l'expérience de la foi sur terre, dès maintenant. Le ciel est d'abord sur terre.

Donc jusque Pâques 1896, Thérèse vit, pour l'essentiel, non dans un sentiment de foi, mais dans la lumière de la foi. Tout le manuscrit A, écrit au cours de l'année 1895, resplendit de ce bonheur de vivre dans la foi, dès ici-bas : c'est déjà le « ciel » de constater tous les signes de la tendresse de Dieu dans sa vie; c'est « le ciel », d'avoir la joie de transformer le plus petit événement quotidien en étant certain que Dieu, entré dans l'histoire des hommes, vit avec eux — et entre autres avec une petite religieuse perdue dans le fond d'un Carmel de province — chacune de leurs joies et de leurs désarrois, de leurs souffrances et de leurs créativités. C'est ce que Thérèse appelle avoir « la jouissance de la Foi » ou encore « jouir de ce beau Ciel sur la terre ».

« De même que le génie de Christophe Colomb lui fit pressentir qu'il existait un nouveau monde », de même le génie de Thérèse est de vivre ainsi la foi dans l'espérance d'un « nouveau monde » mais surtout de vivre cela dans ce monde-ci. La foi de Thérèse porte indissolublement sur l'après et l'avant de la mort : « l'ailleurs » n'est qu'alibi s'il n'est pas un « à présent ».

Il y a pourtant quelques brouillards. Par exemple en 1891 — et ceci est écrit par elle en 1895 donc avant Pâques 1896 : « J'avais alors de grandes épreuves intérieures de toutes sortes (jusqu'à me demander parfois s'il y avait un ciel) ». Mais, jusque Pâques 1896, de telles interrogations sont fugitives et n'empêchent pas la lumière. Tandis qu'à partir de Pâques 1896, c'est une interrogation, un état continus.

Que s'est-il passé à Pâques 1896 ? Thérèse l'exprime en images. Dans son manuscrit B, en septembre 1896, elle parle d'un « sombre orage » qu'elle connaît depuis « la radieuse fête de Pâques » ; elle voit à quel point, dit-elle, les « nuages » couvrent « son ciel ». En juin 1897, dans son récit du manuscrit C, ce sont les mêmes images qui reviennent : son âme est « envahie par les plus épaisses ténèbres », elle parle de « sombre tunnel », elle ajoute qu'elle voudrait reposer son « cœur fatigué des ténèbres qui l'entourent », « des brouillards ». Et ces comparaisons lui paraissent bien faibles, d'ailleurs, par rapport à la réalité : « L'image que j'ai voulu vous donner des ténèbres qui obscurcissent mon âme est aussi imparfaite qu'une ébauche comparée au modèle ».

Avant, Thérèse vit dans la lumière de la foi : les yeux de la foi lui donnent leur lumière pour cette vie et l'autre vie. Maintenant, cette lumière de la foi est littéralement « obnubilée », obscurcie comme par des nuages qui font écran : Thérèse est aveugle. Et pour qui devient aveugle, se représenter l'ancienne lumière devient une souffrance : « La pensée du Ciel, si douce » pour elle, n'est « plus qu'un sujet de combat et de tourment ». Ceci est très précis dans la pensée de Thérèse ; il y a désormais comme une opposition entre les deux registres, ils semblent s'exclure l'un l'autre. Lorsque, par exemple, elle essaie, pour se reposer de tous ses combats et « des ténèbres qui l'entourent », de se dire qu'il y aura une « autre terre » qui lui « servira un beau jour de demeure stable », il se produit au contraire un accroissement des souffrances et de la nuit : « Lorsque je veux reposer mon cœur fatigué des ténèbres qui l'entourent, par le souvenir du pays lumineux vers lequel j'aspire, mon tourment redouble. »

Elle n'a plus d'issue, plus de recours; elle est réellement dans le brouillard. Ce n'est pas chez elle une sorte de blocage affectif où elle se serait enfermée : elle a trop le goût du bonheur de la foi, sur cette terre, pour éprouver le moindre attrait pour les fausses souffrances morbides ou pour se créer des crises puériles où l'âme se nourrit de ses états d'âme. Il y a, pour cette petite Normande très concrète, un fait qu'elle constate : elle jouissait d'un bonheur, elle ne le connaît plus. Elle qui n'avait jamais cherché les mortifications ni les disciplines que s'imposaient la plupart des carmélites de son temps, ne s'était jamais non plus, fabriqué des épreuves spirituelles plus ou moins terrifiantes où l'on se donne une grande importance en se voyant maudit de Dieu et envoyé par lui dans les ténèbres extérieures. Et voilà qu'elle connaît, de fait, l'épreuve de la nuit. Et à un point extrême : il faut lire dans son récit de juin 1897 le passage où « les ténèbres » prennent comme figure humaine et lui parlent, étonnante prosopopée : « Tu crois sortir un jour des brouillards qui t'environnent! Avance, avance, réjouis-toi de la mort qui te donnera, non ce que tu espères, mais une nuit plus profonde encore, la nuit du néant. » On aura remarqué les deux derniers mots, ouatés, feutrés, qui indiquent une mort-point-final-à-jamais; ce n'est même pas la mort dont on peut tirer romantisme, couleur et chants lyriques, ce n'est pas le « linceul de pourpre où dorment les dieux morts », mais l'effacement total dans le brouillard, l'ensevelissement dans le rien et l'insignifiance : « la nuit du néant ». C'en est à ce point que Thérèse dit aussitôt : « Je ne veux pas en écrire plus long, je craindrais de blasphémer... j'ai peur même d'en avoir trop dit. »

Il faut insister sur l'état réel de Thérèse tel qu'elle ose le décrire, avec une loyauté dont on ne peut pas ne pas être stupéfait, et sans aucun exhibitionnisme; il faut insister sur l'épaisseur des ténèbres qui l'entourent : elle ne se payait pas de mots. Mais il est nécessaire de montrer aussitôt que cet état n'était pas un état d'incroyance. Elle ne connaissait plus la joie qui s'attache ordinairement à l'expérience de foi, elle ne vivait plus le dynamisme d'une certitude sentie qui s'attache ordinairement à la foi, mais celle-ci ne cessait pas d'exister. C'est un non-sens grave, qui fausse profondément la dernière période de la vie de Thérèse que de dire qu'elle est saisie de l'intérieur par un athéisme radical ou de dire que Thérèse a été simplement tentée de perdre la foi.

Faut-il parler de cet état comme d'une « nuit de la foi » au sens où l'a vécu saint Jean de la Croix? Mère Agnès, qui avait aussi faussé l'événement du 9 juin 1895 et avait voulu le transformer en une extase semblable à celle où Thérèse d'Avila avait eu le cœur transpercé par un dard enflammé, Mère Agnès a tout fait, de la même façon, dans les *Derniers Entretiens*, pour faire accréditer la version « nuit de la foi » : ceci dans son désir de montrer l'expérience de sa petite sœur identique au modèle mystique du Carme espagnol. Ce qui est bien compréhensible chez une carmélite. Reste que Thérèse a vécu autre chose; car dans cet état de Thérèse, l'amour demeure et Thérèse sait qu'il demeure : ce n'est donc pas la nuit obscure de l'âme. Mais alors, quoi?

A la vérité, il y a une nouveauté très importante dans l'expérience mystique de Thérèse; et on ne peut qu'être déçu, si l'on veut chercher à la comparer à Jean de la Croix. Elle a, par rapport aux mystiques précédents, une originalité qu'il faut essayer de déceler. Alors apparaissent toute sa grandeur et son actualité.

Son originalité, il faut la situer et la montrer dans l'histoire. Jean de la Croix a vécu à une époque où quasiment tout le monde croyait en Dieu; et sa recherche spirituelle a été vécue dans une sorte de face à face avec Dieu devant qui l'être humain se voit infiniment pauvre, infiniment rien, néant. L'expérience de Thérèse de Lisieux a lieu dans une époque où l'athéisme commence à s'installer massivement; une époque où Charles de Foucauld sera incroyant pendant douze années, entre 1874 et 1886, et d'abord pour des raisons philosophiques; une époque où Nietzsche écrit la fin de *Zarathoustra*, en 1885. On commence à prendre conscience, en France, de cet athéisme de plus en plus répandu.

Or l'expérience de Thérèse qui a commencé à Pâques 1896 est indissolublement liée à la prise de conscience de ce fait de l'athéisme. Thérèse dit, dès l'introduction de son récit et pour le faire comprendre, quel est l'avant et l'après de l'épreuve de Pâques 1896. *Avant :* « Je ne pouvais croire qu'il y eût des impies n'ayant pas la foi. Je croyais qu'ils parlaient contre leur pensée en niant l'existence du Ciel. » *Après :* « Aux jours si joyeux du temps pascal, Jésus m'a fait sentir qu'il y a véritablement des âmes qui n'ont pas la foi. » Avant, elle pensait que l'athéisme était une position affichée, un faux-semblant. Après, elle aperçoit qu'il y a vraiment des incroyants. Et elle estime — ce qui est capital — que ce nouveau regard qu'elle a sur les incroyants est dû à Jésus lui-même, que c'est une grâce d'avoir ouvert les yeux et d'avoir vu enfin que les incroyants existent. Et c'est aussitôt après cette prise de conscience, et à travers elle, que Jésus permet que Thérèse soit envahie « par les plus épaisses ténèbres ».

Ainsi, nous ne sommes plus ici devant une nuit de la foi où l'être humain, dans un seul face-à-face avec Dieu, perd pied et se découvre néant, mais devant un état où c'est l'incroyance des contemporains de Thérèse qui, d'un seul coup, interroge cette jeune carmélite au plus profond d'elle-même. C'est une interrogation mais non pas une destruction de sa foi. C'est un état ambivalent où Thérèse participe aux ténèbres — les « ténèbres » qui « n'ont pas compris que ce Divin Roi était la lumière du monde » — et où, tout en même temps, elle participe à cette lumière donnée par Jésus : « Seigneur, votre enfant l'a comprise votre divine lumière »; les deux phrases se suivent et on ne peut supprimer ni l'une ni l'autre.

L'état mystique de Thérèse sera donc de se trouver dans une situation absolument contradictoire à première vue; elle ne cesse pas de participer à la lumière de la foi et elle participe en même temps aux ténèbres où vivent les incroyants; elle est dans une souffrance jamais éprouvée et dans une joie plus grande que jamais : « Malgré cette épreuve qui m'enlève *toute jouissance*, je puis cependant m'écrier : " Seigneur, vous me comblez de JOIE par TOUT ce que vous faites " (Ps. XVI). Mais il faut bien voir la raison de cette joie : elle pense que si Jésus lui a fait voir la réalité de l'incroyance et l'a fait même participer à la nuit de l'incroyance, c'est afin qu'elle retourne la situation : pour qu'elle vive cet état de ténèbres pour les incroyants eux-mêmes. Et c'est dès lors pour elle une joie nouvelle qu'elle n'avait pas éprouvée jusque-là — et pour cause! —, la joie de ne pas vivre la joie de la foi, pour que ces « autres », justement, ces incroyants qui ne connaissent pas cette joie, y atteignent enfin : « Je lui dis que je suis heureuse de ne pas jouir de ce beau Ciel sur la terre afin qu'Il l'ouvre pour l'éternité aux pauvres incrédules. »

LES INCROYANTS EXISTENT...

Ce n'est donc pas une très haute interrogation conceptuelle sur Dieu qui a conduit Thérèse à cette nuit, mais un fait existentiel : la vue claire qu'il y a vraiment des incroyants. Et elle a aussitôt situé cette nuit comme un partage de vie à la fois avec Jésus et avec les incroyants. Il est en effet étonnant de constater que Thérèse se fait « compagne » des incroyants : « compagnons », « copains », c'est-à-dire ceux qui partagent le même pain, elle veut manger à leur table. Dès qu'elle connaît l'existence des incroyants, Thérèse les regarde, non pas comme d'en haut comme la plupart des religieuses qui se faisaient victimes pour les pécheurs et devenaient ainsi comme leur mère, les enfantant à la vie de la foi : Thérèse, elle, les regarde comme ses « frères » et se préoccupe seulement d'être à la même « table » qu'eux : « Seigneur, votre enfant l'a comprise votre divine lumière, elle vous demande pardon pour ses frères, elle accepte de manger aussi longtemps que vous le voudrez le pain de la douleur »; son souci est de rester avec ceux qui mangent le pain de l'incroyance : elle « ne veut point se lever de cette table remplie d'amertume »; elle est prête à y rester la dernière jusqu'à ce que « tous ceux qui ne sont point éclairés du lumineux flambeau de la foi le voient luire enfin » dit-elle. « Je veux bien y manger seule le pain de l'épreuve jusqu'à ce qu'il vous plaise de m'introduire dans votre lumineux royaume. »

Cette manière de partager le pain de l'incroyance est en même temps une manière de rompre le pain avec Jésus, de partager la table eucharistique : car c'est Jésus qui l'a conduite à cette table des incroyants, elle en est certaine; c'est là, à cette table, qu'elle a fait un pas de plus dans la foi et dans l'espérance; parlant de cette épreuve, elle dit en juin 1897 : « Maintenant, elle enlève tout ce qui aurait pu se trouver de satisfaction naturelle dans le désir que j'avais du Ciel. » Et c'est aussi là, à cette table des incroyants, qu'elle connaît la joie parfaite. On se souvient que, dans les *Fioretti* de saint François d'Assise, le Poverello connaît la joie parfaite quand arrivant, par la neige et le vent, devant la maison conventuelle, il n'est pas reconnu par le portier et donc rejeté dehors par ses frères. Pour Thérèse, la joie parfaite est de se trouver parmi les incroyants et, mangeant à leur table, d'être ballottée par leurs questions tout en demeurant dans la foi; elle se compare à un « petit oiseau » « assailli par la tempête »; « il lui semble ne pas croire qu'il existe autre chose que les nuages qui l'enveloppent; c'est alors le moment de la *joie parfaite* pour le pauvre *petit être* faible. Quel bonheur pour lui de *rester* là quand même, de fixer l'invisible lumière qui se dérobe à la foi ».

C'est une joie extraordinaire qu'elle vit. Elle compare ce qu'elle est en train d'expérimenter — l'espérance dans la nuit, au cœur de la rencontre avec les incroyants — et les joies de l'au-delà; et elle n'hésite pas à affirmer, parlant à Jésus lui-même : « Après avoir aspiré vers les régions les plus élevées de l'Amour, s'il me faut ne pas les atteindre un jour, j'aurai goûté plus de *douceur dans mon martyre, ma folie*, que je n'en goûterai au sein des *joies de la patrie*, à moins que par un miracle, tu ne m'enlèves le souvenir de mes espérances terrestres. »

Ceux qui aiment simplifier la réalité et la réduire à une seule donnée ne peuvent, ici, que s'étonner et regarder tout cela de haut, en disant « C'est à n'y rien comprendre! » Essayons de ne pas quitter le terrain expérimental, avec ses contradictions. Jusque Pâques 1896 — et jusque dans ce Vendredi saint où elle s'aperçoit qu'elle est tuberculeuse, qu'elle va mourir, et que le Ciel est donc proche, Thérèse vit de la foi, celle-ci lui donne des explications lumineuses; c'est ainsi que sa mort sera le préambule du ciel, que sa vie a un sens, ça ne fait pas question, ce sens est parfaitement clair à ses yeux.

C'est ici qu'il faut bien comprendre le terme qu'elle emploie : jouissance, dans le sens qu'il avait essentiellement au XIXe, avoir la jouissance, avoir le libre usage d'un bien. Jusque Pâques 1896, la foi est, pour Thérèse, un bien dont elle tire usage avantageux, celui de tout comprendre lumineusement à travers elle.

A partir de Pâques 1896, la foi n'est plus, pour Thérèse, de cet usage clair et facile, mais l'inverse : et Thérèse a raison de parler de « ténèbres ». Elle continue d'aimer Dieu, de penser qu'elle est aimée de lui, mais la foi ne lui donne plus de réponses comme avant. Les raisonnements les plus matérialistes s'offrent à son esprit avec une sorte d'évidence ; elle comprend qu'on peut vraiment être incroyant, sans mensonge, que beaucoup d'hommes et de femmes, en toute bonne foi, ne croient pas en Dieu, ne voient pas en quoi la foi pourrait être une lumière en elle-même et pour leur vie, estiment qu'après cette vie, il n'y a rien d'autre que le néant.

Thérèse saisit ce qu'ils vivent. Thérèse n'avait rien de romantique et elle ne goûtait pas à la « nuit du néant » qu'elle avait devant elle et au-dessus d'elle comme « un mur qui s'élève jusqu'aux cieux et comme le firmament étoilé ». Elle essayait de se battre comme elle pouvait et comme elle était, avec réalisme, cherchant à ne pas perdre pied.

On aura remarqué que Thérèse n'a jamais parlé de la « nuit de la foi » : les *Derniers Entretiens* seuls lui font employer ce terme, par interprétation de Mère Agnès. Elle parle de la « nuit du néant », on l'a vu ; et, au début du manuscrit B, écrit en septembre 1896, elle parle de la « nuit de cette vie ». Il est très important de voir à quel moment, justement, elle en parle : au cœur même de son épreuve. Ainsi, pour elle, après avoir reçu dans la joie, pendant tant d'années, les lumières de la foi, entièrement gratuites, elle a été brutalement placée dans la condition qui est celle de l'ensemble des hommes : une condition de nuit, où l'on ne voit pas clairement, où l'on ne sait pas avec certitude, où le mur de la mort avec sa perspective de néant s'impose comme de manière inéluctable. Quand elle découvre ce que vivent l'ensemble des hommes, elle ne se met pas en retrait par l'emploi d'un idéalisme ou d'un autre, mais accepte l'impact sur elle de cette condition humaine qu'on peut appeler « agnostique ». Nous nous trouvons devant une sainte qui, pourrait-on dire, ne s'est pas précipitée dans la nuit mystique du seul à seul devant Dieu, mais qui a vécu dans un cheminement de solidarité avec les hommes de son temps, de notre temps, ces contemporains agnostiques, indifférents, acquiesçant au « néant » de leur existence ou s'affrontant stoïquement à la « nuit de cette vie ».

Avant de faire cette expérience de Pâques 1896, Thérèse s'imaginait que tous ces hommes étaient « doubles » : « Je croyais qu'ils parlaient contre leur pensée en niant l'existence du Ciel » dit-elle. Or elle prend conscience qu'ils ne jouent pas sur deux tableaux, et qu'il y a « véritablement » des hommes qui « n'ont pas la foi ». Elle fait la découverte de l'autre dans sa vérité, elle vit une « reconnaissance » de l'autre dans sa consistance propre, l'autre qu'il ne s'agit pas de réduire mais d'abord d'admettre tel quel. Un déchirement s'opère en elle quand elle constate, dans un regard de foi d'ailleurs, l'incroyance en tant que telle comme mystère, point extrême où se manifeste à la fois la transcendance de Dieu (qui est le nom de la liberté de Dieu) et la liberté de l'homme lui-même. Thérèse aperçoit alors à quel point l'homme est libre et à quel point Jésus, à l'encontre de la Loi, a montré l'extrême autonomie de l'homme qui n'a de compte à rendre à personne, qui n'est la propriété de personne, y compris même de Dieu. Face à l'ensemble des chrétiens de son temps pour qui l'incroyance est une marque de faiblesse intellectuelle ou un signe d'immoralité plus ou moins cachée, Thérèse prend au sérieux l'incroyance et les incroyants. Le pseudo-jansénisme de son époque acceptait au mieux que l'athéisme pouvait avoir une certaine grandeur, mais pas plus ; autrement dit que l'homme a une certaine puissance, mais qu'il a surtout une certaine faiblesse que Dieu viendrait combler ; Thérèse, elle, dans l'ultime phase de sa vie, voit à quel point l'homme est libre : il a la puissance, au cœur même de sa raison, de nier Dieu ; il a la puissance de se donner quand il veut et de se refuser quand il veut.

C'est un seul et même mouvement par lequel Thérèse reconnaît la grandeur de l'homme et de sa liberté et par lequel elle se donne de façon gratuite à Dieu, avec une sorte de libéralité qui correspond justement à la gratuité de Dieu. Si son message est celui de l'espérance, de la confiance en Dieu, c'est en même temps celui de l'espérance en l'homme, du sens de la grandeur de l'homme. On avait trop souvent voulu, en chrétienté, établir la grandeur de Dieu sur la petitesse et le néant de l'homme — au point que beaucoup, par réaction, ont voulu établir la suprématie de l'homme, à partir de la ruine de Dieu. Thérèse montre l'inanité de cette double entreprise et propose l'acceptation du mystère de l' « autre ».

UNE COMMUNAUTÉ DE DESTIN.

Thérèse ne jouit donc plus de ce bien qu'est la foi, à partir de Pâques 1896, elle se contente de « fixer l'invisible lumière qui se dérobe à la foi ». La foi de Thérèse, c'est dans les derniers mois, de rester là, paisible, dans la nuit. Cette manière d'être, il faut la regarder de près.

D'un côté elle s'accroche à la table des incroyants et veut à tout prix y demeurer; et de l'autre elle garde les yeux fixés sur une lumière « invisible », « qui se dérobe ». Elle vit ce double registre sans quitter l'un ou l'autre, sans cesser de croire et sans cesser d'être au milieu des incroyants, sans cesser d'espérer et sans cesser de se laisser envahir par mille questions. Et ceci en refusant de s'en tirer par une manière d'être où elle se retrouvait elle-même : par exemple en jouant au matamore, par une sorte de volontarisme puéril qui est, au fond, une manière d'éviter le vrai combat, et de se faire passer à ses propres yeux pour courageuse.

Elle combat, mais d'une façon détournée, en esquivant, en fuyant, refusant le duel direct où elle serait certainement vaincue, elle le sent d'instinct : « A chaque nouvelle occasion de combat, lorsque mon ennemi vient me provoquer, je me conduis en brave, sachant que c'est une lâcheté de se battre en duel, je tourne le dos à mon adversaire sans daigner le regarder en face. » Elle affirme autre part cette même manière d'agir : « Il vaut mieux ne pas s'exposer au combat lorsque la défaite est certaine. » Enfin, une autre déclaration, qui ne manque pas d'être étonnante lorsqu'on connaît le courage dont Thérèse de Lisieux n'a pas cessé de faire preuve : « Mon *dernier moyen* de ne pas être vaincue dans les combats, c'est la *désertion*. » Ce mot « désertion » est inattendu et il faut bien essayer de comprendre ce que Thérèse veut dire. On a vu qu'elle a parlé du duel comme d'une « lâcheté »; refuser un duel, c'est résister aux provocations, avoir la force de la non-violence, avoir le courage d'affronter l'opinion et d'être jugé comme poltron, et Thérèse veut refuser le duel où l'on met son point d'honneur à avoir à tout prix raison de son adversaire, sur-le-champ. Mais elle va plus loin et parle de « désertion » où il ne s'agit plus seulement de combat singulier et d'honneur personnel, mais d'un comportement social qui paraît une « lâcheté » aux yeux de tous. Thérèse abandonne-t-elle la bataille? C'est là un ultime recours mais elle n'hésite pas à l'employer. Le combat spirituel n'est pas exactement semblable, en effet, aux batailles humaines. Celles-ci, comme le duel, sont faites pour trancher, pour établir un verdict décisif entre ceux qui sont arrivés à un désaccord fondamental. Le combat spirituel, lui, est une réalité quotidienne, toujours recommencée; à celui qui s'y trouve plongé, il arrive, par lassitude de ce combat interminable, de désirer que le noir et le blanc soient enfin discriminés, et l'ivraie et le bon grain séparés l'un de l'autre; c'est là, et Thérèse le perçoit très finement, une très grande tentation, l'une des plus redoutables. C'est vouloir trancher, ne plus être dans l'entre-deux et les incertitudes, en finir avec les contradictions dans lesquelles on est comme perdu. Certains alors, dans ce moment, se jettent dans un athéisme catégorique, afin que tout soit bien clair; d'autres, de la même manière, se jettent dans le fidéisme et vouent à l'enfer comme hérétiques ceux qui ne veulent pas se réfugier dans l'intégrisme. Thérèse refuse, avec son bon sens, de se jeter ainsi à corps perdu dans la bataille; elle voit que c'est encore une manière d'escamoter le combat spirituel et de se sécuriser que de choisir l'une ou l'autre affirmation tranchée. Elle déserte : elle quitte le terrain où se prendrait trop facilement une décision qui n'en serait pas une.

Ce combat de nuit est continuel : « Je crois avoir fait plus d'actes de foi depuis un an que pendant toute ma vie » dit-elle en juin 1897. Ce combat est mené au milieu d'un groupe de bonnes religieuses qui sont à cent lieues de se douter de ce qui se passe dans le cœur de Thérèse; et qui seraient dans le plus grand effroi si elles apprenaient cet état de leur jeune sœur carmélite. Au moment même où elle écrit les pages sur son épreuve d'espérance, l'abbé Youf, aumônier du Carmel, la met fortement en garde au sujet de ce qu'il appelle ses tentations contre la foi : « Ne vous arrêtez pas à cela, c'est très dangereux » lui dit-il. Réaction de Thérèse : « Je ne vais pas casser ma " petite " tête à me tourmenter. » Ce combat de nuit est la marque même de la sainteté de Thérèse, telle qu'elle la vit, telle qu'elle en propose la voie; c'est ainsi qu'au cœur même de sa nuit, écrivant en septembre 1896 les quelques pages du manuscrit B — l'un des plus beaux textes spirituels qui existent — elle compare la sainteté qu'elle cherche à vivre et celle des saints : « Les saints ont fait des folies, ils ont fait de grandes choses. » « Ma folie à moi, c'est d'espérer », dit-elle; et réalisant que le Christ a aimé « jusqu'à la folie », elle s'écrie, s'adressant à lui : « Comment veux-tu devant cette folie, que mon cœur ne s'élance pas vers toi? Comment ma confiance aurait-elle des bornes? »

A Pâques 1896, Thérèse a donc osé regarder en face ce que Jésus lui faisait voir dans la foi : que l'incroyance existe. Et elle a été dès lors plongée dans un état mixte où, à la fois, elle apercevait toute l'étendue massive de l'incroyance et où elle se référait sans cesse au Dieu de tendresse. Le 25 mars 1897, six mois avant sa mort, elle écrira dans une poésie :

> Je mourrai sur le champ de bataille,
> Les armes à la main.

Ce qu'elle appelle ses « espérances terrestres », c'est justement le combat quotidien qu'il s'agit de mener au milieu de l'incroyance même, un combat qui n'est aucunement dirigé contre les « incrédules » — elle les appelle ses frères — mais qui est destiné à redire jour par jour à Dieu l'espérance qu'elle a en lui au contact même de l'incroyance. Ce combat s'est accompagné, par grâce, d'une croissance dans la foi : « Depuis qu'il a permis que je souffre des tentations contre la *foi*, Il a beaucoup augmenté en mon cœur l'*esprit de foi*. » Une telle constatation ne fait qu'augmenter en elle une profonde reconnaissance envers Dieu : « Jamais je n'ai si bien senti combien le Seigneur est doux et miséricordieux, il ne m'a envoyé cette épreuve qu'au moment où j'ai eu la force de la supporter. »

Il y a donc un progrès en elle et elle le définit de façon précise : Dieu, du cœur même de ses tentations contre la foi, a augmenté en elle l'esprit de foi. Et c'est cette croissance de la foi qui lui donne une joie qu'elle ne connaissait pas auparavant. Depuis Pâques, elle vit dans la joie tandis qu'elle mange, comme elle dit, « le pain de l'épreuve ». « Le pain des larmes » transcrit sœur Agnès; quel affadissement! Noël 1886 avait été une grâce de force; Pâques 1896, c'est le combat, l'épreuve. Les termes *épreuve, éprouver*, reviennent souvent chez Thérèse de Lisieux, avec un sens très actif : c'est une opération par laquelle on voit si on peut compter sur quelqu'un. Comme les grands aventuriers et les découvreurs, elle a comme un sens inné de l'épreuve : celle-ci peut être un « creuset », un progrès — elle parle des « vents de l'épreuve » qui conduisent au large. Et plus la foi est en croissance, plus grandes aussi sont les épreuves : à ceux qui ont une foi *petite*, Dieu accorde des miracles pour affirmer leur foi; à ses *intimes*, il n'accorde pas de miracles mais permet des *épreuves*. Thérèse se sent plus à l'aise avec les non-croyants qui refusent les signes trop faciles dont les croyants friands de miracles les soûlent, qu'avec justement ces gens de peu de foi qui sont constamment à la recherche de miracles. Le combat de la foi, Thérèse l'a présenté comme un « martyre ». On sait qu'aux premiers temps de l'Église, les premiers martyrs ont été mis à mort, comme nous le dit saint Justin, pour « cause d'athéisme ». Ils proclamaient le Dieu de Jésus-Christ dans un monde d'immense religiosité païenne et apparaissaient ainsi comme destructeurs des dieux et des idoles. L'Église alors vivait une nuit d'espérance à travers la rencontre d'un monde religieux-païen.

A partir du IVe siècle jusqu'à l'époque contemporaine, beaucoup de chrétiens ont vécu un autre « martyre » : celui des déserts, et surtout des déserts de la vie contemplative où, dans un combat singulier, l'âme s'affronte au mystère du Tout-Autre et participe à l'agonie du Christ, dans une solitude passionnelle extrême.

Thérèse, sans supprimer ces deux dernières rencontres, celle d'un monde peuplé d'idoles religieuses et celle d'un vide où l'être ne trouve pas d'expression adéquate pour exprimer Dieu, Thérèse ouvre prophétiquement une troisième période de la vie mystique de l'Église et des chrétiens : la confrontation avec une sorte d'absence de Dieu dans le monde contemporain. Dieu n'est plus dans le bruit des fêtes et des proclamations religieuses, ni dans le silence des espaces infinis ou des profondeurs du cœur de l'homme. Il est à chercher dans l'entre-deux, dans le clair-obscur, dans d'autres chemins que ceux, péremptoires, par lesquels ou bien on prouve son existence ou bien on démontre son leurre. Il est à chercher dans la nuit parce qu'il est « caché »; combien de fois Thérèse a employé ce mot significatif de sa recherche de Dieu! Il est aussi à rechercher avec ceux qui penchent vers « la nuit du néant ». Et combien de fois celui qui cherche Dieu doit mourir aux perceptions naturelles, apprendre qu'il n'est pas fait « naturellement » pour connaître Dieu, vivre l'épreuve de la distance en cette recherche de Dieu. Thérèse bouscule tous les manichéismes qui établissent trop facilement en « blanc » et « noir » : les croyants et les incroyants, elle propose une recherche où l'Esprit Saint, comme l'a dit Paul VI, nous parle aussi « à travers l'incroyance de nos contemporains »; chemin qu'elle propose à une Église qui est tout entière aujourd'hui plongée dans la nuit, une nuit d'espérance.

Dans notre monde contemporain, où Thérèse est prophète, un monde atteint de misère et de tant de germes de mort, Thérèse veut que soit présent l'amour de Jésus, un amour alimenté à une foi obscure et sans soutien, et non pas à une foi avide à la fois de miracles et de triomphalismes. Et cet amour ne viendra pas dans ce monde par une fausse évangélisation externe, par une colonisation, par l'importation d'une expédition ou d'une croisade. Mais cet amour de Jésus naîtra et grandira dans la fraternité d'une vie partagée avec les hommes : voilà ce que veut Thérèse, compagne de route des incroyants, leur sœur. C'est dans les langues quotidiennes, par le partage du pluriel qu'est la vie de tous les jours, dans les langages particuliers et contrastés, dans la surabondance de la vie et des combats de l'homme qu'il s'agit pour les chrétiens, de faire exister, dans le monde, le Christ ressuscité et son amour, non dans les excès du dolorisme ni dans les annonces intempestives.

C'est dans ce sens que Thérèse parlera de l'Église, six mois après Pâques 1896 : elle veut que l'Église soit présente d'une nouvelle manière au monde de l'incroyance, non plus la manière du prosélytisme et du combat, mais celle de la communauté d'existence, en amour, tendresse et humilité.

En septembre 1896, Thérèse fait sa retraite annuelle et sur l'ordre de sa prieure, elle écrit ce qu'elle a découvert pendant ce temps de prière et de réflexion (c'est ce qu'on appelle le manuscrit B). On trouve là d'abord le grand cri d'une amoureuse qui voudrait tout faire pour le Bien-Aimé. Elle est carmélite? oui, mais elle voudrait davantage; c'est une avalanche de désirs : « Je sens en moi d'autres *vocations*, je me sens la *vocation de* GUERRIER, *de* PRÊTRE, *d'*APÔTRE, *de* DOCTEUR, *de* MARTYR. » Et elle explicite avec fougue chacune de ces vocations en se les appliquant à elle personnellement, pour enfin s'avouer vaincue : « Jésus, Jésus, si je voulais écrire tous mes désirs, il me faudrait emprunter *ton livre de vie*, là sont rapportées les actions de tous les saints et ces actions, je voudrais les avoir accomplies pour Toi...»

Ce qui frappe, c'est le caractère radical de ses désirs : « Je sens le besoin, le désir d'accomplir pour *toi, Jésus*, toutes les œuvres les plus héroïques. » « Je voudrais parcourir la terre. » « Je voudrais être missionnaire non seulement pendant quelques années, mais je voudrais l'avoir été depuis la création du monde et l'être jusqu'à la consommation des siècles », « verser mon sang pour toi jusqu'à la dernière goutte. » « Je voudrais subir tous les supplices infligés aux martyrs. » « Je ne saurais me borner à désirer *un* genre de martyre... Pour me satisfaire, il me les faudrait *tous*. »

Ces désirs lui font souffrir, dit-elle « un véritable martyre ». Alors, elle cherche du côté du grand missionnaire, saint Paul, y lit les différentes fonctions des membres de l'Église. Mais cela ne lui suffit pas. Elle cherche. Et elle se dit qu'il y a un organe, dans le corps, sans lequel « les membres n'agiraient pas » : c'est le cœur. Alors elle clame que l'essentiel de l'Église, ce doit être le cœur.

Une fois de plus, Thérèse fait un retournement des idées reçues. On considérait alors la mission par rapport à ses destinataires : il s'agissait d'apporter quelque chose, le message, à ceux qui vivaient dans l'ignorance spirituelle ; on développait constamment, dans les récits missionnaires, les descriptions d'indigence de tous ces hommes plongés dans les ténèbres de l'ignorance ; et la condescendance paternaliste se donnait libre cours ; l'exotisme aussi, et le romantisme : on s'intéressait aux sauvages et aux païens comme on s'intéressait « aux misérables ». L'étranger était, au fond, une caution de la supériorité de celui qui avait conscience d'être bon en s'occupant de lui.

Thérèse retourne les perspectives : elle les rétablit dans leur bon sens. Si l'Église n'est qu'un instrument missionnaire paternalisant — ou maternalisant — elle n'est pas l'Église. L'Église est d'abord un cœur d'épouse qui brûle d'amour pour celui qui lui a donné la vie et sa vie. L'Église ne fait pas la charité, elle doit être « charité », amour au cœur d'elle-même. Le « zèle missionnaire » auquel on a si souvent fait appel pour exercer sur autrui une pression — politique ou psychologique ou sociale — ce « zèle » signifie que l'Église ne peut pas ne pas exprimer son amour. N'est-ce pas le drame de notre siècle que tant de zèles intempestifs, commandés par tout autre chose qu'un véritable amour, aient tenté d'imposer aux hommes, du dehors, l'annonce de l'Évangile ?

Thérèse situe le zèle à sa place. De même que, pour elle, la souffrance pour la souffrance n'a pas de sens — elle n'a de sens, elle le dira, qu' « unie à l'amour », de même le zèle pour le zèle n'a aucun sens : le zèle n'a de sens qu'uni à l'amour, surgi de l'amour. Les prosélytismes où le missionnaire se retrouve lui-même et exerce ses pouvoirs, les conversions spectaculaires et comptabilisées à travers lesquelles les chrétiens ne font que se rassurer, tout cela n'a rien à voir avec le cœur de l'Église. C'est en tant qu'Épouse que l'Église est envoyée. Le Père a envoyé son propre Fils; le Christ Jésus envoie aux hommes l'Épouse; les audaces de celle-ci, ses recherches, ses obstinations ne peuvent être que des audaces d'amour, des recherches et des obstinations d'amour. Et c'est là que Thérèse, avec ses vingt-trois ans et son cœur d'enfant, ses pauvretés et ses faiblesses, peut montrer qu'il ne s'agit pas d'abord d'œuvres, de programmations, de quadrillages et de stratégies. Mais d'amour, de gratuité, de liberté. Voilà ce que saisit Thérèse : « Je compris que si l'Église avait un corps, composé de différents membres, le plus nécessaire, le plus noble de tous ne lui manquait pas, je compris que l'Église *avait un Cœur, et que ce Cœur était brûlant*, d'AMOUR. Je compris que l'*Amour seul* faisait agir les membres de l'Église, que si l'Amour venait à s'éteindre, les Apôtres n'annonceraient plus l'Évangile, les Martyrs refuseraient de verser leur sang... Je compris que l'AMOUR RENFERMAIT TOUTES LES VOCATIONS, QUE L'AMOUR ÉTAIT TOUT, QU'IL EMBRASSAIT TOUS LES TEMPS ET TOUS LES LIEUX... EN UN MOT QU'IL EST ÉTERNEL!... »

On a souvent répété que Thérèse était un grand théologien. Elle l'est, ici, d'une manière étonnante pour une carmélite de vingt-trois ans sans formation spéciale sur le plan de l'ecclésiologie. Elle situe l'Église comme Épouse. Cette Épouse brûle d'amour pour le Christ : et comment lorsqu'on aime, ne pas désirer faire connaître à autrui celui qu'on aime? L'Église ne peut pas ne pas avoir à cœur de « parler » de Lui, de le dire à tous les hommes. On voit à quel point Thérèse opère une véritable révolution dans l'Église. Un agnostique, André Malraux, dans l'*Espoir*, un texte écrit en 1938 pendant la guerre d'Espagne, fera dire à l'un de ses personnages : « Je fais appel à l'âme de l'Église contre le corps de l'Église. La foi, ce n'est pas l'absence d'amour. » Thérèse vit la foi et l'amour.

8. *La fraternité*

Dans la dernière année de sa vie — septembre 1896 à septembre 1897 — Thérèse qui vit, au cœur de son couvent, en compagne mystique des incroyants, se laisse embraser par ce feu d'amour qu'est le cœur de l'Église. Elle le montre dans une existence de tendresse de plus en plus grande envers les sœurs qui l'entourent, qui sont parfois elles-mêmes des cœurs durs, qui la comprennent mal, qui se comprennent mal entre elles. C'est là sa plus grande souffrance. Elle a le cœur plein d'amour et l'offre à qui le veut, et c'est une mer de tendresse, un fleuve d'eau vive; et les religieuses qui sont là, au cœur étroit, avec si peu d'envie de cette mer où boire, des religieuses souvent desséchées sans le goût même d'un verre d'eau; souffrance de proposer à boire à qui n'a pas soif.

Cette chaleur du cœur, elle la manifestera jour par jour, dans un état de santé de plus en plus précaire, dans des conditions de vie harassantes. La plus grande partie du manuscrit C est une recherche concrète sur la relation de fraternité.

LA CHARITÉ N'EST PAS UN BAZAR.

On peut dire que le 9 juin 1895 a été une saisie du mystère d'amour qu'est la Trinité en elle-même; que septembre 1896 a été une seconde étape : une saisie de l'Église comme cœur brûlant d'amour. C'est maintenant une troisième étape que Thérèse situe de façon précise en cette année 1897 même : « Cette année (...), le bon Dieu m'a fait la grâce de comprendre ce qu'est la charité. »

Pour situer le message de Thérèse, il paraît intéressant de donner un fait : l'incendie du *Bazar de la Charité* et de souligner une réalité : la montée de l'antisémitisme à la fin du XIXe siècle. Ils sont, l'un et l'autre, significatifs de « la Belle Époque », de l'époque pendant laquelle Thérèse explicite sa spiritualité.

En ces années de la fin du XIXe siècle, les gens du monde s'occupent beaucoup de *charité*. Ces dames multiplient « les ventes de charité. » Chaque princesse ou comtesse a son hôpital ou son orphelinat. Une baronne a même ouvert, rue de l'Université, un magasin de parfumerie-maroquinerie dont tous les bénéfices sont versés à ses œuvres. Une duchesse a donné une réception : une course de lévriers dans ses salons, avec un pari mutuel, au bénéfice de l'*Œuvre de saint Michel pour la propagande des bons livres*. *Le Figaro* a créé une rubrique *charité* qui annonce ventes et galas. Quelqu'un a alors l'idée de faire une « vente des ventes » : organiser pendant quelques semaines un gigantesque comptoir de la charité; toutes les œuvres y seraient représentées, et toutes ces dames. En avril 1897, le comptoir est établi rue Jean-Goujon dans une immense baraque en bois dont une troupe de théâtre s'est servie pour jouer *la Passion de Notre-Seigneur*. On met au fronton, en lettres rouges : *Bazar de la Charité*. On décore l'intérieur : en reproduisant par exemple une rue de Paris au Moyen Age avec ses auberges, ses maisonnettes : chaque « œuvre » — il y en a vingt-deux — y a sa boutique.

Le *Bazar de la Charité* ouvre ses portes le lundi 3 mai. Quarante mille francs de recette pour le premier jour. Le mardi 4 mai après-midi, douze cents personnes sont déjà entrées. Les comptoirs sont devenus des salons. La duchesse d'Alençon dispose de vingt-trois vendeuses. Au comptoir n° 15, trois jeunes aveugles vendent des brosses qu'elles fabriquent devant les clients; l'une d'elles lit, quand on le lui demande, des textes en relief sur des feuilles en papier dur. A 16 heures, une allumette craquée imprudemment près d'une bonbonne d'éther fait jaillir l'incendie. Le feu embrase les rubans, tentures, dentelles, boiseries et en quatre minutes atteint tout l'ensemble. C'est une bousculade éperdue, des cris, des coups. En un quart d'heure tout est fini. Il y aura ensuite l'identification des corps, le triage des bijoux. Cent vingt-cinq morts ; parmi ceux-ci la duchesse d'Alençon, la supérieure des sœurs de Saint-Vincent-de-Paul. Des journaux donnent la liste des victimes en titrant : Morts au champ d'honneur de la Charité.

« Des personnes si riches, en toilettes de gala et qui avaient leur voiture à la porte ! Leurs voitures éternellement inutiles ! Tout ça pour l'amour des pauvres. Oui, tout ça. Quand on est riche, c'est qu'on aime les pauvres ; les belles toilettes sont la récompense de l'amour qu'on a pour la pauvreté. Et voilà qui condamne l'Évangile. Le nonce du pape était venu bénir *la Truie qui file*, un instant avant le feu. Il était à peine sorti que cela commençait. »

A Notre-Dame, funérailles solennelles — ordonnées par le président de la République — pour les cinq victimes qui n'ont pas été identifiées. Le père Ollivaint, prédicateur du Carême, prononce un sermon sévère envers cette société frivole. Léon Bloy écrit dans son *journal* : « ... Ce mot de *Bazar* accolé à celui de charité ! le Nom terrible et brûlant de Dieu réduit à la condition de génitif de cet immonde vocable !!! »...

« ... De son autorité plénière, le journal *la Croix* a cano-nisé les victimes. Rappelant Jeanne d'Arc dont c'était à peu près l'anniversaire, le P. Bailly, a parlé de ce bûcher où les lys de la pureté ont été mêlés aux roses de la charité. J'ima-gine que les chastes lys et les tendres roses auraient bien voulu pouvoir ficher le camp, fût-ce au prix de n'importe quel genre de prostitution ou de cruauté, et je me suis laissé dire que les plus vigoureuses d'entre ces fleurs ne dédaignè-rent pas d'assommer les plus faibles qui faisaient obstacle à leur fuite. »

On souligne qu'il n'y a que trois morts du sexe masculin : le général Munier, un groom de douze ans, un médecin qui s'est précipité dans le brasier pour essayer de sauver sa femme ; or une centaine de jeunes gens et d'hommes mûrs se trouvaient dans le *Bazar* : « Parmi ces hommes, écrit Séve-rine dans *Le journal*, on en cite deux qui furent admirables, et jusqu'à dix en tout qui firent leur devoir. Le reste détala, non seulement ne sauvant personne, mais encore se frayant un passage dans la chair féminine, à coups de pieds, à coups de poings, à coups de talons, à coups de canne. » Les hommes qui ont réussi à échapper à l'incendie du *Bazar* raseront longtemps les murs; on les a surnommés les « chevaliers de la canne ».

C'est ainsi qu'il faut lire à deux degrés cet événement. Dans ce qu'on a appelé la Belle Époque, jamais on n'avait autant chanté la femme. Il y a les lieux où se montre la femme : les ventes de charité et l'Opéra, les bals costumés mais aussi la messe. Dans *Amours 1900*, A. Lanoux cite Robert de Flers qui décrit avec désinvolture une messe à la Madeleine à Paris : « On y rencontre un tas de petites femmes froufroutantes et soyeuses qu'on a priées toute la semaine et qui viennent prier. Elles découvrent au ciel leur petite âme qui a souvent des dessous charmants. Elles viennent coqueter avec le Seigneur. Elles se le représentent volontiers sous l'apparence d'un vieil abonné de l'Opéra très bien élevé, très bon et très riche. Et elles lui disent : Mon Dieu, donnez-nous notre luxe quotidien. Accordez-nous d'aimer notre prochain et surtout d'en être beaucoup aimées. Et n'éloignez pas trop de nous les tentations. »

Mais derrière tout ce clinquant et ces frivolités, il y a la condition lamentable de la femme. Même celles qui se trouvent ce jour de mai au *Bazar de la Charité*, même celles-là, qu'on pourrait croire heureuses parce qu'elles ont tout ce qu'elles désirent sont trop souvent bibelots des hommes, obligées d'être là et de se tenir à leur place sans avoir de responsabilité réelle. Que l'ensemble des hommes présents au *Bazar* aient piétiné les femmes apparaît comme un geste, hélas! symbolique.

Séverine, qui remarque ce fait, avait à la mort de Vallès, en 1885, pris la direction du *Cri du peuple*. Elle lutte, avec quelques femmes, pour les droits civils des Françaises. Parmi ces femmes, Maria Deraisme, première femme franc-maçon qui a revendiqué dès 1874 le rétablissement du divorce — la loi sera votée en 1884; qui ne cesse de demander, dans *le Droit des femmes*, la possibilité pour les femmes de se présenter au baccalauréat — ce n'est qu'en 1880 qu'une loi passera à ce sujet — et de devenir médecins, ou avocates — la première femme avocate ne prêtera serment qu'en 1900. Un autre journal féminin, *la Citoyenne*, dit, le 17 mars 1881 : « Excommuniées de la vie politique par les hommes, excommuniées du sacerdoce par les papes qui sont des hommes, les femmes ne sont pas responsables de l'esprit ni de l'organisation cléricale de la société. »

La législation du travail féminin est presque inexistante. Le 2 novembre 1892 est votée une loi qui ramène de douze à onze heures le travail des femmes. En juillet 1893, une loi ne fait qu'interdire le travail de nuit : « Les femmes et les filles âgées de plus de dix-huit ans pourront être employées jusqu'à onze heures du soir, sans qu'en aucun cas la durée du travail effectif puisse dépasser onze heures par vingt-quatre heures. » La loi ne s'occupe ni du chômage, ni de la maternité, ni de la maladie; le salaire d'une femme est inférieur d'un peu plus de la moitié à celui des hommes; le salaire d'une femme mariée n'est pas légalement protégé et le mari peut le confisquer.

Les trente dernières années du XIXᵉ siècle, ces années où vit Thérèse sont donc des années où quelques femmes commencent à poser le problème de la condition féminine. Et l'année même où meurt Thérèse est une année très importante pour cette question de la femme : Marguerite Durand fonde en 1897, avec Séverine, Marcelle Tinayre, Clémence Royer, un journal féminin qui est appelé *la Fronde*. C'est un quotidien de combat qui suscite de nombreuses oppositions; dans son premier numéro, *la Fronde* demandait « l'égalité des droits, le développement sans entraves des facultés de la femme, la responsabilité consciente de ses actes, une place de créature libre dans la société ». Des catholiques fondent eux-mêmes *le Féminisme chrétien* qui proclame dans son premier numéro, le 25 août 1897 : « La femme peut être féministe sans renier aucune des croyances de sa vie religieuse, aucun des préceptes de sa foi morale, aucune des traditions de sa foi politique même. » Le journal n'hésite pas à réclamer la liberté de travail et l'égalité des salaires, la libre disposition des biens pour la femme mariée, la recherche en paternité pour la fille-mère. *Le Féminisme chrétien* se jette dans des campagnes politiques précises, ultra-nationalistes et antisémites ; il organise l'*Union nationale des femmes françaises* qui dénonce « le péril juif » ; mais il se refuse à demander les droits politiques pour la femme ! Et bientôt *le Féminisme chrétien* lancera une violente attaque contre *la Fronde*.

En 1895, dans le manuscrit A, Thérèse avait noté combien, dans son voyage à Rome, elle avait été frappée par les interdits qui, dans les églises mêmes, menaçaient les femmes : défense de pénétrer en tel ou tel endroit, etc. Elle écrivait : « Je ne puis encore comprendre pourquoi les femmes sont si facilement excommuniées en Italie, à chaque instant on nous disait : " N'entrez pas ici... n'entrez pas là, vous seriez excommuniées !... " Ah ! les pauvres femmes comme elles sont méprisées !... Cependant elles aiment le bon Dieu en bien plus grand nombre que les hommes et pendant la Passion de Notre-Seigneur, les femmes eurent plus de courage que les Apôtres, puisqu'elles bravèrent les insultes des soldats et osèrent essuyer la Face adorable de Jésus... C'est sans doute pour cela qu'Il permet que le mépris soit leur partage sur la terre, puisqu'Il l'a choisi pour Lui-même... Au Ciel, Il saura bien montrer que ses pensées ne sont pas celles des hommes, car alors les *dernières* seront les *premières*... »

Il y a une première « charité » qui n'existe guère en cette fin du XIXᵉ siècle : la « charité » envers la femme. Thérèse, en ce même moment où la femme cherche à être reconnue pour elle-même montre par la puissance et l'intensité de l'amour qu'elle vit, que la femme — la dernière — peut être la première : en amour, justement.

A ce monde froid de la Belle Époque, ce monde masculin où tout se négocie et s'achète, où les femmes sont si souvent des objets et rarement des personnes, une petite carmélite oppose sa chaleur, sa tendresse, le feu de son amour. Et dans cette Église de la fin du XIXᵉ siècle, une Église trop cléricale et trop peu évangélique, si masculine, l'Esprit Saint suscite à la plus haute sainteté cette femme de vingt-quatre ans, qui est en train de mourir à Lisieux.

Dans les cinq dernières années de la vie de Thérèse — 1892-1897 — se fait en France une montée extraordinaire de l'antisémitisme. Thérèse connaîtra tout cela à travers l'oncle Guérin et c'est pourquoi il semble indispensable de montrer cette toile de fond.

1892 : C'est l'année où Édouard Drumont donne en France une impulsion décisive à l'antisémitisme et du même coup fait naître une nouvelle droite. Drumont, profondément conservateur, se sert de l'antisémitisme comme d'une méthode pour capter, à travers sa défense du patriotisme — pensons à tout le désir de revanche qui s'exprime en ces décades d'après 70 — pour capter un certain nombre de forces du mouvement ouvrier. C'est un essai de synthèse du nationalisme et du socialisme, ce qui a été appelé « l'anticapitalisme national » où a été minimisé l'antisémitisme de Drumont. Mais, en fait, Drumont a fait de l'antisémitisme plus qu'une méthode : un système d'explication globale. Drumont veut démontrer qu'il y a un immense complot juif contre la France : depuis le complot de la grande banque internationaliste jusqu'au complot de l'internationale socialiste. Quand il lance le premier numéro de *la Libre Parole*, le 20 avril 1892, il y donne son programme dans l'éditorial : « La France aux Français », tel est le sous-titre de *la Libre Parole*. Et on ne peut s'imaginer aujourd'hui le retentissement de cette feuille à cinq sous — comme d'ailleurs celui du livre de Drumont, *la France juive*, paru en 1886 et qui a connu deux cent une éditions. Faut-il citer l'un de ses grands admirateurs, Bernanos, qui, dans le temps où il fut maurrassien écrivit, en 1931, dans *la Grande Peur des bien-pensants* : « Dégagé des hyperboles ridicules, l'antisémitisme apparaîtra ce qu'il est réellement : non pas une marotte, une vue de l'esprit, mais une grande pensée politique. »

Drumont écrit, entre autres, dans le premier éditorial de *la Libre Parole* : « L'anarchie universelle au milieu de laquelle nous nous débattons, la disparition de tout sens moral, la dissolution de tous les liens sociaux, l'absence de toute justice et de toute pitié pour les faibles, l'adoration unique de l'Argent, la trépidation fiévreuse qui fait place tout à coup à des prostrations hébétées, à des torpeurs que rien ne peut secouer, sont les caractéristiques toujours les mêmes de la prédominance de l'esprit sémitique personnifié dans le Juif sur l'esprit aryen qui a trouvé dans le christianisme sa plus sublime expression... Au xve siècle, Bedford gouvernait la France avec le titre de régent de France, Rothschild la gouverne aujourd'hui avec le titre de régent de la Banque de France... (...) Ah oui! le châtiment est proche et *la Libre Parole* fera tout ce qui dépendra d'elle pour qu'il arrive le plus tôt possible! Le grand effort est accompli, l'œuvre de délivrance est en bonne voie, l'idée est imprimée dans tous les cerveaux. Bientôt tout le monde est exaspéré contre le Juif. Les femmes françaises s'en mêleront et chasseront l'envahisseur à coups de balai. Les chiens eux-mêmes, les chiens de France, à force d'entendre répéter sans cesse au milieu des imprécations les noms sinistres des Rothschild, des Erlanger, des Dreyfus, et des Isaac, se mettront de la partie et hurleront toutes les fois qu'il s'agira de l'un d'eux. Vous verrez comme il nous sera facile de nous arranger entre compatriotes lorsque nous serons débarrassés de cette horde de Juifs venus de Francfort, de Cologne, de Hambourg, de tous les Meyer, de tous les Strauss, de tous les Reinach, qui s'amusent à nous faire battre entre nous pour nous dévaliser à leur aise à la faveur du tumulte... Vous verrez combien tous les dissentiments s'apaiseront vite lorsqu'on aura compris la parole de Jeanne d'Arc : " Il faut que le sang de France soit maître ", lorsqu'on aura adopté notre programme qui se résume en un mot : LA FRANCE AUX FRANÇAIS. »

Drumont a vraiment désigné le Juif comme celui qui était le responsable de tous les malheurs et désordres survenus en France depuis la Révolution de 1789.

En même temps, Drumont a fortement contribué en France à l'assimilation scandaleuse entre catholicisme et antisémitisme. Bien sûr, il y avait eu, avant Drumont, des livres comme celui de Gougenot des Mousseaux, *le Juif, le Judaïsme et la Judaïsation des chrétiens*, livre qu'on a appelé « la Bible de l'antisémitisme moderne » (Norman Cohn), livre où il y avait déjà la confusion, qui désormais s'imposera, entre Juifs et francs-maçons.

Dans cette époque d'après Vatican I et la chute du pouvoir temporel du pape, dans cette époque où progressait l'athéisme moderne — dont on peut situer la naissance en tant que tel, pour la France, entre 1860 et 1870 — où étaient de plus en plus contestées la dogmatique et l'exégèse catholiques, on cherchait des responsables. De nombreux auteurs catholiques, plutôt que d'examiner leurs propres faiblesses, préféraient — c'est plus facile — trouver des raisons à l'extérieur : francs-maçons et Juifs furent alors désignés comme étant les conspirateurs qui machinaient ensemble contre l'Église. Un livre comme celui de Mgr de Ségur *les Francs-Maçons*, paru en 1867, connaît trente-six éditions en cinq ans. Grand catholique-et-français-toujours, Louis Veuillot, écrit dans *l'Univers* du 16 novembre 1870 au sujet des Juifs et des francs-maçons : « Renégats ou étrangers, ils n'ont ni ma foi, ni ma prière, ni mes souvenirs, ni mes attentes. Je suis l'hérétique [ceci pour les protestants] du Juif, de l'athée et d'un composé de toutes ces espèces qui n'est pas loin de ressembler à la brute. » A mesure que les années passent, à mesure, les catholiques parlent de ce « complot judéo-maçonnique ». En 1884, naît une revue catholique mensuelle qui aura quarante ans d'existence *la Franc-Maçonnerie démasquée*. A partir de 1886, le journal *La Croix* se déchaîne contre les Juifs au point de se proclamer, en 1890, « le journal le plus anti-juif de France, celui qui porte la Croix, signe d'horreur aux Juifs ». (Cf. P. Sorlin, *La Croix et les Juifs*, Paris, éd. Grasset, 1967.)

On dénonce de plus en plus fortement la franc-maçonnerie : « C'est l'Église de Satan. Parmi les ennemis intérieurs et extérieurs de la patrie, il est de notre devoir, chers amis, de vous signaler les francs-maçons qui, selon la spirituelle remarque de Mgr de Ségur, ne sont ni *francs* ni *maçons*. » (Abbé Barbier, *L'Ami de l'ouvrier*, 1893.)

Quand, en 1896, on fête à Reims l'anniversaire de la conversion de Clovis c'est l'occasion de « célébrer la vocation chrétienne de la France, fille aînée de l'Église ». (R. Rémond, *Les Deux Congrès ecclésiastiques de Reims et de Bourges*, Paris, éd. Sirey, 1964, p. 4.) Or ces prêtres réunis à

Reims pour cet anniversaire, des prêtres qui se disent et se veulent démocrates et qui ont adhéré au ralliement, succombent pourtant « à l'obsession de la conspiration des ennemis de l'Église, du complot judéo-maçonnique ».

Les catholiques vont participer plus que personne à l'antisémitisme de Drumont, antisémitisme par lequel un Français — ou un Allemand, plus tard — peut voir clairement où est son identité française — ou allemande. En posant ainsi en face « l'adversaire », celui qui vous menace dans votre intégrité, on peut définir son être. Cette méthode d'existence par le rejet de l'autre, Maurras l'appliquera avec maîtrise : « Tout paraît impossible ou affreusement difficile, sans cette providence de l'antisémitisme, écrira-t-il dans l'*Action française* du 28 mars 1911. Par elle, tout s'arrange, s'aplanit, et se simplifie. » Mais cette méthode, il faut bien voir que si tant de catholiques l'ont trouvée séduisante, c'est qu'ils la vivaient au plus profond d'eux-mêmes : ils se définissaient comme étant ceux-qui-ne-sont-pas « l'hérétique, le Juif, l'athée », pour reprendre le classement de Louis Veuillot. Le message révolutionnaire de Thérèse viendra justement à l'encontre de cette manière pharisienne de se définir soi-même par la négation d'autrui et de sa différence : elle considérera les « incrédules » et les « pécheurs » comme ses frères. Ou plutôt, elle se regardera comme la sœur de ces êtres honnis, méprisés, rejetés.

LE FROID DES PRISONS.

Au Carmel, il y a le froid. Il y a, sans cesse, les murs. Entre son entrée au Carmel de Lisieux et sa mort, soit neuf ans et demi, soit cinq cents semaines, Thérèse « prisonnière au Carmel » comme elle disait, n'est jamais sortie de cet espace clos.

On a beaucoup étudié, depuis quelques années, les structures du groupe et on a fait, en particulier, la comparaison entre la vie des religieuses en communauté et l'existence des hospitalisés ou des prisonniers; une femme, Simone Buffard qui a écrit un livre sur *le Froid pénitentiaire* (éd. du

Seuil) a publié dans les *Cahiers Laënnec* un article sur
l'*image du corps chez le prisonnier*. Il y a promiscuité d'abord,
donc une certaine « limitation de l'espace ». Mais « plus
frustrante encore est la privation d'espace propre, c'est-à-
dire l'irruption d'autrui dans la zone qui environne le corps
et que nous sentons si vivement quand quelqu'un nous
approche de trop près ». Le corps se perd dans l'anonymat
de l'uniforme. Les médecins pénitentiaires remarquent que
les détenus sont souvent atteints, dans leurs « organes internes : estomac, cœur, poumon », « tandis que les tra-
vailleurs manuels, en particulier les immigrés, présentent
des conversions algiques (douleurs rhumatismales, lom-
balgies). Chez le travailleur manuel, dont le seul bien est
sa force de travail, toute altération du schéma corporel
touche la charpente et les charnières de cet outil. Le prisonnier, lui, qui n'a pas cette possibilité de relation au monde,
est tout entier tourné vers le dedans de lui-même. Ce sont
ses organes internes qui vont lui permettre de survivre :
« Faites-moi une radio », « Écoutez mon cœur », c'est-à-dire,
comment savoir ce qui se passe là-dedans, comment être
sûr que tout n'est pas en train de s'abîmer, que tout n'est
pas déjà détruit ? On a moins peur de ce qu'on peut voir,
des atteintes externes — de l'ordre de l'intégrité physique —
mais, contre les atteintes internes, réelles ou fantasmées,
comment réagir autrement que par l'angoisse ?

Ce qui amène à la fois une auto-agression et une difficile
relation envers autrui. Morcellement de soi-même, dépendance infantile envers un autre ou au contraire repli défensif
sur soi et agressivité envers l'autre qui est vu comme dangereux.

Il est trop facile, pour nous, de montrer les conflits qui
peuvent exister, au temps de Thérèse, dans ce champ clos
qu'est cet espace resserré du Carmel de Lisieux où vivent
ensemble, sous la même bure, mais nettement différentes
d'âge, de naissance, de culture, deux douzaines de femmes.
Mais il faut se représenter exactement ce que peut signifier
l'existence en de telles limites. On comprend que certaines
échouent dans l'héroïsme narcissique exacerbé ou que
d'autres s'enlisent dans une silencieuse médiocrité; que

d'autres cherchent le pouvoir et une dérisoire puissance ou d'autres encore la dépendance éperdue.

Thérèse connaissait exactement ces écueils : « Les *illusions*, le bon Dieu m'a fait la grâce de *n'en avoir* AUCUNE en entrant au Carmel, j'ai trouvé la vie religieuse *telle* que je me l'étais figurée. » Une anecdote : six mois après l'arrivée de Céline au Carmel, Thérèse, au cours d'une récréation, l'interroge sur chacune des religieuses; Céline fait un tableau plutôt gris; Thérèse, alors, lui répond : « Je n'ai rien voulu dire à l'avance, mais vous voyez par vous-même que vous êtes au milieu d'une belle collection de vieilles filles. Alors vous voyez ce que vous ne devez pas être. »

Par ailleurs, il faut souligner que Thérèse n'a été soignée qu'à partir d'avril 1897, un an après la première hémorragie du Vendredi saint 1896. Et quels soins! Ce n'était guère sérieux; c'était même parfois à l'inverse de ce qu'il eût fallu faire; par exemple les fameuses frictions qui l'épuisaient; à son lit de mort, elle dira, elle qui ne se plaignait jamais : « Ah! d'être " étrillée " comme je l'ai été c'est bien pire que n'importe quoi! » Ou encore ces remèdes inutiles et grossiers, comme du « sirop de limaçon » qu'on lui donne en mai-juin 1897. Un auteur comme le père Noché, qui se fait le défenseur du Carmel, nous parle d'une autre cliente du médecin de Thérèse, le docteur de Cornière, morte le 21 octobre 1898; il dit que le bon docteur ne découvrit sa lésion pulmonaire que deux mois avant sa mort. Conclusion du père Noché : « Beaucoup plus favorisée, Thérèse fut sérieusement soignée pendant les *six* derniers mois. » Comme faveur!

Le 7 juillet 1897, le docteur de Cornière déclare encore formellement : « Ce n'est pas la tuberculose, c'est un accident arrivé aux poumons, une vraie congestion pulmonaire. » Pourquoi parler de congestion et non pas de tuberculose? Si on se réfère à la pensée médicale de l'époque, la congestion est une « affection qui se montre spécialement chez les personnes jeunes et pléthoriques, et aussi chez les sujets prédisposés à la phtisie. Les maladies organiques du cœur, et surtout l'anévrisme, exercent une grande influence sur le développement des congestions pulmonaires (...). Dès que la maladie est déclarée, les sujets sont oppressés; ils éprouvent un sentiment de gêne et de douleur dans la poitrine, accompagné d'une sensation de chaleur et d'une accélération notable des mouvements respiratoires. Ils toussent et rejettent quelques crachats blancs, visqueux et striés de sang (...). Le traitement consiste dans une saignée générale, dans l'emploi des vomitifs, des purgatifs, des ventouses et des vésicatoires sur la poitrine (...). La maladie persiste toujours pendant plusieurs semaines et se termine par résolution ou par une pneumonie ». (*Grand Dictionnaire Larousse*, 1874.)

La congestion est une maladie connue depuis longtemps, et une maladie qui n'effraie pas tellement. Tandis que la tuberculose est la maladie du XIXe siècle, comme le cancer et la leucémie sont celles du XXe siècle. Elle « constitue une des maladies les plus terribles dont soit affligée l'humanité ». Et la tuberculose apparaît comme infamante par certains côtés. Voici ce qu'on en disait : « Cette affection est très répandue et très fréquente; on la compte pour un quart ou au moins un cinquième dans la mortalité générale des grandes villes... La phtisie est une affection répandue sur tous les points du globe; mais c'est en Europe et en Amérique qu'elle exerce les plus grands ravages... La race nègre y semble plus particulièrement disposée, et cette prédisposition est d'autant plus accentuée que les nègres s'éloignent davantage de leur pays natal... Les femmes, en France du moins, en sont beaucoup plus souvent atteintes que les hommes, et elles succombent bien plus facilement que les hommes aux phtisies aiguës. Une constitution faible, l'étroitesse de la poitrine, la facilité à contracter des rhumes, l'essoufflement habituel, la pâleur du visage avec une rougeur vive et circonscrite aux pommettes sont, pour certains auteurs, des indices de prédisposition à la phtisie pulmonaire. Il faut redouter tous les métiers qui nécessitent une vie sédentaire et l'habitation dans des lieux bas, humides, privés d'air et de soleil. La mauvaise alimentation, les excès en tout genre, surtout les excès vénériens, la masturbation sont autant de causes prédisposantes (...). L'hérédité est une des causes incontestables de l'affection tuberculeuse; mais

il est difficile d'établir dans quelle proportion elle se transmet (...). Pendant un certain temps, on a cru à la transmission
de la maladie par contagion; mais cette opinion est aujourd'hui généralement abandonnée. Il n'y a rien de fondé
dans la crainte de la contagion, du moins dans le climat
où nous vivons. Presque tous les cas de phtisie transmise
par contagion ont été observés entre conjoints. »

Cet article « phtisie » du *Grand Dictionnaire Larousse* dont
nous venons de citer des extraits date de 1874. Or déjà à ce
moment-là, on indiquait clairement l'hémoptysie, et la toux
sèche, fréquente le soir, comme deux symptômes essentiels
de la maladie et on donnait aussi comme symptôme « quelques troubles du côté des organes digestifs ». L'ensemble des
symptômes de Thérèse était suffisant pour que le médecin
fasse un diagnostic exact. Par ailleurs, le docteur Koch de
Breslau, a découvert en 1882, le bacille de la tuberculose et
a démontré que cette maladie est infectieuse et contagieuse.
M. de Cornière avait donc en sa possession des éléments qui
lui permettaient de poser un réel diagnostic — et d'éviter la
contagion : Marie Guérin elle-même, cousine et novice de
Thérèse, mourra de tuberculose en 1905, à trente-quatre ans.
Alors, pourquoi ne l'a-t-il pas fait? Il semble qu'on peut
avancer une hypothèse autre que la seule médiocrité du
médecin.

La tuberculose est en effet une maladie sociale.

Ou bien elle est vue comme une maladie de pauvres : le
Grand Dictionnaire Larousse prend soin de préciser : « La
phtisie peut se prolonger pendant cinq, dix, quinze, vingt-
cinq et même quarante ans. Les cas de ce genre ne sont pas
communs et on ne les observe guère que dans la classe aisée
de la société (...). La durée de la phtisie est donc très variable :
elle peut osciller entre un mois et quarante ans. Cependant
on peut dire, d'une manière générale, que parmi la classe
ouvrière, elle ne dépasse guère un an, que les femmes succombent plus rapidement que les hommes et que la maladie
est d'autant moins longue que les sujets phtisiques sont plus
jeunes. » La tuberculose est donc vue d'abord comme une
maladie de pauvres.

Ou bien, quand la tuberculose n'est pas vue comme la

maladie des pauvres, elle est vue comme une maladie des marginaux, de poètes et d'artistes par exemple et on l'appelle alors « consomption »; *la Dame aux camélias* est dans tous les esprits de l'époque et on savait que cette courtisane d'une beauté admirable avait réellement existé, qu'elle s'appelait Marie Duplessis, qu'elle avait été la maîtresse d'Alexandre Dumas fils et qu'elle était morte de « phtisie galopante » en 1847, à vingt-trois ans. En 1837, à vingt-sept ans, Frédéric Chopin éprouve les premières atteintes de la phtisie; George Sand l'emmène à Majorque; Chopin se traînera avec alternances de mieux et de crises; il mourra en octobre 1849. Mal des pauvres ou « mal aristocratique », misère qu'on tait avec honte ou fièvre qu'on exhibe de façon romantique, la tuberculose est vue par le monde des classes moyennes, bourgeois et paysans solides, comme une chose non saine devant laquelle on éprouve une forte répugnance. On peut comprendre, dès lors, que ni le médecin, ni la prieure, ni la famille Guérin ne voulaient entendre parler de cette maladie — la réaction de Marie Guérin qui assure le 8 juillet 1897 à ses parents que « ce n'est pas la tuberculose », est bien symptomatique. Ce qui expliquerait qu'on ait reculé pendant 17 mois (Pâques 1896-juillet 1897) à faire le véritable diagnostic.

Mais il faut aller plus loin que ces considérations sociologiques. En 1963, dans le *Manuel de psychiatrie*, les docteurs Henri Ey, P. Bernard et Ch. Brisset font le point des recherches sur les affections psychosomatiques; ils écrivent qu'au sujet de la tuberculose pulmonaire, ces recherches « insistent sur les faits de frustration dans les premières années de la vie (...). Le tuberculeux est un " affamé d'amour " s'abandonnant à la protection, à la dépendance, à la vie " parasitaire ". Lorsqu'il veut lutter contre cette tendance, il se " consume " dans une hyperactivité sans mesure, sorte de " suicide organique ". La notion de la perte du principal soutien affectif dans les mois qui précèdent le début d'une tuberculose pulmonaire est bien connue des phtisiologues. Ces notions ont un intérêt capital pour la conduite du traitement des tuberculeux qui ne peuvent guérir si leur " blessure affective " n'est pas guérie ».

Dans la *Revue de médecine psychosomatique* paraît en 1966 un article du docteur Bégoin « Tuberculose pulmonaire et problèmes psychosomatiques ». Le docteur Bégoin étudie surtout, dans la deuxième partie qui est une discussion théorique, les rapports entre la tuberculose pulmonaire et la dépression. Il reprend des travaux antérieurs montrant que la tuberculose survient très fréquemment « après une rupture ou une menace de rupture d'un lien affectif essentiel dans la vie du sujet : deuil, rupture de fiançailles ou de mariage, transplantation, changements de situation professionnelle, etc. ». Le docteur Bégoin cite par exemple une étude du docteur Racamier sur Katherin Mansfield : « C'est bien le deuil, dit le docteur Racamier, le deuil de l'être auquel le malade donne le plus et dont il reçoit ou attend le plus, qui constitue la situation déclenchante idéale de la tuberculose pulmonaire. »

De l'ensemble des travaux antérieurs, le docteur Bégoin retire deux constantes : les malades ont la plupart du temps « une fixation extrêmement forte à une image maternelle très ambivalente, à la fois idéalisée (il est impossible de s'en séparer) et très dangereuse (elle est étouffante et il faut la fuir) ». Et, deuxième constante, ces malades sont de grands angoissés qui manquent, par rapport à leur angoisse, de défenses organisées et la maladie devient un mécanisme de défense contre l'intensité de leur angoisse.

En 1969, paraît dans la *Revue française de psychanalyse* un article qui étudie les problèmes que pose un sujet atteint de tuberculose pulmonaire, article dont il faut tenir compte de près. L'auteur, A. Crouzatier, commence par signaler des faits cliniques bien connus : que la tuberculose pulmonaire apparaît le plus souvent entre vingt et vingt-cinq ans, mais qu'elle est due à un réveil des bacilles de Koch existant au moment de la primo-infection, celle-ci ayant lieu « dans la majorité des cas au cours de l'enfance ou de l'adolescence ». Dans un « raccourci schématique » il énonce :

« — Le bacille de Koch est évidemment la condition

nécessaire de l'apparition de la tuberculose pulmonaire, il n'en est certainement pas la condition suffisante;

« — La courbe de morbidité en fonction de l'âge reste inexpliquée, elle ne ressemble à aucune autre, mises à part certaines analogies avec la courbe de fréquence d'apparition de certaines maladies mentales et celles traduisant l'âge d'entrée des alcooliques dans leur toxicomanie. »

L'auteur fait ensuite une « biographie statistique de tuberculeux pulmonaires ». Les résultats confirment les recherches précédentes; surtout sur deux points. Le premier présente un facteur prédisposant : le fait de la carence maternelle en ce qui concerne la période de l'enfance. Le second est appelé « modification de l'environnement » et il est, lui, un « facteur déclenchant ». « Les modifications du milieu » sont en effet « particulièrement fréquentes dans les mois qui précèdent la maladie »; un « changement professionnel, une possibilité de mariage ou de promotion, un nouveau domicile, le départ d'un membre de l'entourage » et A. Crouzatier insiste sur « la nouveauté de la situation qui est ressentie comme angoissante », il parle d'une « rupture d'habitude de vie ». Le facteur déclenchant est encore défini comme la « naissance à un monde affectif extérieur dans des conditions qui ne permettent plus de le nier ».

Il faut sans cesse se souvenir de la somme de souffrances que Thérèse a connues. Bien sûr elle a vécu dans un milieu protégé, où il n'y avait pas de problèmes d'argent. Mais il y a d'autres angoisses. Toute jeune, elle perd sa mère; ses secondes mères, Pauline et Marie, l'abandonnent pour le couvent; son père devient délirant, il faut l'enfermer et il subit une longue agonie mentale. Entrée elle-même au couvent, elle se fait rabrouer par la prieure, mère Marie de Gonzague et investir par la seconde prieure qui est sa sœur de sang, Pauline; elle éprouve un immense déchirement interne devant les luttes sans merci que se livrent ses deux « mères », les deux prieures. Vraiment, cette fille de vingt-trois ans vit bien, dans sa chair, l'extrême morsure de ce cœur dur et froid qu'est le monde des hommes d'aujourd'hui et sa terrible inhumanité. Ce n'est pas audacieux de comparer ses souffrances à celles de tous les parias, de tous les concentra-

tionnaires, à tous les méprisés du xxᵉ siècle. De quoi être
malade, de quoi mourir!

BRÛLER D'AMOUR.

La réponse de Thérèse, plongée dans un univers de froid,
sera une réponse de chaleur d'amour. Et le Carmel commence
un peu à deviner qu'il y a là, en cette enfant de vingt-quatre
ans qui se meurt, un lieu d'amour étonnant. Mais un peu
seulement!

Autour du lit de mort de Thérèse se trouvent Agnès et
Marie de Gonzague. Ces deux femmes pressent bien,
dans leur intuition vive, la grandeur et le rayonnement possible de cette religieuse de leur Carmel. Il y a combat entre
ces deux femmes, oui. On le voit pour mère Agnès; on le
verra, pour ce qui est de mère Marie de Gonzague, au moment
où il fut question, après la mort de Thérèse, d'imprimer la
« vie » de Thérèse par elle-même, publication qui tiendrait
lieu de *Circulaire*, cette notice nécrologique faite à la mort
de chaque carmélite. La prieure acceptera la publication, à
condition que l'ensemble des textes paraisse lui être adressé
à elle, et à elle seule : manifestation de jalousie maladive
par rapport à mère Agnès. Un incident aura lieu à ce moment-
là : une religieuse demandera à compulser l'autographe;
craignant de voir son subterfuge éventé, la prieure décida
de brûler le manuscrit. Mère Agnès proposera alors de retoucher le texte au grattoir, et elle fera agir un père prémontré
de l'abbaye de Mondaye auprès de la prieure; ce père
écrivait le 30 janvier 1898 : « Ne privez pas mère Agnès de
Jésus (que je crois être une sœur de Thérèse) de la douceur
de mettre une dernière main à l'œuvre de sa sœur, ce qu'elle
a fait est bien, et il n'y a qu'une main féminine et carmélitaine pour toucher à des travaux si délicats. »

Ainsi ces deux femmes vont-elles être intrinsèquement
complices pour retoucher les textes de Thérèse; l'une, la
prieure, pour qu'on la mette en valeur et qu'on efface ce
qui toucherait à sa gloire; l'autre, mère Agnès, pour modifier
selon sa spiritualité et ses réactions personnelles. On dira :

« Mais c'est la première qui a obligé mère Agnès à modifier. » Oui, mais alors, pourquoi mère Agnès ne s'est-elle pas contentée de modifier ce qui déplaisait à la personne de la prieure et pourquoi a-t-elle touché au contenu même du texte ? Pourquoi, enfin, mère Agnès n'a-t-elle pas, à la mort de mère Marie de Gonzague — 17 décembre 1904 — rétabli les textes de Thérèse dans leur authenticité, d'autant plus que mère Agnès avait toute autorité pour le faire : elle avait de nouveau été élue prieure en 1902, puis de nouveau en novembre 1909 ? Et mère Agnès, désormais, ne quittera plus sa charge : elle sera réélue puis nommée prieure à vie. Pourquoi faudra-t-il attendre la mort de mère Agnès — 28 juillet 1951 — pour que les textes de Thérèse soient enfin donnés dans leur intégralité primitive ? A la vérité, mère Agnès avait son idée et l'a poursuivie avec une ténacité égale, dans son genre, à celle de Thérèse. C'est cette idée qui l'a conduite le 2 juin à minuit auprès de la prieure.

Et elle réussit. Le 3 juin 1897, la prieure voit Thérèse et lui ordonne, au nom de l'obéissance, de poursuivre l'autobiographie qu'elle avait écrite en 1895, mais sans que personne n'en sache rien sauf mère Agnès. Elle lui donne un beau cahier. Thérèse se met au travail ; elle écrit tout le mois de juin. Vers le 2 juillet, elle est à ce point épuisée qu'elle renonce à écrire. Le 8 juillet, on la descend sur un matelas à l'infirmerie. Mère Agnès lui dit qu'elle a beaucoup de peine de ce que le manuscrit est inachevé ; Thérèse fait alors un dernier effort et trace, au crayon cette fois-ci et d'une écriture fiévreuse, les dernières lignes de son manuscrit, c'est-à-dire à partir de la phrase : « Tous les saints l'ont compris... » Le 11 juillet, elle demande à mère Agnès d'ajouter en annexe à son texte « l'histoire de la pécheresse convertie et morte d'amour », extraite des *Vies des pères des déserts d'Orient*. Ce manuscrit C, comme le manuscrit A et le manuscrit B, se termine sur le mot : AMOUR.

Thérèse écrit donc dans un état d'extrême fatigue. Mère Agnès lui fait un court billet, en ce mois de juin : « Cela me fait grand-pitié de vous avoir fait entreprendre ce que vous savez, pourtant si vous saviez comme cela me fait plaisir ! Les Saints, dans le Ciel, peuvent encore recevoir de la gloire jusqu'à la fin du monde et ils favorisent ceux qui les honorent. Eh bien! je serai votre petit héraut, je proclamerai vos faits d'armes, je tâcherai de faire aimer et servir le bon Dieu par toutes les lumières qu'il vous a données et qui ne s'éteindront jamais. » Pauvre Thérèse qui est en train de mourir, dont toute la vie a été d'effacement et d'amour, et qui entend parler de « gloire » et d' « honneur »! Comment ne pas penser à ce qu'écrivait Charles de Foucauld à Louis Massignon, le jour même de sa mort, 1er décembre 1916 : « L'honneur, laissons-le à qui le voudra; mais le danger, la peine, réclamons-les toujours. »

Elle écrit souvent l'après-midi, installée dans sa voiturette de malade. On la met dans l'allée des marronniers et elle poursuit son récit dans le va-et-vient des sœurs qui travaillent les foins — c'est juin — et des sœurs qui passent : des novices qui veulent lui parler et des sœurs infirmières, tout ce petit monde empressé mais dérangeant : « Fatiguée d'ouvrir et de fermer ce fameux cahier, écrit-elle dans le manuscrit lui-même, j'ouvre un livre (qui ne veut pas rester ouvert) et je dis résolument que je copie des pensées des psaumes et de l'Évangile pour la fête de Notre Mère. C'est bien vrai car je n'économise pas les citations... Mère chérie, je vous amuserais, je crois, en vous racontant toutes mes aventures dans les bosquets du Carmel, je ne sais pas si j'ai pu écrire dix lignes sans être dérangée; cela ne devrait pas me faire rire, ni m'amuser, cependant pour l'amour du bon Dieu et de mes sœurs (si charitables envers moi) je tâche d'avoir l'air contente et surtout de *l'être*... »

Et avec le don d'imitation — parlée — qu'elle possédait, elle continue aussitôt sur un fait qui vient de se produire : « Tenez, voici une faneuse qui s'éloigne après m'avoir dit d'un ton compatissant : " Ma pauvr' ptite sœur, ça doit vous fatiguer d'écrire comme ça toute la journée. — Soyez tranquille, lui ai-je répondu, je parais écrire beaucoup mais véritablement je n'écris presque rien. — Tant mieux! m'a-t-elle dit d'un air rassuré, mais c'est égal, j' suis bin contente qu'on soit en train d' faner car ça vous distrait toujours un peu. " En effet, c'est une si grande distraction pour moi (sans compter les visites des infirmières) que je ne mens pas en disant n'écrire presque rien. » Et elle fait un tableau de l'ensemble de la situation à sa manière : à un moment où elle vient de parler dans son manuscrit, de la charité envers autrui : « En ce moment, dit-elle, les infirmières pratiquent à mon égard ce que je viens d'écrire; elles ne craignent pas de faire deux mille pas là où vingt suffiraient, j'ai donc pu contempler la charité en action! Sans doute mon âme doit s'en trouver embaumée; pour mon esprit j'avoue qu'il s'est un peu paralysé devant un pareil dévouement et ma plume a perdu de sa légèreté. Pour qu'il me soit possible de traduire mes pensées, il faut que je sois *comme le passereau solitaire*, et c'est rarement mon sort. Lorsque je commence à prendre la plume, voilà une bonne sœur qui passe près de moi, la fourche sur l'épaule. Elle croit me distraire en me faisant un peu la causette : foin, canards, poules, visite du docteur, tout vient sur le tapis; à dire vrai cela ne dure pas longtemps, mais il est *plus d'une bonne sœur charitable* et tout à coup une autre faneuse dépose des fleurs sur mes genoux, croyant peut-être m'inspirer des idées poétiques. Moi qui ne les recherche pas en ce moment, j'aimerais mieux que les fleurs restent à se balancer sur leurs tiges. »

On se souvient que la prieure lui a interdit de faire état de ce travail. Or cela intrigue. Sœur Marie de la Trinité la taquine pour savoir ce qu'elle fait; Thérèse lui répond, le 6 juin : « Ah! c'est comme cela que vous vous moquez de moi! Et qui donc vous a parlé de *mes écritures!* à quels *in folio* faites-vous allusion? Je vois bien que vous plaidez le faux pour savoir le vrai. Eh bien! vous le saurez un jour, si ce n'est pas sur la terre, ce sera au Ciel; mais bien sûr que cela ne vous inquiétera guère, nous aurons autre chose à penser alors... Vous voulez savoir si j'ai de la joie d'aller au Paradis? J'en aurais beaucoup *si* j'y allais, mais... je ne compte pas sur la maladie, c'est une trop lente conductrice. Je ne *compte plus* que sur *l'amour*; demandez au bon Jésus que toutes les prières qui sont faites pour moi, servent à augmenter le Feu qui doit me consumer. »

Toujours imitatrice, elle termine en reproduisant l'accent normand de Victoire Pasquier qui était gouvernante des Buissonnets, accent qu'elle savait prendre exactement, comme aussi Céline : « Je crois que vous n'allez pas pouvoir lire : " *gé raîgrette* ", mais je n'avais que quelques minutes. »

Le lundi 6 juin, grande séance de photo. On a pensé que cela ferait plaisir à mère Marie de Gonzague d'avoir pour sa fête, le 21 juin, une photo de Thérèse : « on », c'est mère Agnès; quand elle annonce la chose à Thérèse, celle-ci comprend aussitôt que c'est à mère Agnès que cela ferait plaisir; elle lui sourit d'un air malin et, prenant l'accent, lui rappelle une histoire auvergnate racontée par M. Martin : l'histoire du jeune garçon qui plaidait pour son camarade alors qu'il espérait être le premier bénéficiaire de sa demande : « Petit vent de bise, cesse de souffler! Ce n'est pas pour moi, c'est pour mon camarade qui n'a pas de veste. »

On fait donc poser Thérèse dans la cour de la sacristie; c'est Céline qui opère. Celle-ci, mécontente des deux premiers clichés — elle développait aussitôt dans la cave voisine — fait recommencer une troisième pose où on voit Thérèse se raidir contre la souffrance; les novices l'ont d'ailleurs taquinée — elle le dit à l'abbé Bellière en lui envoyant cette photo : « Les novices se sont écriées, en me voyant, que j'avais pris mon grand air; il paraît que je suis ordinairement plus souriante. »

Entre-temps, elle écrit, le 9 juin 1897 (anniversaire de l'acte du 9 juin 1895), à l'abbé Bellière : « Vous aimez saint Augustin, sainte Madeleine, ces âmes auxquelles " *beaucoup de péchés ont été remis parce qu'elles ont beaucoup aimé* "; moi aussi je les aime, j'aime leur repentir et surtout... leur amoureuse audace! Lorsque je vois Madeleine s'avancer devant les nombreux convives, arroser de ses larmes les pieds de son Maître adoré qu'elle touche pour la première fois, je sens que *son cœur* a compris les abîmes d'amour, et de miséricorde du *Cœur de Jésus*, et que, toute pécheresse qu'elle est, ce Cœur d'amour est, non seulement disposé à lui pardonner, mais encore à lui prodiguer les bienfaits de son intimité divine, à l'élever jusqu'aux plus hauts sommets de la contemplation.

« Ah! mon cher petit Frère, depuis qu'il m'a été donné de comprendre, aussi, l'amour du Cœur de Jésus, j'avoue qu'il a chassé de mon cœur toute crainte! le souvenir de mes fautes m'humilie, me porte à ne jamais m'appuyer sur ma force qui n'est que faiblesse; mais plus encore ce souvenir me parle de miséricorde et d'amour. Comment, lorsqu'on jette ses fautes avec une confiance toute filiale dans le brasier dévorant de l'Amour, comment ne seraient-elles pas consumées sans retour?

« Je sais qu'il y a des saints qui passèrent leur vie à pratiquer d'étonnantes mortifications pour expier leurs péchés, mais que voulez-vous, " *il y a plusieurs demeures dans la maison du Père céleste* ". Jésus l'a dit, et c'est pour cela que je suis la voie qu'Il me trace. »

A la mi-juin, elle en est à la moitié de son manuscrit, aux folios 17-18. Le lundi 21 juin, c'est la fête de la prieure.

Fin juin, elle envoie à ses trois sœurs qui sont au Carmel une image de l'Enfant Jésus avec, en dessous de l'image, cette phrase : « Je vois ce que j'ai cru. Je possède ce que j'ai espéré. Je suis unie à CELUI que j'ai AIMÉ de toute ma puissance d'AIMER. »

L'HUMOUR ET LES CHOSES DE LA VIE.

Ce qui est le plus frappant peut-être, c'est qu'elle est, en ce mois de juin 1897, infiniment paisible et joyeuse. On a remarqué que le manuscrit C contient fréquemment le mot « maintenant ». Or cet adverbe s'applique presque chaque fois à une indication de quelque chose qui était à « craindre »: avant, Thérèse était encore dans un état où elle pouvait craindre de trop se laisser aller à l'affection, où elle était encore trop sensible aux choses extérieures et pas assez dans une « indifférence ». Maintenant, elle est arrivée à pleine maturité, elle regarde le soleil en face — la tendresse de Dieu — et la mort de même. Il y a une joie extrême d'avoir effectué la percée, d'avoir fait le passage. Le manuscrit C est plein de l'humour de quelqu'un qui a gagné sa bataille. Pour elle, les dés sont jetés, elle sait maintenant qu'elle va certainement mourir. Dès lors plus rien ne peut l'atteindre. Il y a une sorte d'humour tendre et merveilleux chez elle,

presque un esprit gouailleur; elle a retrouvé toute sa drôlerie.
On aura remarqué que son goût de l'imitation se donne libre
cours en ces semaines. Et combien de comparaisons « pay-
sannes » comme cette réplique par exemple, à sœur Marie de
la Trinité qui lui demande de penser à elle au ciel « Vous
n'avez vu encore que la coque, vous verrez bientôt le petit
poulet »! Tandis qu'elle est en train de travailler à son cahier
qu'elle considère, dit-elle, comme son « petit devoir » :
« Pour écrire ma " petite " vie, je ne me casse pas la tête; c'est
comme si je pêchais à la ligne; j'écris ce qui vient au bout. »
Elle joue sur le mot « voler » : « Oui, je volerai,... y dispa-
raîtra bien des choses au ciel que je vous apporterai. Je serai
une petite voleuse, je prendrai tout ce qui me plaira. » Un
jour, mère Agnès fait une évocation ridicule : « Quand vous
serez morte, on vous mettra une palme dans la main. » Elle
répond qu'elle veut pouvoir la lâcher à son gré pour pouvoir
distribuer des grâces à pleines mains : « Il faudra que je
fasse tout ce qui me plaira. » Elle emploie des mots de patois
normand : « Jusqu'aux saints qui m'abandonnent! Je
demandais à saint Antoine, pendant Matines, de me faire
retrouver notre mouchoir que j'avais perdu. Croyez-vous
qu'il m'a exaucée? Il s'en est bien guetté » : pour « il s'en est
bien gardé », vieux mot qu'on trouve dans Marot. Mère
Agnès lui demande de dire quelques paroles « d'édification
et d'amabilité » au médecin, M. de Cornière. « Ah! ma petite
mère, ce n'est pas mon petit genre... Que M. de Cornière
pense ce qu'il voudra. Je n'aime que la simplicité, j'ai horreur de la feintise. »

   Absence de « feintise », de capacité de dissimuler qui
apparaît bien dans le fait suivant : il est question de l'extrême-
onction; le supérieur du Carmel se montre réticent; alors
mère Agnès chapitre Thérèse, avant une visite que le supérieur
va lui faire, pour qu'elle fasse en sorte d'obtenir ce qu'elles
souhaitent; arrive le supérieur, Thérèse se met en frais, se
montre aimable et souriante; au point qu'elle n'a plus l'air
du tout malade et que le supérieur ne croit pas urgent de
l'administrer. Après le départ de celui-ci, mère Agnès fait
remarquer à Thérèse qu'elle s'y est bien mal prise : « Je ne
connais pas le métier », dit-elle.

Elle se promet, quand elle sera au ciel, de venir faire des « joueries » — des tours — à ses sœurs.

Regardant ses mains amaigries : « Ça devient déjà squelette, v'là c'qui m'agrée ! »

Le 9 juin et le 8 juillet, elle est très mal et d'un seul coup, un mieux : « Ça me fait l'effet d'un mât de Cocagne, dit-elle ; j'ai fait plus d'une glissade, puis, tout à coup, me voilà rendue en haut. » Elle rit de la mort : la maison Gennin, fleuriste à Paris, a envoyé des fleurs artificielles dans de longues boîtes en bois, ravissantes : « Je voudrais être mise dans une petite boîte à Gennin. »

Cela va jusqu'au calembour facile : quand elle a terminé son manuscrit, on lui dit que ce qu'elle a écrit « pourrait bien aller un jour jusqu'au Saint-Père », « Et nunc et semper » répond-elle. Elle prend sa situation avec bonhomie ; quand elle ne peut presque plus marcher : « David disait dans les psaumes : " Je suis comme la sauterelle qui change continuellement de place ". Et bien moi je ne peux pas en dire autant ! je voudrais bien me promener mais j'ai un fil à la patte ! » Et elle demeure sans cesse dans ce rude bon sens ; sa sœur Marie lui dit que les anges viendraient à sa mort avec le Christ, qu'elle les verrait resplendissants, etc. : « Toutes ces images ne me font aucun bien, réplique-t-elle, je ne puis me nourrir que de la vérité. C'est pour cela que je n'ai jamais désiré de visions. On ne peut voir sur la terre, le ciel, les anges tels qu'ils sont. J'aime mieux attendre après ma mort. »

Si elle amuse la galerie, elle n'en pense pas moins. Un jour qu'elle souffre beaucoup, sa sœur Marie la plaint : « Laissez faire, répond-elle : Papa le bon Dieu, il sait bien ce qu'il faut à son tout petit bébé. » Marie prend l'expression pour de l'argent comptant et dit : « Vous êtes donc un bébé ? » et elle entend la réponse : « Oui, mais un bébé qui en pense bien long. Un bébé qui est un vieillard. »

On veut l'empêcher de faire des frais pour que les autres ne s'aperçoivent pas de son état : « Faut me laisser faire mes petites " singeries ". »

Il faut se représenter la vie de Thérèse à ce moment : elle est immobilisée, à la merci de tout le monde, à la merci des gentillesses trop nombreuses et excessives, à la merci des

soins continus, à la merci des visites incessantes. Il faut avoir
été cloué sur un lit pour savoir l'immense lassitude qui peut
en résulter à certains moments. Et les gaffes d'autrui! Mère
Agnès un jour vient rapporter à Thérèse — un mois avant
sa mort — que la prieure et d'autres sœurs disaient qu'elle
était jolie : « Ah! qu'est-ce que ça me fait! Ça me fait moins
que rien, ça m'ennuie. » Quand on connaît Thérèse et son
goût de la solitude, on imagine la souffrance de certaines
heures. Or elle est là, un peu centre du Carmel, jeune religieuse
de vingt-quatre ans qui va mourir. On l'entoure; on lui parle
et on lui parle, avec des insinuations d'auréole de-çà de-là.
Un jour, elle reprend à la fois l'expression « Être connu
comme le loup gris », c'est-à-dire sans secret, ni cachette ni
intimité, et le nom « petit loup gris » que son père lui donnait
parfois, quand elle était enfant : « Je suis comme un pauvre
" petit loup gris " qui a bien envie de retourner dans sa forêt
et qu'on force à habiter dans les maisons. » Qui ne compren-
drait la profondeur de cette plainte?

Elle voudrait le silence, le silence. Or on vient la prêcher,
lui donner des paroles pieuses : mère Agnès dira, en parlant
d'elle-même, de Céline et de Marie, les trois sœurs Martin :
« On parlait trop quand on se trouvait réunies toutes les
trois près d'elle; cela la fatiguait, parce qu'on lui faisait trop
de questions à la fois " qu'est-ce que vous voulez que nous
disions aujourd'hui " ? » Alors, Thérèse, prenant le style
campagnard qu'elle aime imiter, leur répond ceci qui est
terrible : « Faudrait pour bien faire qu'on ne dise rien du
tout, parce qu'à dire vrai, *y a* rien à dire. »

Dans ce qu'elle écrit, jour par jour, péniblement, Thérèse
exprime bien comment il faut mener une vraie vie spirituelle.
C'est simple. « J'ai toujours désiré d'être une sainte, écrit-elle,
mais hélas! J'ai toujours constaté, lorsque je me suis comparée
aux saints, qu'il y a entre eux et moi la même différence qui
existe entre une montagne dont le sommet se perd dans les
cieux et le grain de sable obscur foulé sous les pieds des
passants; au lieu de me décourager, je me suis dit : le bon
Dieu ne saurait inspirer des désirs irréalisables, je puis donc
malgré ma petitesse aspirer à la sainteté; me grandir, c'est
impossible, je dois me supporter telle que je suis avec toutes

mes imperfections; mais je veux chercher le moyen d'aller au Ciel par une petite voie bien droite, bien courte, une petite voie toute nouvelle. » Mais oui, elle veut inventer! « Nous sommes dans un siècle d'inventions », écrit-elle à la suite; et elle trouve alors parmi les inventions récentes, une comparaison pour ce qu'elle veut exprimer : l'ascenseur.

Cette comparaison est très banale si on ne la réfère qu'à l'engouement de l'époque pour les ascenseurs. Elle devient fort intéressante si on lit ce qui est en cause derrière — et mère Marie de Gonzague ne peut pas ne pas lire selon cette seconde lecture. Il y a dans l'histoire de la spiritualité une métaphore qui revient fréquemment : l'escalier de la perfection, l'échelle spirituelle. Métaphore que l'on retrouve d'ailleurs en Égypte où, par exemple, la pyramide à degrés de Sakkarah est conçue comme un gigantesque escalier destiné à aider la montée de l'âme du roi Djéser vers son père Rê, le Soleil; Confucius expose les degrés de la perfection ; et pour le bouddhisme japonais Tendaï, il y a cinquante-deux degrés jusqu'à l'illumination; dans les mystères grecs, il y avait aussi progression par degrés jusqu'à l'identification à l'Un. Une longue tradition chrétienne reprend des données semblables, spécialement à partir de « l'échelle de Jacob ». Un Denys l'Aréopagite au VIe siècle, un Jean Climaque au VIIe siècle, un Guigue le Chartreux au XIIe siècle présentent des « escaliers » ou des « échelles » pour arriver à Dieu. Mais les écrits sont multiples à ce sujet. Dans la *Nuit obscure*, Jean de la Croix consacre plusieurs chapitres à expliquer le vers : « *Per la escala secreta disfrazada* ». « Il y a dix degrés de cette échelle d'amour par où l'âme, de l'un à l'autre, monte à Dieu. »

Cette métaphore de l'échelle est marquée, dans l'histoire de la spiritualité, par un certain platonisme, qu'on le veuille ou non. A. Nygren a bien mis en valeur combien ce thème caractérise « l'attrait de l'âme vers le monde supérieur » et qui est le chemin du *Phèdre* de Platon. Chez beaucoup d'auteurs spirituels, ce thème implique d'abord une certaine aristocratie spirituelle : tout le monde ne peut pas accéder à telle ou telle hauteur, tout le monde n'est pas capable de cet effort et, à la limite, de telle technique, pour s'extraire du charnel et du

terrestre. Nous avons deux exemples récents de ce thème.
Dans Gustave Thibon dont le livre *l'Échelle de Jacob* (1942)
présente un univers conçu comme une hiérarchie d'existences
qui, chacune à son degré, contribue à la gloire de Dieu — et
Thibon insiste sur la notion de hiérarchie. Nous en avons
un autre exemple dans Simone Weil qui a d'ailleurs connu
Thibon : pour elle, il faut s'échapper, par degrés, d'un certain créé — elle parle dans *la Pesanteur et la Grâce*, d'une
« dé-création ».

Il est évident que Thérèse rompt avec l'idéal ascétique, très
développé dans les Carmels du XIXᵉ siècle, de cette échelle de
mérites et de purifications qui conduisent à la perfection,
échelle réservée aux grandes âmes; elle se dit « trop petite
pour le rude escalier de la perfection ». Reste qu'elle veut,
elle l'a dit et répété, être une sainte. Quelle « voie bien droite,
bien courte » peut-elle trouver?

C'est alors qu'elle pense à l'ascenseur; or, c'est bien là
l'humour de Thérèse : l'ascenseur est un moyen utilisé « chez
les riches ». Thérèse retourne les choses : dans la vie spirituelle, ce sont les pauvres, les petits qui utilisent l'ascenseur;
les riches, les âmes hautes prendront l'escalier. Dès lors, on
comprend la signification de la comparaison : l'essentiel
est de s'abandonner à Jésus, c'est lui qui nous élève « jusqu'au Ciel »; les méthodes d'effort, souvent inconsciemment
très orgueilleuses, sont secondes par rapport à cette confiance.
Et il ne peut plus y avoir l'habituelle distinction entre une
aristocratie spirituelle et le bas peuple qui se traînerait dans
le fond de la vallée, sans pouvoir faire l'itinéraire vers Dieu.
C'est toujours le même esprit, l'esprit du *Magnificat :* « Il
a renversé les potentats de leurs trônes et élevé les humbles. »

Pour elle, la vie spirituelle, c'est vivre comme à deux
tables en même temps : à la table des incroyants et à la table
de Jésus ressuscité. Les deux tables n'en font d'ailleurs qu'une
à ses yeux : elle voit à quel point, Jésus, à la Cène, était entouré de ses apôtres, ces hommes « ignorants et remplis de
pensées terrestres », fort matérielles; elle aime à penser que
Jésus a vu, en ces gens-là, justement, « ses amis, ses frères ».

Thérèse, à la veille de sa mort, a un grand désir : que ceux
qu'elle aime — ses frères spirituels, ses novices, soient tous

captivés eux-mêmes par les « parfums » du Christ comme elle l'a été, comme elle l'est elle-même. Et c'est ainsi que l'ultime prière de Thérèse veut être semblable à l'ultime prière de Jésus : « Viendra *le dernier soir;* alors je voudrais pouvoir vous dire, ô mon Dieu : " Je vous ai glorifié sur la terre; j'ai accompli l'œuvre que vous m'avez donnée à faire; j'ai fait connaître votre nom à ceux que vous m'avez donnés : ils étaient à vous, et vous me les avez donnés. C'est maintenant qu'ils connaissent que tout ce que vous m'avez donné vient de vous; car je leur ai communiqué les paroles que vous m'avez communiquées, ils les ont reçues et ils ont cru que c'est vous qui m'avez envoyée. Je prie pour ceux que vous m'avez donnés parce qu'ils sont à vous. Je ne suis plus dans le monde; pour eux, ils y sont et moi je retourne à vous. Père Saint, conservez à cause de votre nom ceux que vous m'avez donnés. Je vais maintenant à vous, et c'est afin que la joie qui vient de VOUS soit parfaite en eux, que je dis ceci pendant que je suis dans le monde. Je ne vous prie pas de les ôter du monde, mais de les préserver du mal. Ils ne sont point du monde de même que moi je ne suis pas du monde non plus. Ce n'est pas seulement pour eux que je prie, mais c'est encore pour ceux qui croiront en VOUS sur ce qu'ils leur entendront dire.

« Mon Père, je souhaite qu'où je serai, ceux que vous m'avez donnés y soient avec moi, et que le monde connaisse que vous les avez aimés comme vous m'avez aimée moi-même. " » Quel plus grand amour que de désirer que les autres soient *autant* aimés par Jésus qu'elle l'est elle-même? Et même *plus :* « Un jour, au Ciel, si je découvre que vous les aimez plus que moi, je m'en réjouirai. »

Thérèse, en ces derniers mois de son existence, insiste plus que jamais sur les actes. Elle refuse l'attitude si fréquente qui consiste à se payer de mots : « Je ne méprise pas les pensées profondes qui nourrissent l'âme et l'unissent à Dieu, mais il y a longtemps que j'ai compris qu'il ne faut pas s'appuyer sur elles et faire consister la perfection à recevoir beaucoup de lumières. Les plus belles pensées ne sont rien sans les œuvres. » Et elle récuse, appelant les réalités par leur nom, quelqu'un qui « se complaît dans ses *belles penséas* et fait la prière du pharisien. »

Elle raconte quelques histoires qui montrent que pour elle, la charité en acte est souvent un combat : « Longtemps, à l'oraison du soir, je fus placée devant une sœur qui avait une drôle de manie, et je pense... beaucoup de lumières, car elle se servait rarement d'un livre. Voici comment je m'en apercevais : aussitôt que cette sœur était arrivée, elle se mettait à faire un étrange petit bruit qui ressemblait à celui qu'on ferait en frottant deux coquillages l'un contre l'autre. Il n'y avait que moi qui m'en apercevais, car j'ai l'oreille extrêmement fine (un peu trop parfois). Vous dire, ma Mère, combien ce petit bruit me fatiguait c'est chose impossible : j'avais grande envie de tourner la tête et de regarder la coupable qui, bien sûr, ne s'apercevait pas de son tic, c'était l'unique moyen de l'éclairer; mais au fond du cœur je sentais qu'il valait mieux souffrir cela pour l'amour du bon Dieu et pour ne pas faire de la peine à la sœur. Je restais donc tranquille, j'essayais de m'unir au bon Dieu, d'oublier le petit bruit... tout était inutile, je sentais la sueur qui m'inondait et j'étais obligée de faire simplement une oraison de souffrance, mais tout en souffrant, je cherchais le moyen de le faire non pas avec agacement, mais avec joie et paix, au moins dans l'intime de l'âme. Alors je tâchais d'aimer le petit bruit si désagréable; au lieu d'essayer de ne pas l'entendre (chose impossible) je mettais mon attention à le bien écouter, comme s'il eût été un ravissant concert et toute mon oraison (qui n'était pas celle de *quiétude*) se passait à offrir ce concert à Jésus. » La sœur, on l'a su plus tard, produisait ce bruit en faisant crisser son ongle sur ses dents.

Elle parle enfin de ses deux frères spirituels : l'abbé Bellière et le père Roulland, « qui tiennent maintenant, dit-elle, une si grande place dans ma vie ». Ce fait est pour elle une allégresse extrême : « Vous dire mon bonheur serait chose impossible, mon désir comblé d'une façon inespérée fit naître dans mon cœur une joie que j'appellerai enfantine, car il me faut remonter aux jours de mon enfance pour trouver le souvenir de ces joies si vives que l'âme est trop petite pour les contenir; jamais depuis des années je n'avais goûté ce genre de bonheur. Je sentais que de ce côté mon âme était neuve, c'était comme si l'on avait touché pour la première fois des cordes musicales restées jusque-là dans l'oubli. »

Cette phrase, écrite quatre mois avant sa mort est très révélatrice : « joie... enfantine », « jours de mon enfance », « joies si vives », « bonheur », « âme... neuve », « des cordes musicales jusque-là restées dans l'oubli ». Thérèse va mourir et elle le sait. Une sorte de repos se produit alors en elle : il y a eu tant et tant de combats, les combats de l'enfance, les combats d'après Noël 1886 où Thérèse s'est placée dans une attitude adulte! Et elle se réfère du plus profond de son être, aux temps premiers de son bonheur, de sa joie d'enfance, quand la nourrice Rose Taillé s'occupait d'elle, l'épanouissait, la faisait renaître. La rupture avec sa nourrice a dû être un choc extrêmement brutal dont Thérèse, d'une certaine façon, ne se remettra jamais. Mais d'un autre côté ce qu'il y a de joyeusement vivant en Thérèse est tout particulièrement la répercussion de ce que Rose Taillé a mis en elle. Et Thérèse ici, ne vit pas seulement ce souvenir de la joie d'enfance mais, à l'approche de la mort, re-vit d'une certaine manière ce temps heureux où il n'y avait pas à combattre mais simplement à se laisser aimer. Elle est comme lavée de toutes les salissures reçues dans les combats. Ses blessures, qui ont toujours été à vif, sont comme cicatrisées. Elle se donne à elle-même la permission de se replonger dans la joie première.

Enfin, ce qui est frappant, c'est que ce cri de joie et de bonheur d'enfance — qui se rapporte à octobre 1895, mais qui est clamé avec insistance en ce mois de juin 1897 — Thérèse l'écrit lorsqu'elle évoque le fait qu'il lui a été donné un « premier petit frère ». On se souvient que Thérèse avait eu deux frères, tous deux morts avant elle : Louis, né six ans avant elle et mort à l'âge de quatre mois; Jean-Baptiste, né cinq ans avant elle et mort à l'âge de huit mois; on parlait souvent d'eux en famille. L'abbé Bellière et le père Roulland représentent pour elle ces deux petits frères morts, et qui lui sont aujourd'hui comme rendus. Elle avait eu deux petits frères, elle aurait tant aimé qu'ils vivent, tant aimé les voir

vivre; ils sont morts. Dieu lui donne deux frères spirituels,
deux vrais frères : signe de la tendresse de Dieu qui donne la
vie. Dieu lui a donné aussi deux autres frères, des frères de
nuit mais deux vrais frères aussi : Pranzini et Loyson; signe
tout autant de la tendresse de Dieu qui re-donne la vie.

Les dernières lignes qu'elle écrit parlent de l'attirance
extraordinaire que Jésus a sur elle; ce sont des lignes hâtives,
écrites au crayon, elle n'a plus de forces. Pour s'expliquer,
une dernière fois, elle prend la comparaison du feu. Thérèse
a le désir d'attirer ses frères, ses sœurs, dans le même feu où
elle a été elle-même attirée, le désir que ses frères connaissent
le même embrasement d'amour. Elle est quelqu'un qui aime
et qui est aimé et qui voudrait que tous connaissent la même
vie d'amour. Elle sait que tout l'or du monde ne vaut pas
cet embrasement de l'amour. Toute proche de la mort, elle
demande à Jésus que les autres soient à leur tour attirés dans
ce cercle de feu.

Mais le feu est fusion. Et c'est ici la pointe du texte, avec
l'image du feu et du fer : « Si le feu et le fer avaient la raison
et que ce dernier disait à l'autre : Attire-moi, ne prouverait-il
pas qu'il désire s'identifier au feu de manière qu'il le pénètre
et l'imbibe de sa brûlante substance et semble ne faire qu'un
avec lui. Mère bien-aimée, voici ma prière, je demande à Jésus
de m'attirer dans les flammes de son amour, de m'unir si
étroitement à Lui, qu'Il vive et agisse en moi. Je sens que
plus le feu de l'amour embrasera mon cœur, plus je dirai :
Attirez-moi, plus aussi les âmes qui s'approcheront de moi
(pauvre petit débris de fer inutile, si je m'éloignais du brasier
divin), plus ces âmes *courront avec vitesse à l'odeur des par-*
fums de leur Bien-Aimé, car une âme embrasée d'amour ne
peut rester inactive. »

L'image du fer plongé dans le feu et qui semble perdre sa
nature pour devenir feu lui-même a été plusieurs fois em-
ployée dans la littérature spirituelle. Thérèse reprend cette
comparaison qu'elle emprunte d'ailleurs à Arminjon mais
elle y met une marque propre. C'est le fer — entendons

l'homme avec ses pesanteurs — qui fait au feu cette prière :
« Attire-moi ». Autrement dit : seul le feu — Jésus — fait
le réel travail de transfiguration ; le fer, lui, ne doit rien faire
d'autre que de désirer que le feu vienne le prendre. C'est le
désir qui est essentiel. Quand Thérèse dit à Jésus « Attire-
moi », elle lui exprime son désir qui est de « s'identifier au
feu de manière qu'il le pénètre et l'imbibe de sa brûlante substance et semble ne faire qu'un avec lui ». Thérèse est ici très
précise : elle désire la plus grande identification, la plus intime fusion avec Jésus mais elle sait bien qu'elle n'est pas et
ne sera jamais Jésus ; aucune trace chez elle d'un quelconque
panthéisme : « et *semble* ne faire qu'un avec lui » — c'est
nous qui soulignons. Il y a pour elle une différence nette
entre le feu et le fer, même embrasé ; elle sait que sans le
« brasier divin » ou séparé de lui, le fer n'est rien que du fer.

Il faut souligner l'évocation qui est faite ici. Si la correc-
trice a transformé cette phrase, c'est qu'elle a probablement
perçu, inconsciemment, de quelle comparaison la phrase était
chargée. Voyons de nouveau les deux phrases, la vraie et la
corrigée, côte à côte ; on comprend aussitôt ce que mère Agnès
a effacé :

Histoire d'une âme (Mère Agnès)	*Manuscrit C* (Thérèse)
Si le feu et le fer étaient doués de raison et que ce dernier dît à l'autre : Attire-moi, ne prouverait-il pas son désir de s'identifier au feu jusqu'à partager sa substance.	Si le feu et le fer avaient la raison et que ce dernier disait à l'autre : Attire-moi, ne prouverait-il pas qu'il désire s'identifier au feu de manière qu'il le pénètre et l'imbibe de sa brûlante substance et semble ne faire qu'un avec lui.

« Le pénètre », « l'imbibe », « ne semble faire qu'un avec
lui » : l'image en ses trois phrases est du registre de l'union
sexuelle et on doit constater que Thérèse a pris cette comparaison forte pour exprimer son désir d'union d'amour au
Christ, une union de feu. Et cette union est telle qu'elle embrasera comme par contagion ceux et celles qui « s'approcheront » de Thérèse, l' « embrasée d'amour ».

Thérèse, en ces dernières semaines de sa vie, insiste sur l'efficacité qui lui paraît la plus forte, celle de l'embrasement d'amour et elle demande qu'on fasse confiance à cette efficacité. Il s'agit d'une efficacité radicale : soulever le monde. Elle prend la comparaison d'un levier dans lequel le point d'appui est Dieu : « LUI-MÊME ET LUI SEUL » et où le levier est le cri du cœur, la prière, l'oraison d'amour. « C'est ainsi qu'ils [les saints] ont soulevé le monde. » Thérèse veut soulever le monde à la suite de « Paul, Augustin, Jean de la Croix, Thomas d'Aquin, François, Dominique et tant d'autres illustres Amis de Dieu ». Il faut souligner d'abord que, dans cette comparaison, elle se sert du terme « Le Tout-Puissant », pour appeler Dieu, que, pour elle, l'efficacité des saints vient de leur amour dans « le Tout-Puissant » et que le seul obstacle à cette transformation du monde est « l'inquiétude », c'est-à-dire la non-confiance en Dieu. Il faut souligner aussi l'espérance extraordinaire de cette jeune carmélite de vingt-quatre ans qui est en train de mourir et qui parle de soulever le monde. Ce mot « soulever », qui d'ailleurs continue l'image de l'ascenseur, termine l'avant-dernier paragraphe du manuscrit C : « Les Saints à venir le soulèveront aussi », mais le terme « élever » lui répond en parallèle à la fin du dernier paragraphe : « Je m'élève à lui par la confiance et l'amour. »

C'est l'Ascension du Christ qui est là présente — « puisque Jésus est remonté au Ciel » dit-elle —, Ascension qui signifie qu'il attire et soulève tous les hommes et le monde jusqu'à son Père. Cette « attraction » de Jésus, Thérèse veut la vivre elle-même et, comme lui, attirer les hommes à l'Amour. Elle qui écrit avec peine ces phrases, gisante, rivée à ce lit de l'infirmerie où elle sera couchée désormais jusqu'à sa mort sans plus se lever, fait surgir ces comparaisons où elle montre son espérance indéfectible, pour elle-même, pour les autres : rien moins que de soulever ce monde pétrifié par le froid des cœurs, appesanti par les lourdeurs de l'existence, enlisé dans les difficultés inextricables de communication et dans la jungle des intérêts individuels ou nationaux. « Transformer le monde », dit l'un ; « changer la vie », dit l'autre. « Embraser d'amour », « soulever le monde », dit cette enfant qui meurt.

Regarder avec réalisme la pauvreté qu'on est, reconnaître

avec joie la Tendresse de Dieu pour tout ce qu'on est. Les deux pôles du paradoxe, l'*inachevé* qu'est sa vie à elle et toute vie humaine, et la *Tendresse* qui caractérise le comportement de Dieu, Thérèse les ouvre à l'extrême : elle est comblée de grâces divines *dans* sa condition humaine « faible et imparfaite ».

Dans les derniers mois de sa vie, Thérèse va répéter que sa voie, « la confiance et l'amour », n'est pas une voie réservée aux purs; ce n'est pas parce qu'elle est carmélite, parce qu'elle n'a pas commis de péché mortel, ce n'est absolument pas pour cette raison, en s'appuyant là-dessus, qu'elle s'élève à Dieu et soulève le monde. « Ce n'est pas parce que le bon Dieu dans sa *prévenante* miséricorde a préservé mon âme du péché mortel que je m'élève à Lui par la confiance et l'amour. » Elle refuse de façon radicale la première place, l'aristocratie spirituelle des seuls mérites et vertus, export-import du pharisien qui commerce avec Dieu.

Thérèse rejoint le cœur de l'Évangile : un Jésus qui accueille les exclus, qui vient pour les pécheurs; et la venue du Christ soulève et jette en l'air le poids de la loi et de la culpabilité qui enferment dans l'esclavage. Ceux qu'il rencontre, Jésus les transforme parce qu'il fait venir au jour ce qu'ils sont : un être aimé de Dieu et capable d'une réponse d'amour. Ils sont libérés et deviennent pleins d'audace, « l'amoureuse audace » de Madeleine, dont parle Thérèse. L'odeur de mort qui planait sur les cœurs, Jésus la balaie.

Ce message évangélique de Thérèse a-t-il été entendu? On a vu combien les retouches étaient significatives. L'Évangile tout entier est rempli du scandale que fait surgir l'attitude de Jésus envers les pécheurs, les publicains, les enfants prodigues, les filles perdues. C'est pour les « justes », pour ceux qui s'estiment les élus, les prédestinés, une intolérable révolution. Retourner ainsi les réalités religieuses! Ils ne veulent pas en entendre parler. Ils ne voient pas, ces justes, qu'ils sont eux aussi concernés par Jésus, par sa parole de vérité qui révélerait combien leur « justice » n'a rien de parfait, qu'elle est toute lézardée. Ils refusent agressivement une parole qui dévoile leur mensonge caché. Leur réaction scandalisée devant l'attitude de Jésus, montre que leur cœur est pour la peine de

mort, qu'ils veulent d'abord la mort du pécheur, de «l'*autre*».
Ils ont envers Dieu une manière de complicité où ils le remercient de n'être pas comme les publicains, comme les autres.

Dès lors, ils s'appuient sur Dieu contre Dieu : péché contre l'Esprit. Jésus est condamné pour blasphème — la faute suprême pour un vrai croyant en Israël — : c'est au nom de Dieu, à travers le principe de l'obéissance à Dieu, qu'on le condamne à mort. Telle est l'hypocrisie pharisienne qui n'est pas la vague petite tromperie morale mais le mensonge introduit au cœur même de la religion et de l'adoration de Dieu.

On comprend qu'un tel retournement radical ait peine à se faire jour et qu'on ait tout tenté pour l'étouffer sous les roses, les honneurs et les broderies. Les pharisiens savent maintenant que les martyrs sont redoutables et ils ont saisi que la vraie méthode pour éteindre le feu d'une subversion n'est pas la mort publique de ceux qui proposent le feu mais leur étouffement par un accaparement subtil. Les riches pressentent qu'avec Thérèse « les pauvres sont évangélisés », que les derniers sont les premiers; ils le comprennent si bien qu'ils s'emparent du message pour le dévitaliser.

Nous voyons, arrivés à ce point, pourquoi Thérèse a comme glissé de la saisie, par grâce, qu'il y a des incroyants, à la description de la table des pécheurs, où elle s'est mise. Il y a là une logique interne. Thérèse a saisi une raison essentielle pour laquelle bien des hommes sont incroyants, une raison pour laquelle la Tendresse de Dieu n'atteint pas un certain nombre de ses contemporains : c'est que, justement, le message évangélique a été dénaturé, masqué par trop de pharisiens qui ont proposé deux classes : les aristocrates de la vie spirituelle — eux-mêmes — et le prolétariat de ceux qui sont incapables d'être « bien ». Comment ce spectacle donné par la division en « purs » et « impurs », pouvait-il être attirant? Il ne peut que paraître abject à beaucoup d'hommes de bonne volonté qui, dès lors, ne peuvent que rejeter un message si peu universel, si raciste, et refuser un Dieu qui établissait ainsi des frontières et des castes. Et on comprend alors la différence qu'il y a entre les incroyants de fait : ceux qui ont été, en fin de compte, rejetés par les « justes », et les véritables incroyants, les incroyants de cœur, les pharisiens, ceux qui pèchent contre l'Esprit, ceux qui croient vivre la foi mais l'ont perdue « par l'abus des grâces » et imposent à autrui, chrétiens ou non, le poids de leur loi de mort.

La révolution spirituelle de Thérèse est là, copernicienne : le retour au Magnificat, au Dieu de Tendresse qui aime de passion les petits ; et le retour au quotidien. Dans ce temps de la mort de Thérèse, aux approches du XXe siècle où sont révélées au monde d'immenses réalités cachées : l'atome et l'inconscient, Thérèse révèle qu'il y a à connaître et à manifester l'amour de Jésus ressuscité, non pas à travers de grandes œuvres, de grandes mortifications et de grandes institutions, mais dans l'infiniment petit de la vie de tous les jours et l'infiniment simple des relations humaines quotidiennes.

JE N'AI JAMAIS CRAINT PERSONNE.

Le jeudi 8 juillet, Thérèse est donc descendue à l'infirmerie. Elle mourra le jeudi 30 septembre. Ces douze semaines seront une suite de hauts et bas, de souffrances intenses d'une jeune fille dont le corps solide se bat contre la mort, alors que l'esprit y a acquiescé dans l'amour et l'espérance.

Céline étant sœur infirmière, habite dans une cellule de l'infirmerie. Thérèse est installée dans la cellule contiguë à la sienne. Et les deux sœurs se retrouvent donc, plus proches que jamais ; c'est l'évocation, par un mot, une expression, de mille souvenirs qu'elles ont ensemble, la gaîté des deux plus jeunes enfants Martin si fraternellement de connivence dans leurs jeux, dans leurs recherches. Elles manient volontiers l'une et l'autre le calembour, ou l'imitation de l'accent d'autrui ; elles se connaissent par cœur. Alors, ce sont des petits riens qui se succèdent ; Céline qui part à l'office de None et Thérèse qui lui dit : « Allez dire None et rappelez-vous que vous êtes une toute petite nonne, la dernière des nonnes. » Céline veut lui trouver ce qui s'appelle au couvent « une petite consolation » : une légère couverture de bure, parce qu'elle a peur que Thérèse ne prenne froid : « C'est vous, ma petite consolation. » Céline demeure la grande confidente qu'elle a toujours été, celle à qui l'on peut tout dire, celle avec qui on parle librement.

C'est Céline qui reçoit, le 22 juillet 1897 un petit billet qui est une double prière de Thérèse, et un autre le 3 août. Ni Marie ni Pauline ne recevront de billets entre le 8 juillet et le 30 septembre.

Dans le billet du 22 juillet, il y a un exergue qui sert de fil conducteur aux deux prières : « *Que le juste me brise par compassion pour les pécheurs. Que l'huile dont on parfume la tête n'amollisse point la mienne.* » Thérèse a cette prière qui en dit long : « C'est moins amer d'être brisée par un pécheur que par un juste; mais, *par compassion pour les pécheurs*, pour obtenir leur conversion, je vous demande, ô mon Dieu, d'être brisée pour eux par les âmes justes qui m'entourent. » Il y a aussi une seconde prière, que l'on comprend bien si on se représente tous les compliments que sœur Agnès et d'autres sœurs ne cessent de lui prodiguer : « Je vous demande encore *que l'huile des louanges*, si douce à la nature, *n'amollisse pas ma tête*, c'est-à-dire mon esprit, en me faisant croire que je possède des vertus qu'à peine j'ai pratiquées plusieurs fois. » Voilà ce qu'elle craint plus que tout : se laisser prendre aux louanges qu'on lui fait et s'appuyer sur ses vertus et mérites. On peut dire que, là-dessus, on a tout fait pour la tenter. Sœur Agnès écrit dans son *Carnet*, le 11 juillet, au moment où Thérèse termine le manuscrit C : « Je lui parlais du manuscrit de sa Vie, du bien qu'il ferait aux âmes. » Ou encore : « Comme le bon Dieu vous a favorisée! Qu'est-ce que vous pensez de cette prédilection? » Et quand elle ne fait pas des éloges, sœur Agnès la fatigue de sa propre anxiété. Le 16 juillet : « J'ai peur que pour mourir vous souffriez beaucoup. » Le 20 juillet : « Je lui disais que je redoutais pour elle les angoisses de la mort. » Le 25 juillet : « Je lui disais que je finissais par désirer sa mort pour ne plus la voir tant souffrir. » Et ceci, le 2 août, qui entremêle l'expression de vénération et le morbide (mère Geneviève était la fondatrice du Carmel de Lisieux) : « J'ai bien envie de faire garder votre cœur comme celui de mère Geneviève. »

Le 3 août : « Je lui disais qu'elle avait dû beaucoup lutter pour arriver à être parfaite » — là-dessus, Thérèse répond, certainement déconcertée par une telle incompréhension de ce qu'elle est : « Oh! ce n'est pas cela!... » Même incompréhension le 8 août : « Je lui disais que je ferais valoir ses vertus plus tard. » Mère Agnès lui affirme, le 10 août, que « les âmes arrivées comme elle à l'amour parfait voyaient leur beauté, et qu'elle était du nombre » : ce qui lui attire la réplique nette de Thérèse : « Quelle beauté? Je ne vois pas du tout ma beauté, je ne vois que les grâces que j'ai reçues du bon Dieu. Vous vous méprenez toujours. »

Et quand on pense que lorsque mère Agnès venait la visiter, elle était là avec son carnet, prête à happer toute parole de Thérèse et que celle-ci la voyait crayon en l'air, comment parler librement dans de telles conditions? Un des courages les plus authentiques de Thérèse aura été de supporter gaiement ce supplice-là. On dira que les *Derniers Entretiens* sont pleins de démonstrations d'affection envers mère Agnès : il ne faut pas oublier que, depuis le 30 mai où mère Agnès a fait, littéralement, une scène à sa petite sœur, lui reprochant de ne pas s'être confiée à elle — alors qu'elle aurait dû s'en prendre à la seule mère Marie de Gonzague — Thérèse veut, par charité effective, manifester à mère Agnès que son affection envers elle et sa reconnaissance sont constantes. Il aurait fallu à sœur Agnès une bonne dose de psychologie pour comprendre qu'elle pesait sur Thérèse. Ce qu'elle n'avait pas.

Nous n'avons fait que citer des propos tenus par mère Agnès et notés par elle-même : si elle a pu transformer des textes de Thérèse, elle n'a pas pu transformer ses propres propos. Ce que dit sœur Agnès, quand elle s'adresse à Thérèse, montre qu'elle ne la saisit pas de l'intérieur. Et quand sœur Agnès lui parle d'elle-même, les divergences apparaissent tout aussi nettement. Prenons trois exemples en suivant, dans l'espace d'une semaine : le 3 juillet sœur Agnès lui confie ses « pensées de tristesse et de découragement après une faute ». Or nous savons bien que Thérèse ne partage nullement cette attitude; d'ailleurs, elle lui répond : « Vous ne faites pas comme moi. Quand j'ai commis une faute qui me rend triste, je sais bien que cette tristesse est la conséquence de mon infidélité. Mais croyez-vous que j'en reste là? Oh non; pas si sotte! Je m'empresse de dire au bon Dieu : Mon Dieu, je sais que ce sentiment de tristesse, je l'ai mérité, mais laissez-moi vous l'offrir tout de même, comme une épreuve que vous m'envoyez par amour. »

Le 5 juillet, sœur Agnès lui parle de ses « faiblesses ». « Il m'arrive bien aussi des faiblesses, lui répond-elle, mais je m'en réjouis. » Le 10 juillet, toujours la même rengaine : les culpabilisations de sœur Agnès : « C' qu'est encore très vilain, dit Thérèse en s'amusant, c'est que vous craignez trop les conséquences. »

Décidément, mère Agnès est à cent lieues de Thérèse. Et, dans son esprit encore séduit par les saintetés héroïques, elle veut mettre Thérèse dans un cadre auquel celle-ci échappe de toutes parts. Elle lui pose de ces dilemmes qui sont le fait d'un esprit torturé, mais qui sont aussi une torture pour autrui quand on n'a pas le cœur aussi bien accroché que Thérèse : « Seriez-vous contente, l'interroge sœur Agnès, le 30 août, un mois juste avant sa mort, si l'on vous annonçait que vous mourrez sûrement dans quelques jours au plus tard? Vous aimeriez mieux cela tout de même que d'être avertie que vous souffrirez de plus en plus pendant des mois et des années? »

Quelques jours plus tard, elle revient à la charge, toujours dans le même sens : « Vous aimez mieux tout de même mourir que vivre? lui dit sœur Agnès. — Je n'aime pas mieux une chose que l'autre, je ne pourrais pas dire comme notre Mère Sainte Thérèse : '' Je me meurs de ne pas mourir. '' Ce que le bon Dieu aime mieux et choisit pour moi, voilà ce qui me plaît davantage. »

Esprit torturé, scrupuleux, hésitant — « Vous tergiversez bien trop, ma petite mère, je l'ai remarqué bien des fois dans ma vie », lui dit Thérèse — mère Agnès ne peut pas comprendre Thérèse. Leur manière d'être est tellement différente! Un petit texte que nous donnons dans les deux versions que nous possédons, montre bien cette différence entre mère Agnès, l'aînée qui a peur, et Thérèse, la petite fille qui n'a peur de rien :

SŒUR AGNÈS

Je lui disais mes craintes à propos
de plusieurs choses Elle me dit :

THÉRÈSE

Vous êtes comme un petit oiseau craintif qui n'a jamais vécu parmi les hommes, vous avez toujours peur d'être prise. Moi, je n'ai jamais craint personne; je suis toujours allée où j'ai voulu... J'aurais plutôt filé entre leurs jambes...

J'ai toujours remarqué, ma petite Mère, que vous êtes comme un petit oiseau qui n'a jamais, on le dirait, vécu parmi les hommes. Vous avez toujours peur d'être prise. Moi, je n'ai jamais craint personne. Quand il s'est agi du moindre devoir à accomplir, je suis allée où j'ai voulu... Si les créatures me barraient le passage, je n'essayais pas de les renverser, mais... je filais avec adresse entre leurs jambes... Vous savez ce que je veux dire par là...

Quant à sœur Marie du Sacré-Cœur, elle n'est guère plus aidante pour Thérèse que mère Agnès. Elle aussi se trompe sur le fond. Elle qui, à travers la lettre du 14-15 septembre, a reçu la confidence voilée de l'état de Thérèse — des ténèbres intérieures — ne se met pas à la place de Thérèse et passe à côté. Par exemple le jour où passant lui rendre visite, elle la voit regardant le ciel par la fenêtre de l'infirmerie : « Comme vous regardez le ciel avec amour ! » s'exclame-t-elle. Quand elle est partie, Thérèse dit à mère Agnès : « Ah! elle croit que je regarde le firmament en pensant au vrai Ciel! Mais non, c'est tout simplement parce que j'admire le ciel matériel; l'autre m'est de plus en plus fermé. »

On comprend qu'elle ne peut parler qu'à Céline, lui confier sa prière de fond : souffrir pour les « justes » qui l'entourent; ne pas se laisser prendre au piège des belles pensées et des hautes vertus. Près de la mort elle dit à Céline : « Vous êtes toute petite, rappelez-vous ça; et quand on est tout petit, on n'a pas de belles pensées. »

C'est à Céline qu'elle écrit l'un de ses derniers billets, le

3 août, dans un moment de grande angoisse : « O mon Dieu, que vous êtes doux pour la petite victime de votre Amour miséricordieux. Maintenant même que vous joignez la souffrance extérieure aux épreuves de mon âme, je ne puis dire : " Les angoisses de la mort m'ont environnée " (Ps XVII, 5), mais je m'écrie dans ma reconnaissance : " Je suis descendue dans la vallée de l'ombre de la mort, cependant je ne crains aucun mal, parce que vous êtes avec moi Seigneur "! »

Durant ces semaines, Thérèse écrit plusieurs lettres d'adieu.

Au père Roulland, le 14 juillet. Elle lui promet d'aller à lui quand elle sera au ciel : « Je compte bien ne pas rester inactive au Ciel, mon désir est de travailler encore pour l'Église et les âmes, je le demande au bon Dieu et je suis certaine qu'Il m'exaucera. » On trouve, dans cette lettre, un passage où éclate la vitalité spirituelle de Thérèse, un passage où elle décrit le ciel et la terre en symbiose, où elle montre à quel point elle récuse le dualisme : le ciel d'un côté, la terre de l'autre; ce monde-ci à quitter comme on quitte un mauvais lieu, ce monde-là comme s'il était définitivement la négation du premier. Le passage de cette lettre montre à quel point de maturité elle est arrivée puisqu'elle envisage de vivre tout uniment sur les deux terrains, sur la terre et au ciel : « La pensée de la béatitude éternelle fait à peine tressaillir mon cœur, depuis longtemps la souffrance est devenue mon Ciel ici-bas et j'ai vraiment du mal à concevoir comment je pourrai m'acclimater dans un Pays où la joie règne sans aucun mélange de tristesse. Il faudra que Jésus transforme mon âme et lui donne la capacité de jouir, autrement je ne pourrai supporter les délices éternels.

« Ce qui m'attire vers la Patrie des Cieux, c'est l'appel du Seigneur, c'est l'espoir de l'aimer enfin comme je l'ai tant désiré et la pensée que je pourrai Le faire aimer d'une multitude d'âmes qui le béniront éternellement. »

L'abbé Bellière, à qui elle écrit le plus dans ces douze semaines : trois lettres, et longues, lui a écrit le 14 juillet une lettre où il manifeste une profonde tristesse de la voir à ce point atteinte, il n'a pas idée de ce que peut être la joie actuelle de Thérèse. Elle lui répond aussitôt, le 18 juillet. Elle le console, avec beaucoup d'affection. Elle lui suggère sa voie et lui affirme qu'elle l'aidera à la vivre : « Quand je serai au port, je vous enseignerai, cher petit Frère de mon âme, comment vous devez naviguer sur la mer orageuse du monde : avec l'abandon et l'amour d'un enfant qui sait que son Père le chérit et ne saurait le laisser seul à l'heure du danger.

« Ah! que je voudrais vous faire comprendre la tendresse du Cœur de Jésus, ce qu'Il attend de vous. Dans votre lettre du 14, vous avez fait tressaillir doucement mon cœur. J'ai plus que jamais compris jusqu'à quel point votre âme est sœur de la mienne, puisqu'elle est appelée à s'élever vers Dieu par l'ascenseur de l'amour et non en aucune façon à gravir le rude *escalier* de la crainte, je ne m'étonne pas que la pratique de la familiarité avec Jésus vous semble un peu difficile à réaliser; on ne peut y arriver en un jour, mais j'en suis sûre, je vous aiderai beaucoup plus à marcher par cette voie délicieuse. »

Elle reprend pour lui la comparaison entre deux enfants espiègles : l'un qui a peur d'être puni, l'autre qui, au contraire, se jette dans les bras de son père. Réponse de l'abbé qui comprend mieux. Elle lui écrit de nouveau le 26 juillet, avec ce cri : « Ah! mon Frère, que la *bonté*, l'*amour miséricordieux* de Jésus sont peu connus!... Il est vrai que pour jouir de ces trésors, il faut s'humilier, reconnaître son néant, et voilà ce que beaucoup d'âmes ne veulent pas faire. »

Une troisième lettre, le 10 août : « Je suis maintenant toute prête à partir », dit-elle. Si elle fait l'effort d'écrire cette troisième lettre, c'est que l'abbé Bellière n'a pas encore vraiment compris *sa* « voie » : « Je vous avoue, mon Frère, que nous ne comprenons pas le Ciel de la même manière. Il vous semble que, participant à la justice, à la sainteté de Dieu, je ne pourrai comme sur la terre, excuser vos fautes. Oubliez-vous donc que je participerai aussi à la *miséricorde infinie* du Seigneur?

« Je crois que les Bienheureux ont une grande compassion de nos misères; ils se souviennent qu'étant comme nous fragiles et mortels, ils ont commis les mêmes fautes, soutenu les mêmes combats, et leur tendresse fraternelle devient plus grande encore qu'elle ne l'était sur la terre, c'est pour cela qu'ils ne cessent de nous protéger et de prier pour nous. »

Il y a un mot pour la chère novice, sœur Marie de la Trinité; celle-ci, qui est la plus jeune religieuse du monastère — elle aura vingt-trois ans le 12 août 1897, Thérèse étant l'avant-dernière —, a été retirée de l'infirmerie au moment où Thérèse y arrive. Grande tristesse pour elle qui aurait tant voulu la soigner; et elle se plaint tout haut devant une sœur, qui rapporte le propos à Thérèse, celle-ci réagit aussitôt : « Avec vous c'est *tout de suite* qu'il faut dire ce qu'on pense. Je ne veux pas que vous soyez triste; vous savez quelle perfection je rêve pour votre âme, voilà pourquoi je vous ai parlé sévèrement. J'aurais compris votre combat et je vous aurais consolée doucement si vous ne l'aviez pas dit tout haut et si vous l'aviez gardé dans votre cœur tout le temps que le bon Dieu l'aurait permis. Je n'ai plus qu'à vous rappeler que notre affection doit être cachée désormais... »

Il y a une dernière lettre, le 16 juillet, à M. et Mme Guérin : « Mes sœurs, je le sais, vous ont parlé de ma gaîté, c'est vrai que je suis comme un pinson, excepté quand j'ai la fièvre, heureusement elle ne vient ordinairement me visiter que le soir, à l'heure où les pinsons sommeillent, la tête cachée sous l'aile. Je ne serais pas aussi gaie que je le suis si le bon Dieu ne me montrait que la seule joie, sur la terre, c'est d'accomplir sa volonté. Un jour, je me crois à la porte du Ciel, à cause de l'air consterné de M. de Cornière, et le lendemain, il s'en va tout joyeux, disant : Vous voilà en voie de guérison. Ce que je juge moi (petit *bébé* au *lolo*), c'est que je ne guérirai pas, mais que je pourrais *traîner* longtemps encore. »

Une lettre à Léonie le 17 — la seule de ses sœurs qu'elle tutoie : au couvent, on se vouvoie. « Je suis bien heureuse de pouvoir encore m'entretenir avec toi, il y a quelques jours je ne pensais plus avoir cette consolation sur la terre; mais le bon Dieu paraît vouloir prolonger un peu mon exil. Je ne m'en afflige pas, car je ne voudrais point entrer au Ciel une minute plus tôt par ma propre volonté. L'unique bonheur sur la terre, c'est de s'appliquer à toujours trouver délicieuse la part que Jésus nous donne. »

Elle termine en disant : « A Dieu, ma sœur chérie, je

voudrais que la pensée de mon entrée au Ciel te remplisse d'allégresse, puisque je pourrai t'aimer encore davantage. »

Thérèse avait voulu, aussi, écrire au père Pichon, qui avait ouvert son cœur à un moment décisif au tout début de sa vie religieuse; elle lui disait quelles Tendresses le Seigneur avait eues pour elle durant toutes ces années et lui commentait le psaume « Le Seigneur est mon berger ». Quand on envoya la lettre, Thérèse dit : « Toute mon âme est là. » Mais ce testament — ainsi que toutes les lettres de Thérèse au père Pichon — n'a pas été conservé.

UN VIDE QU'ON VEUT COMBLER.

Que peut-on dire de l'évolution de la maladie? Le 9 juin, le 7 juillet et le 29 juillet ont été trois dates où on a pensé qu'elle allait mourir. Le 9 juin est l'anniversaire de l'*Acte*. Le 29 juillet, l'anniversaire de la mort de son père; le 30, « le médecin étonné des progrès que la maladie avait faits en deux jours, dit à notre bonne Mère qu'il était temps de combler mes désirs en me faisant recevoir l'extrême-onction ».

Le 7 juillet, on a vu que le médecin parlait encore de congestion. Le lendemain, Marie Guérin écrivait à ses parents : « Lorsqu'on va la voir, elle est bien changée, bien maigrie; mais toujours le même calme et le mot pour rire. Elle voit arriver la mort avec bonheur et n'en a pas la moindre peur. »

Le 9 juillet, nouvelle lettre de Marie Guérin à sa mère : « Si tu voyais notre chère petite malade, tu ne pourrais t'empêcher de rire, il faut toujours qu'elle dise quelque chose d'amusant. (...) Tout à coup, ce matin, elle se met à me dire : " Si j'allais être l'une des deux! " Nous nous regardions et nous demandions ce que cela voulait dire, elle reprend: " Oui, l'une des deux sur les cent! Ça serait-il malheureux! " Tout simplement parce que notre Mère lui avait raconté que M. de Cornière disait que, dans son état, il n'en réchappait que deux sur cent. » Marie Guérin raconte ensuite l'histoire que nous connaissons : le supérieur du monastère, le chanoine Maupas, curé de Saint-Jacques, venant la voir et ne la trouvant pas assez malade pour lui donner l'extrême-onction. Marie Guérin poursuit sa lettre : « Quand il a été parti, elle a dit : " Une autre fois, je ne me mettrai pas tant en peine pour être polie : je me suis assise sur notre lit, j'ai fait l'aimable et il me refuse ce que je lui demande! une autre fois, j'userai de " feintise ", je prendrai une tasse de lait avant son arrivée, parce que j'ai toujours bien plus mauvaise mine après, puis, je lui répondrai à peine en lui disant que " j'agonise ", et elle nous jouait positivement la comédie. »

A l'infirmerie où on l'a descendue, elle se trouve dans le lit qu'avait occupé la mère Geneviève, la fondatrice qui avait elle-même vu passer plusieurs fois la mort sans y atteindre. Marie Guérin raconte à ses parents que Thérèse répète souvent : « Quel lit de malheur! Quand on est dedans, on manque toujours le train! »

Dans sa lettre au père Roulland, le 14 juillet, elle dit à son correspondant — qui lui avait écrit qu'il apprenait le chinois, le balbutiant comme un bébé : « Eh bien, moi, depuis cinq ou six semaines, je suis aussi un bébé car je ne vis que de lolo. » L'expression est enfantine; mais la réalité ne l'est pas : Thérèse a horreur du lait; or, mère Agnès qui est « provisoire » (intendante) du monastère, a été chargée de veiller sur sa nourriture et lui fait boire énormément de lait. Mère Agnès nous rapporte l'incident suivant : « Comme le lait lui faisait mal et qu'elle ne pouvait prendre autre chose à ce moment-là, M. de Cornière avait indiqué une sorte de lait condensé qu'on devait trouver chez le pharmacien sous le nom de " lait maternisé ". Pour diverses raisons cette ordonnance lui fit de la peine et, quand elle vit arriver les bouteilles, elle se mit à pleurer à chaudes larmes. » Et quelle pénible manière d'agir de mère Agnès! par exemple ceci, à la date du 20 août, ceci qu'elle a raconté elle-même : « Elle ne pouvait plus voir le lait que d'ailleurs elle n'avait jamais pris avec plaisir et qui, alors, lui causait une extrême répugnance. Je lui dis : " Boiriez-vous bien cette tasse pour me sauver la vie? — Oh! oui! Eh bien, regardez, et je ne la prendrais pas pour l'amour du bon Dieu? " Et elle but la tasse d'un trait. »

Elle qui ne peut quasiment plus rien prendre a très simplement des « envies » : « Est-ce que c'est la saison des pêches tout à fait? Est-ce qu'on crie les prunes dans la rue? Je ne sais plus ce qui se passe. Quand on arrive à son déclin on perd la mémoire et la tête. » Elle dira, le 12 août : « C'est inouï, maintenant que je ne puis plus manger, il me prend des envies de toutes sortes de bonnes choses, comme du poulet, des côtelettes, du riz à l'oseille du dimanche, du thon! »

En juillet, il y avait eu un mieux et Céline envoie un mot à Léonie : « Voici ce que ma petite malade, Thérèse, me dit à l'instant : " J'aurais bien envie de quelque chose, mais il n'y a que ma tante ou Léonie qui pourraient me le donner. Je voudrais bien un petit gâteau au chocolat. C'est mou dedans. " Alors, je lui cite une bouchée au chocolat. " Oh! non, c'est bien meilleur, c'est long, étroit, je crois que c'est ce qu'on nommait un éclair. Mais un seul ", dit-elle. »

Après l'extrême-onction et le viatique, le 30 juillet à six heures du soir, il y a un mieux. « Elle s'amuse à nous parler de tout ce qui arrivera après sa mort, écrit Marie Guérin à ses parents. De la manière dont elle nous raconte cela, là où on devrait pleurer, on rit aux éclats, tellement elle est amusante. Elle passe tout en revue, c'est son bonheur, et nous en fait part dans des termes qui nous font bien rire. Je crois qu'elle mourra en riant tellement elle est gaie. »

Et comme il y a un mieux, M. Guérin, qui a la goutte, part comme chaque année pour Vichy avec sa femme.

On se souvient que sœur Marie de la Trinité avait été retirée de l'infirmerie quand Thérèse y avait été descendue. C'est que mère Marie de Gonzague s'était aperçue, à l'occasion de la maladie, de la grande proximité de la chère novice et de Thérèse. Or la prieure avait une affection forte envers sœur Marie de la Trinité; elle lui dit alors avec vivacité : « Si j'avais connu vos rapports intimes avec sœur Thérèse de l'Enfant-Jésus et qu'elle vous suffisait si bien pour tout, je ne me serais pas occupée de vous. »

Un jour de crise plus forte, mère Agnès court chez la prieure pour demander qu'on appelle le médecin. Or le docteur de Cornière étant en vacances, mère Marie de Gonzague refuse qu'on appelle un autre médecin de la ville. Mère Agnès demande alors qu'on appelle le docteur La Néele, le mari de Jeanne Guérin. Celui-ci était passé la veille à Lisieux mais la prieure avait déjà absolument interdit qu'il entre au Carmel voir Thérèse. La prieure se décide enfin à envoyer un télégramme au docteur La Néele, à Caen. Il arrive, visite Thérèse; il est si mécontent qu'il dit avec vigueur à la prieure : « Sachez, ma Mère, que cette pauvre petite sœur souffre un vrai martyre, et que dans son état, elle doit voir un médecin tous les jours. J'étais hier à Lisieux d'ailleurs, comment ne m'avez-vous pas appelé? Lorsqu'il fut parti, la pauvre Mère Prieure fit une scène, s'exaspéra, cria contre la famille de la malade, contre la malade aussi. » Mère Agnès dira au Procès : « Le médecin de la Communauté étant en vacances, nous demandâmes à notre mère prieure de faire entrer le docteur La Néele, notre parent. Mais elle refusa, et pendant un mois, elle fut en proie aux plus cruelles tortures. Quand nous nous plaignions de cette manière d'agir, cet ange de paix nous disait : " Mes petites sœurs, il ne faut pas murmurer contre la volonté du bon Dieu. C'est lui qui permet que Notre Mère ne me donne pas de soulagement ". »

Il est certain que, pour mère Marie de Gonzague, la place tenue par la famille de Thérèse dans le monastère était excessive. A tous les plans; par exemple, au plan financier : mère Agnès est l'économe du Carmel; et le principal bienfaiteur du couvent, et de loin, est l'oncle Guérin : sans lui, les carmélites ne pourraient pas vivre. Autre exemple : en 1896, M. Guérin a acheté au cimetière de Lisieux, une grande concession dont il se réserve une partie : le reste, il le destine aux carmélites. Comment cette volonté de sœur Agnès d'amener le mari de sa cousine pour soigner Thérèse pouvait-elle ne pas paraître à la prieure comme une atteinte à son autorité? On aperçoit ce combat entre la famille Martin-Guérin et la prieure dans une lettre du docteur La Néele écrite à son beau-père, M. Guérin, qui est à Vichy. Il a vu Thérèse le 17 août : « J'ai embrassé notre petite malade au front pour vous et maman et toute la famille. J'ai demandé la permission pour la forme à la mère prieure, et sans attendre la réponse que la règle défendait peut-être, j'ai pris ce qui vous

était dû. » C'est-à-dire que le gendre de l'oncle Guérin ausculte la malade : l'oncle Guérin a *droit* — « ce qui vous est
dû » — à ce que *son* médecin, qui est de plus son gendre,
ausculte *sa* malade; il commet *son* expert. Il y a droit, et le
docteur agit en son nom, sans vraiment avoir la permission;
peu importe la Règle. Le premier bienfaiteur de la Communauté prend ce qui lui est dû.

On dira que dans une telle circonstance, la famille — mère
Agnès et l'oncle Guérin comme chefs de file — pouvait
estimer que la prieure ne veillait pas suffisamment sur sa
malade et qu'il y avait nécessité d'assister une personne en
danger. Or Marie Guérin elle-même, après la visite du docteur La Néele, écrit, le 17 août à ses parents : « Il a trouvé
notre petite malade soignée admirablement et il a dit qu'avec
tous les soins que M. de Cornière lui avait fait donner, si
elle n'était pas rétablie, c'est que le bon Dieu voulait la
prendre pour lui malgré tout. »

Il faut être juste envers la prieure. C'est quand même elle
qui a voulu mettre Céline auprès de Thérèse. Céline raconte
elle-même que la prieure lui a, « par délicatesse », « confié
le soin de ma chère petite sœur. Je couchais dans une petite
cellule attenante à son infirmerie et je ne la quittais que pour
les heures d'office et quelques soins à donner aux autres
malades. Pendant ce temps, mère Agnès me remplaçait. »

« Vous ne sauriez croire comme notre Mère est bonne
pour nous, pour notre petite Thérèse surtout », écrit sœur
Marie du Sacré-Cœur à M. et Mme Guérin. On peut croire
Thérèse elle-même qui écrivait en juin dans le manuscrit
adressé à la prieure : « Ah! ma Mère, depuis que je suis
malade, les soins que vous me prodiguez m'ont encore beaucoup instruite sur la charité. Aucun remède ne vous semble
trop cher, et s'il ne réussit pas, sans vous lasser vous essayez
autre chose. Lorsque j'allais à la récréation, quelle attention
ne faisiez-vous pas à ce que je sois bien placée à l'abri des
courants d'air! Enfin, si je voulais tout dire, je ne terminerais
pas. »

Et si, tout à la fin, la prieure croit ne pas devoir accepter
les piqûres de morphine que le médecin propose pour
Thérèse, c'est qu'elle estime que ce traitement, assez nouveau

à l'époque, ne convient pas à une carmélite : nous retrouvons là les convictions profondes de mère Marie de Gonzague, suivant une tradition qu'elle a apprise au Carmel, la tradition de la souffrance héroïquement subie. N'était-il pas « juste » — pour parler comme Thérèse — que celle qui proposait de dépasser ce système de la souffrance vécue en tant que telle soit elle-même victime de ce système? Mère Marie de Gonzague — et mère Agnès — avaient beaucoup de mal à se dégager de leur manière de voir : elles n'arrivaient pas à saisir ce que Thérèse entendait par sa « voie » et qu'elle définissait d'un mot dans sa lettre du 18 juillet 1897 à l'abbé Bellière : « la souffrance unie à l'amour ». Pour ces deux femmes, la souffrance était une sorte de valeur en soi, un talisman de salut pour soi-même et les autres. Thérèse retourne tout en ajoutant : « unie à l'amour ». Elle ne veut pas de choses extraordinaires : « Il y en aura pour tous les goûts, a-t-elle dit, on le sait, de son manuscrit le 9 août 1897, excepté pour les voies extraordinaires. »

Peut-être faut-il trouver dans ce « système » le secret de l'attitude des deux « mères » et le nœud de leur conflit. Au fond, elles se ressemblent : elles sont, l'une et l'autre, à la fois extrêmement sensibles et extrêmement volontaristes; ces deux attitudes trouvant d'ailleurs leur source commune dans une angoisse fondamentale qui les fait demeurer dans une affectivité mal équilibrée et les fait réagir en actes excessifs pour apaiser leur culpabilité. On voit bien que Thérèse les dépasse de cent coudées. On le voit; et elles le voient; elles s'appuient toutes deux sur elle. Alors la mort proche de Thérèse les déconcerte, les atteint au plus vif de leur sensibilité. Il y a une sorte de chassé-croisé étonnant entre elles : la prieure commence par craindre que, dans sa trop grande sensibilité, mère Agnès ne puisse supporter la maladie de Thérèse et c'est une des raisons pour lesquelles elle ne lui parle pas de l'hémoptysie des Jeudi-Vendredi saints 1896. « Notre *bonne* Mère, écrit Thérèse à l'abbé Bellière le 18 juillet 1897 à propos de mère Agnès, craignait beaucoup que sa nature sensible et sa grande affection pour moi, lui rendent bien amer mon départ. » Or « Elle (mère Agnès) parle de ma mort comme d'une fête et c'est une grande consolation pour moi ». Thérèse souligne bien que c'est le contraire qui est arrivé. Oui, c'est la prieure qui est toute perdue; Thérèse l'avait dit dans sa lettre du 14 juillet 1897 au père Roulland, qui connaît mère Marie de Gonzague et qui doit être stupéfait de voir que cette femme forte puisse être à ce point atteinte : « *Priez pour notre Mère* dont le cœur sensible et maternel a bien du mal à consentir à mon départ. » Elle fait la même demande à l'abbé Bellière. On ne peut pas ne pas respecter cette grande douleur de femme blessée qui écrira un mois après la mort de Thérèse au père prieur de Mondaye : « Les derniers événements arrivés chez nous (la mort de Thérèse) me laissent presque inerte, je ne sais trop où j'en suis, où je vais. La mort de notre ange me laisse un vide qui ne se comblera jamais; plus je découvre de perfections dans cette enfant de bénédiction, plus j'ai de regret de l'avoir perdue. »

On ne peut trouver d'excuse aux incidents regrettables qui ont lieu autour de Thérèse dans les douze dernières semaines de sa vie que dans la souffrance de ces deux femmes que la douleur aiguë faisait s'affronter. C'était une souffrance encore trop humaine, trop peu paisible, trop mal « unie à l'amour ». Et, par là même, ces deux femmes, voyant qui elles perdaient, voulaient combler cette béance en se disputant sa dépouille, en cherchant chacune à s'approprier son corps, sa mort et ses écrits.

Thérèse, elle, était entre les deux et faisait les frais de l'opération : comme une vraie pauvre.

Les deux « mères », à cause de leur conflit, passent à côté de l'essentiel et laissent ainsi Thérèse dans une solitude immense. Mère Agnès a eu des confidences, voilées mais réelles, sur l'épreuve intérieure de Thérèse; la prieure, elle, a eu la confidence précise, écrite par Thérèse en ce juin 1897. Or nous n'avons aucune trace de la compréhension de la prieure au sujet de cette épreuve. Et le *Carnet jaune* de mère Agnès montre à quel point elle ne saisit pas cette épreuve où se trouve Thérèse. Jusqu'au bout, oui, Thérèse est seule, livrée à elle-même, à sa pauvreté. C'est une véritable agonie semblable à celle du Christ. Un fait-symbole : un jour, comme elle a eu une crise très forte, ses trois sœurs la veillent la nuit suivante ; elles s'endorment toutes trois et quand elles s'éveillent, Thérèse les désigne du doigt l'une après l'autre en souriant : « Pierre, Jacques et Jean! »

A travers les notes de mère Agnès, on trouve çà et là des essais de partage de Thérèse sur son état intérieur et l'épreuve terrible qu'elle vit. Mais ce sont des essais sans réponse. Elle confie à mère Agnès, dès le 6 juin, le dialogue déjà cité avec l'aumônier et confesseur des carmélites : « M. Youf m'a dit pour mes tentations contre la foi : " Ne vous arrêtez pas à cela, c'est très dangereux. " Ce n'est guère consolant à entendre, mais heureusement, je ne m'en impressionne pas. Soyez tranquille, je ne vais pas casser ma " petite " tête à me tourmenter. »

UNE ENFANT QUI MEURT EN SOLITUDE.

Le 6 juillet : « J'ai lu un beau passage dans les Réflexions de l'*Imitation*. C'est une pensée de M. de Lamennais — tant pis! — c'est beau tout de même; Notre Seigneur au jardin des Oliviers jouissait de toutes les délices de la Trinité, et pourtant son agonie n'en était pas moins cruelle. C'est un mystère, mais je vous assure que j'en comprends quelque chose par ce que j'éprouve moi-même. »

Celles qui ont la confidence de cette agonie intérieure — parallèle à l'autre agonie — sont tellement à côté, que Thérèse le leur avoue avec une franchise sans ambages : « L'une de nous, raconte mère Agnès, lui avait dit et lu quelque chose et pensait l'avoir beaucoup consolée et réjouie dans sa grande épreuve. " N'est-ce pas que votre épreuve a cessé pour un moment? " Réponse nette de Thérèse : " Non! C'est comme si vous chantiez ". »

On comprend qu'elle répétait : « Oh! comme il faut prier pour les agonisants! Si l'on savait! » Elle fait le lien, d'ailleurs, entre les deux agonies : « Je crois que le démon a demandé au bon Dieu la permission de me tenter par une extrême souffrance, pour me faire manquer de patience et de foi. »

Le 28, elle désigne, par la fenêtre, un endroit sous les

marronniers qui est tout à fait sombre : « Tenez, voyez là-bas le trou noir où l'on ne distingue plus rien ; c'est dans un trou comme cela que je suis pour l'âme et pour le corps. Ah ! oui, quelles ténèbres ! Mais j'y suis dans la paix. »

Ses souffrances sont intolérables et le 30, elle dit à sœur Agnès : « Veillez bien ma Mère, lorsque vous aurez des malades en proie à d'aussi violentes douleurs, à ne point laisser auprès d'elles des médicaments qui soient poison. Je vous assure qu'il ne faut qu'un moment lorsqu'on souffre à ce point pour perdre la raison. Et alors on s'empoisonnerait très bien. »

Fidèle à sa vocation de Pâques 1896, elle offre sa dernière communion, le 19 août, pour Loyson ; et le 2 septembre elle dit : « J'ai surtout offert mon épreuve intérieure contre la foi pour un membre allié de notre famille qui n'a pas la foi. » Thérèse prend son épreuve avec une sorte d'humour : « Je me demande comment le bon Dieu peut se retenir si longtemps de me prendre... Et puis, on dirait qu'il veut me faire " accroire " qu'il n'y a pas de ciel ! » Elle a sa manière de ne pas se heurter de front aux tentations, de filer « avec adresse entre les jambes », comme elle disait, elle qui conseillait à ses novices de ne pas vouloir « surmonter » les difficultés mais de passer « par-dessous ».

Ainsi ces douze semaines sont-elles tout entières ténèbres : « Si vous saviez ! dit-elle à sœur Agnès trois mois avant sa mort, c'est le raisonnement des pires matérialistes qui s'impose à mon esprit. » Et six jours avant sa mort, à mère Agnès qui lui pose une question selon laquelle elle voudrait la voir conforme aux saints qui sont en train de mourir — « Vous n'avez donc pas l'intuition du jour de votre mort ? » — elle répond : « Des intuitions ! Si vous saviez dans quelle pauvreté je suis ! » Les deux « Si vous saviez ! » du début et de la fin de ces douze semaines se répondent. L'entourage ne savait pas. Thérèse meurt pauvre et seule.

Seule devant le Seigneur dans la nuit, mais seule aussi dans son monastère. On a vu que les religieuses — mère Marie de Gonzague en tête ne saisissent pas ce que Thérèse vit à l'intime de son cœur. Que ses deux sœurs Marie et Agnès, sont très loin de la comprendre. Reste Céline. Or, fait capital,

Céline va changer d'attitude au cours de la maladie de Thérèse. Elle qui avait été si prévenante au début, lorsque Thérèse avait été descendue à l'infirmerie, devient d'un seul coup odieuse envers Thérèse. Alors qu'elle est son infirmière, elle la laisse sans soins, omet de la nettoyer, n'hésite pas ensuite à oser un jeu de mots comme celui-ci : « Ça ne sent pas la rose ici. »

Comment peut-on expliquer ce changement soudain de l'attitude de Céline envers Thérèse? Pourquoi cette méchanceté, cette brutalité? Sans doute peut-on souligner que Céline est l'avant-dernière et Thérèse la dernière, que Thérèse a précédé son aînée pour l'entrée au Carmel, qu'elle la précède dans la connaissance des voies spirituelles, qu'elle est sa sous-maîtresse des novices. De quoi être jalouse de la petite sœur! Et voici Thérèse, qui va mourir, comme entourée d'une auréole : les religieuses ne comprennent pas ce qu'elle vit profondément mais elles parlent déjà d'elle comme d'une « vraie sainte » — même s'il faut prendre ce terme dans un sens atténué parce qu'il est assez courant dans les monastères ou les milieux pieux de l'époque. De nouveau, Thérèse, qui va précéder Céline dans la mort, la précède aussi dans la réputation d'autrui. Céline, qui est infirmière, est sans cesse témoin de ces louanges, témoin aussi des attentions des « mères » — Marie de Gonzague et Agnès — envers Thérèse. On peut donc comprendre sa réaction de jalousie. Reste que celle-ci a été extrêmement vive et que Céline a fait beaucoup souffrir Thérèse dans les dernières semaines de sa vie. Qu'on se souvienne de l'immense désir de voir Céline entrer au Carmel, de sa joie quand elle y arrive, de la confiance qu'elle lui fait : n'est-ce pas Céline qui a été associée aussitôt à l'*Acte* du 9 juin 1895? Peut-être est-ce de cet abandon de la part de Céline que Thérèse a le plus souffert — en dehors de son épreuve de la foi. Sans doute est-ce là qu'elle vit la solitude humaine la plus atroce.

La réponse de Thérèse à ce coup de Céline sera vraiment sa réponse propre; on se souvient qu'au moment où elle avait aperçu, en août 1894, que Céline avait manqué de confiance en elle — Céline ne lui avait pas fait part de ses projets de partir pour le Canada rejoindre le père Pichon, et il entrait certainement dans le projet de Céline le désir de rejoindre, après la mort de M. Martin, le « père » spirituel des filles Martin — on se souvient que Thérèse avait à ce moment-là tout rejeté sur le père Pichon et avait voulu continuer de faire confiance à Céline. Même réponse aujourd'hui où l'affection de Céline la trahit, à son lit de mort même; Thérèse continue d'exprimer à Céline sa tendresse aimante malgré les actes agressifs de celle-ci; et l'un de ses derniers regards, juste avant de mourir sera pour Céline.

Et elle continue de dire à Céline le fond de son cœur. Dans un petit billet qu'elle lui adresse, elle dit de manière bouleversante où elle en est, comment elle essaie de vivre cette agonie. Il faut se la représenter : enflammée de fièvre en son corps; sèche en son esprit, comme un désert brûlant. Alors il y a Jésus, Jésus qui a allumé ce feu en ce cœur, ce feu qui est aujourd'hui calcination, Jésus qui est feu, consomption. Et il y a Thérèse, la jeune fille qui a toujours voulu courir à l'odeur des parfums du Bien-Aimé, et qui est aujourd'hui au bout de sa course. Thérèse n'a plus qu'un désir, dans la solitude de sa maladie, de son épreuve, de son entourage : se laisser plonger dans la tendresse du Bien-Aimé; elle le dit dans une prière qui se trouve dans le billet à Céline, du 22 juillet :

« O Jésus! " votre nom est comme une huile répandue ". C'est dans ce divin parfum que je veux me baigner tout entière, loin du regard des créatures. » La voici seul à seul avec le Bien-Aimé, dans sa nudité essentielle. La voici le corps et l'esprit en feu et qui demandent l'huile d'apaisement et le parfum d'amour.

A la manière de Mme Martin qui, avant sa mort, avait fait le pèlerinage pour Léonie, Léonie se rend à Lourdes pour Thérèse. Dès son retour elle se précipite au Carmel avec son eau de Lourdes. Léonie était venue voir Thérèse une dernière fois au parloir le 2 juillet : elle avait éclaté en sanglots; Thérèse, épuisée, l'avait consolée comme elle pouvait. Léonie vient souvent, sonne au Carmel, en quête de nouvelles. Ses autres sœurs sont à l'intérieur; elle, elle est dehors, comme exclue; elle est déconcertée par les alternances de « mieux » et de « dernière extrémité ». Elle est désemparée.

Elle envoie à Thérèse tout ce qui peut lui faire plaisir : du raisin, une bourriche pleine de bonbons, des gâteaux, des fleurs. Elle lui fait une couverture : « Je suis *on ne peut plus touchée* de ton empressement à me faire plaisir, lui écrit Thérèse — et c'est sa dernière lettre, Léonie est la dernière destinataire. — Je te remercie de tout mon cœur et suis ravie de la petite couverture que tu m'as faite. Elle est telle que je la désirais. »

Le 8 septembre, pour l'anniversaire de sa profession, Léonie lui amène sa boîte à musique; Thérèse écoute avec grand plaisir les airs — profanes — qui se déroulent. Toujours pour l'anniversaire de sa profession, on lui apporte une gerbe de fleurs des champs; elle se met à pleurer. « Extérieurement je suis comblée de délicatesses, dit-elle, mais l'intérieur est toujours dans l'épreuve. » Un rouge-gorge vient sautiller sur son lit.

Ce 8 septembre, fête de la Vierge et anniversaire de sa profession, elle trace d'une main tremblante, au crayon, les tout derniers mots qu'on a d'elle : une petite phrase qu'elle adresse à sa Mère du Ciel et qui manifeste le sens des retournements dont elle avait le secret :

> O Marie, si j'étais la Reine
> du ciel et que vous soyez Thérèse,
> je voudrais être Thérèse afin
> que vous soyez la Reine du
> Ciel!!!...
>
> *8 septembre 1897.*

Le lendemain, on remonte mal la boîte à musique et on détraque le mécanisme; on la répare mais « la plus jolie note » manque à l'un des airs.

On lui a apporté une relique et un portrait de Théophane Vénard qui était mort martyr au Tonkin en 1861 à trente et un ans, et pour qui elle s'était prise de grande affection quand elle avait lu sa vie au début de cette année 1897. Elle embrasse souvent cette relique, ainsi qu'une autre, de la vénérable mère Anne de Jésus.

A partir du 12, les pieds enflent, elle est très faible; le moindre choc au lit la fait gémir de souffrance; on a peur de disposer son coussin, elle dit en s'appuyant sur ses mains : « Attendez, je vais me pousser au fond du lit, en faisant les mouvements d'une petite sauterelle. »

Le docteur La Néele lui avait affirmé qu'elle n'aurait pas d'agonie : « On m'avait pourtant dit que je n'aurais pas d'agonie! Mais après tout, je veux bien en avoir une. » Le 24 : « Je voudrais courir dans les prairies du Ciel. » Le 28 : « Maman! l'air de la terre me manque, quand est-ce que le bon Dieu me donnera l'air du Ciel? » Et à propos de sa respiration : « Ah! jamais ça n'a été si court! »

Le 29, à mère Marie de Gonzague : « Ma Mère, est-ce l'agonie? Comment vais-je faire pour mourir? Jamais je ne vais savoir mourir! » « Quand est-ce que je vais être tout à fait étouffée? » Vers six heures du soir, un insecte s'introduit dans sa manche, on veut le retirer : « Laissez, ça ne fait rien — Mais si, vous allez être piquée — Non, laissez, laissez, je vous dis que je connais ces petites bêtes-là. »

Le 30, elle dit : « Je ne me repens pas de m'être livrée à l'Amour... Oh! non, je ne m'en repens pas, au contraire. »

Vers cinq heures de l'après-midi, elle commence à râler. Le visage est congestionné, les mains et les pieds glacés, elle tremble de froid. De grosses gouttes de sueur coulent du front. Elle est de plus en plus oppressée et pousse de petits cris de temps à autre. A sept heures et quelques minutes, elle cherche des yeux Céline qui comprend la signification de ce regard. Puis elle fixe les yeux sur celle qu'elle appelait son « Jésus visible » : la prieure. Elle regarde enfin le crucifix, dit « Oh!... je... vous... aime! » et penche la tête à droite en expirant.

C'était le soir, un soir de septembre; la pluie tombait sur Lisieux. Puis, soudain, le ciel se fit calme et serein.

Table

IMP. BUSSIÈRE, SAINT-AMAND (CHER)
D. L. 1e TR. 1975 No 3569 (158).

LIVRE DE VIE